Zionoco

LEON DE WINTER

*Het grote Leon de Winterboek*
*De hemel van Hollywood*
*Hoffman's honger*
*Kaplan*
*De ruimte van Sokolov*
*SuperTex*
*Zionoco*

Leverbaar bij
Uitgeverij De Bezige Bij BV

# Leon de Winter

## Zionoco

Roman

Singel Pockets

Elke overeenkomst met bestaande figuren of gebeurtenissen
berust op toeval.

Eerste druk 1995
Derde druk (als Singel Pocket) 1999
Vierde druk 2000

Singel Pockets is een samenwerkingsverband tussen
BV Uitgeverij De Arbeiderspers, Uitgeverij De Bezige Bij BV,
Uitgeverij Nijgh & Van Ditmar en Em. Querido's Uitgeverij BV

Oorspronkelijke uitgave:
Uitgeverij De Bezige Bij BV

Omslagontwerp: Geert Franssen, Martin de Rooij

ISBN 90 413 7012 9 / NUGI 300

*voor Moos,*
*en niet minder voor Jessica*

Wie niet in wonderen gelooft is geen realist.
*Joods gezegde*

Noord-Amerika
voorjaar 1994

## 1

De Boeing 737 stond op het in regensluiers gevangen Logan International in Boston en wachtte op toestemming voor de korte vlucht naar La Guardia in New York. Sol Mayer was op de terugreis van een bezoek aan een conventie over *De rol van de rabbijn in een veranderende samenleving* en hij had de vrouw die tot zijn verrassing naast hem plaatsnam de avond ervoor op afstand bewonderd.

Zij was de zangeres van het vijfkoppige bandje dat het slotdiner had begeleid met jazzy evergreens en ballads, bekende Amerikaanse liedjes die gearrangeerd waren tot melancholieke verzuchtingen. Aan zijn tafel was er een moment over de muziek gepraat en de aandacht van zijn collega's voor de bron van de stem was hem niet ontgaan. Zij droeg een zwarte jurk die het grootste deel van haar in zwarte panties gestoken benen onbedekt liet en haar enkels en kuiten en de aanzet van haar dijen benadrukte; nogal gewaagd voor een feestje van rabbijnen. Donkerbruin lang haar, opzettelijk nonchalant opgestoken, omlijstte haar ovale gezicht. Haar expressieve ogen bleven onberoerd onder de blikken van de in kleurloze kostuums gestoken joodse leidsmannen, die in dit hotel van marmer en pluche dineerden en hun verbazing over deze opwindende verschijning poogden te verbergen.

Na een korte pauze, afgesloten met een aarzelend applaus, keerde zij terug in een jurk die tot over haar knieën reikte maar haar borstkas strakker omspande. Ze had kleine borsten en om bescherming vragende, kwetsbare schouders. Sol hield haar in het oog zoals hij andere aantrekkelijke vrouwen in het oog hield, gecharmeerd door de attracties van de schepping en zich tegelijkertijd scherp bewust van de beperkingen van zijn mogelijkheden.

In de overvloedige eetzaal van het Hilton Hotel, achter een schotel met gerookte zalm (vaak dezelfde gangen op deze diners: tenzij de rabbijn aangaf de regels van het kasjroet te volgen kreeg hij eerst een bouillon van kip, dan een stukje zalm, vervolgens gebraden kip en tot slot wat fruit), schoof hij onrustig op zijn stoel heen en weer toen het bedwelmende beeld van haar lijf, ontdaan van jurk en panties, zijn verbeelding binnengleed.

De synagoge waaraan hij verbonden was stond aan Fifth Avenue en de aantrekkelijkste actrices en fotomodellen lieten zich op de banken zakken om naar zijn preken te luisteren. Sol was zich bewust van zijn retorisch talent, van zijn mediterrane uiterlijk en zware baardgroei die om minstens twee scheerbeurten per dag vroeg, en als hij een carrière als overspelige had geambieerd dan had hij al jaren geleden de nieren uit zijn lendenen kunnen neuken. Maar hij was trouw. En bang. En voorzichtig. Hij had nog een leven voor zich en zijn huidige baan beloofde een toekomst van materiële overvloed. Voor een partij geilerij met een modepop of een zangeres zou hij zijn bestaan niet op het spel zetten.

Tegen middernacht nam hij afscheid van zijn collega's. Zij stond niet in de lift, hij liep haar niet in de gang tegen het lijf, zij passeerde zijn dromen in het kingsize bed. Maar nu, een dag later, kwam zij in de Boeing naast hem zitten en hij vroeg zich af of dit een geschenk of een vloek was.

Ze knikten elkaar afstandelijk toe. Zij droeg een gebleekte spijkerbroek, een wit T-shirt, een zwart leren jack met vale plekken, en haar gezicht werd goeddeels verborgen achter de gordijnen van haar loshangende haar, dat hij wilde aanraken. Voor zover hij kon waarnemen was haar gelaat, anders dan de avond ervoor, verstoken van make-up. Zij ging zitten en hij profiteerde van het moment en zag de vorm van haar kont in de strakke broek.

De gezagvoerder meldde zich via de intercom ('Helaas moet ik u meedelen dat we een vertraginkje hebben opgelopen.') en probeerde de verwachte teleurstelling in het toestel te dempen. In de toon van het geroezemoes achter Sol hing ergernis. Een halfuur vertraging. De vrouw naast Sol merkte op: 'Dat is bijna net zo lang als de hele vlucht.'

Er waren opmerkelijker zinnen denkbaar. Sol knikte en wilde zich weer wijden aan het artikel dat hij aan het lezen was. Maar hij deed iets anders. Hij sprak de woorden uit die, vreemd genoeg, gereed leken te liggen. Hij zei: 'Als het te lang gaat duren, kunt u misschien een van uw prachtige liedjes zingen.'

Verrast bekeek zij hem: 'Hoe bedoelt u?'

Hij antwoordde: 'Ik heb u gisteravond horen zingen.'

Ze schoof haar haren opzij en bekeek hem met aandachtige ogen. Geen make-up, geen oorbellen, geen ketting om haar volmaakte hals. Er school iets onzekers in haar beweeglijke gezicht, iets onschuldigs en kinderlijks, en hij zag dat zij naar een gevatte reactie zocht. Na een paar seconden wist ze niets beters dan: 'Gôh, toevallig.'

Als op een teken trokken ze zich terug in een ongemakkelijke glimlach en sloegen hun ogen neer. De spanning die hij bij zichzelf bespeurde moest een oorzaak hebben die niet met deze vrouw verband hield. Misschien raakte zij per ongeluk aan zijn schoonheidsideaal, ook al wist hij niet dat hij iets dergelijks met zich meedroeg. Hopelijk was dat alles, de ontdekking dat er een menselijk wezen bestond dat zijn esthetische normen aan het daglicht bracht.

De laatste business class passagiers zochten hun stoelen en een stewardess bood sinaasappelsap en champagne aan, de overbodige begeleiders van hun prijzige tickets. Zij nam champagne en hij liet het sap staan en volgde haar voorbeeld. Normaal dronk hij alleen bij het avondeten en zeker niet ver voor het middaguur, waarom deed hij dit? Omdat hij iets wilde delen, drong tot hem door, omdat hij op zoek was naar de glans van haar ogen. Opnieuw knikten ze naar elkaar, deze keer bij wijze van toast, en nerveus dronk hij het glas in een teug leeg.

'Dorst,' verklaarde hij ongemakkelijk toen hij het lege glas neerzette. Hij wist niet tegen wie hij sprak.

Zij glimlachte en opende haar lippen. 'Wie niet?' vroeg ze. Hij zag dat haar glas ook was leeggedronken. Heer in de Hemel, bad hij, doof de begeerte van mijn schoot. Een zangeres.

'Ik drink alleen bij het eten,' verontschuldigde hij zich.

'Ik wanneer ik dorst heb.'

'Ik zou niet kunnen functioneren.'

'Ik niet zonder,' zei ze onomwonden. Meende ze dat of was dat het stoere antwoord van een verlegen ziel?

Hij liet een soort snuif horen terwijl hij breed bleef glimlachen, een luchtstoot door zijn neusgaten die de afwezigheid van een waarachtige reactie moest compenseren. Hij vertoonde het gedrag van een onnozele.

'We zijn allemaal anders,' antwoordde hij vol schaamte over de banaliteit van zijn woorden.

'Anders en toch gelijk.'

Hij wist niet precies wat zij bedoelde. Wat was anders en wat was gelijk? De normen waarmee zij mat, oordeelde en indeelde waren hem onbekend. Vermoedelijk speelde haar leven zich af in repetitieruimten en kleedkamers achter bars en feestzalen en lagen de begrippen die hem kwelden aan de periferie van haar belangstelling. Wat wist hij van het leven van een zangeres? Wat wist zij van het leven van een rabbijn?

De stewardess beloonde het geduld van de dure reizigers met een extra ronde. Deze keer nam hij een glas vruchtesap van het dienblad. De vrouw bleef bij champagne.

'Bent u al lang zangeres?'

Deze vraag blonk niet uit in originaliteit, maar hij vond dat hij probleemloos kon toegeven aan de nieuwsgierigheid naar haar gedachtenwereld. Hij hoopte dat hij kon vaststellen dat zij die niet had en niet meer was dan een welgevormd vat vol lucht. Wie zou zich aangetrokken voelen door een leeg vat?

'Jaar of vijf.'

'Is het een zwaar leven?'

'Niet als je het leuk vindt.'

'Vindt u het altijd leuk?'

'Meestal wel. Als ik de kans krijg.'

Zij had geen behoefte aan een gesprek. Hij evenmin.

'Fijn,' zei hij, en hij boog zich opnieuw over het tijdschrift dat hij in de hotelkiosk had gekocht. Hij dwong zichzelf haar aanwezigheid te vergeten, niet te denken aan de benen die in de verte, op de bühne in de hoek van de weidse eetzaal, het ritme van de songs hadden begeleid. Ritmisch had ze de hak van een van haar zwarte pumps bewogen of haar knieën licht van links naar rechts gezwaaid. Soms richtte ze zich op en spande de spieren in haar lange benen, waarover ze panties droeg met een glans van satijn. De lijnen van haar benen riepen onvermijdelijk het verlangen op naar de plek waar ze samenkwamen. In een zaal vol geleerde joden lichtte haar lichamelijkheid op als een vlam in de woestijnnacht.

Het artikel dat Sol Mayer poogde te lezen had hij zelf geschreven. Het tijdschrift was een exemplaar van *Shalom,* een van de belangrijkste spreekbuizen van het progressieve jodendom in Amerika, waarin Sol regelmatig publiceerde over rabbinale aangelegenheden. Dit artikel handelde over het morele gehalte van het rabbinale leven. Hij had het geschreven naar aanleiding van de zaak rond een chassidische rabbijn, Jossi Finkelstajn, die gearresteerd was in verband met de kidnapping van een miljonairszoon. Het was voor Sol de ideale aanleiding om de chassidische claim op het woordvoerderschap voor het gehele jodendom aan te vallen.

Anders dan de chassieden met hun tegenstanders deden (wie niet voor hen was, was tegen hen) wilde hij niet alle extreem-orthodoxen over één kam scheren en had hij de criminele chassied slechts als symptoom willen beschrijven.

Zoals velen onder hen had de kinderrijke, vrome Finkelstajn grote geldzorgen: de Heer had hem gezegend met acht dochters en slechts twee zonen, hetgeen betekende dat hij het vermogen voor acht bruidsschatten diende te vergaren. Gedreven door de angst dat hij binnen zijn gemeenschap zijn positie zou verliezen wanneer hij zijn dochters met schrale schatten zou uithuwelijken, bedacht Finkelstajn hoe hij via afpersing het benodigde kapitaal bijeen kon brengen. Sol had hem willen beschrijven als een tragisch slachtoffer van een antieke traditie, een van de velen die het jodendom opvatten als een stelsel van schizofrene rigiditeit, maar hij zag in dat de toon harder, agressiever en arroganter was uitgevallen dan hij bedoeld had.

De regen sloeg tegen de kajuitramen. De zangeres bladerde door een tijdschrift. Voorzichtig probeerde Sol de koppen boven de artikelen te lezen en hij stelde verwonderd vast dat ze een nummer van de *Scientific American* las. Speelde er meer in haar hoofd dan de songteksten van Cole Porter en Burt Bacharach? Impliciet had hij haar veroordeeld, wat een teken was van zijn ijdelheid en zielloze gevoel van suprematie. En ook al zou ze slechts de rijmpjes van anderen kunnen nakakelen dan mocht hij de bijzonderheid van haar wezen – waarvan hij geen enkele notie had – niet verminderen of ontkennen. Zij had net zoveel recht op de zuurstof in dit vliegtuig als hij.

Ze stond op en trok zich terug achter de wc-deur. Ze was nog langer dan hij gisteren op afstand had kunnen meten, hij schatte rond de één tachtig. De achterkant van haar benen verraadde stevige dijen en de overgang naar haar billen beloofde een welvende volmaaktheid als van een kunstwerk – gekweld sloot hij zijn ogen en schudde zijn hoofd: waar was hij in hemelsnaam mee bezig, waarom gaf hij zich over aan deze onzinnige observaties? Over de mensheid (een begrip dat voor hem betekenis droeg), over de moraal, de jeugd, de oorlogen, Afrika, de moderne media, het geweld op televisie, het opkomend fundamentalisme (van joods tot islamitisch), het milieu, de ozonlaag, de verspilling, de overvloed, de honger, de armoede, de bevolkingstoename, de vervuiling van de oceanen, de walvissen, de bio-industrie, de geur- en smaakstoffen, over dit alles en nog meer maakte hij zich zorgen. Maar dat gaf hem geen vrijbrief om zich te verlustigen in een onbekend zangeresje, vermoedelijk een sjikse, wier totale wezen door zijn wellustige ogen gereduceerd werd tot een kut met ledematen. Hij schaamde zich.

De stewardess maakte een derde ronde. Het zoute hotelontbijt – roerei met snippers gerookte zalm – maakte hem dorstig en hij bestelde een glas tomatensap. Peper, tabasco? Nee. Ze zette het glas op de brede armsteun tussen de twee stoelen en hij las het naamplaatje van de stewardess: Anne Goldstein. Wat betekende haar afkomst voor haar? Voor veel joodse Amerikanen was hun achtergrond niet meer dan een frivole complicatie van hun Amerikaanse identiteit. Sol was in Nederland geboren. Zijn ouders stamden uit families die generaties lang potten, pannen, lucifers, kleding, rollen textiel en andere koopwaar over de dijken hadden geschjlept. Een bestaan vol onzekerheid, angsten en bedreigingen waarin het jodendom zich had ontwikkeld tot een overlevingskunst als reactie op de zwaarste ontberingen. De meeste Amerikaanse joden daarentegen beleden hun religie zoals de baptisten of katholieken dat konden doen, als iets dat in de vrije uurtjes werd aangehangen zonder dat de beperkende kant ervan – de verboden, de plichten – het dagelijkse leven belastte. Een ver Europees familielid dat in een gaskamer was vermoord versterkte zelfs de exotische charme die van het geloof der Hebreeën afstraalde, als een laagje fineer op spaanplaat. De joodse Amerikaan was niet zomaar een op modegolven meedeinende, lichtzinnige consument in de grote Verenigde Staten, nee, hij hield voeling met de Ergste Geschiedenis en met de Oudste Traditie. Jood-zijn was hier een vorm van snobisme.

Sol overdreef, hij wist het. Misschien luidde het moderne Amerikaans-joodse leven de definitieve bevrijding uit het getto in. Hij preekte voor welvarende mensen die oprecht begaan waren met het lot van daklozen, armen, zwarte paupers van de binnensteden, minderheden, en hij hield hun ideeën en gedachten voor zonder de politiek correcte clown te spelen. Maar hij wist niet of ze als joden leefden. En daarmee bedoelde hij iets dat boven de controverse tussen het orthodoxe, conservatieve en hervormde jodendom stond. Niet zonder reden was hij een liberale rabbijn, maar zijn mening over de waarde van het disciplinerende karakter van de joodse traditie deelde hij met zijn meer strikte collega's.

De zangeres verliet de wc en kwam weer naast Sol zitten. Opnieuw trof haar schoonheid hem en hij sloot zijn ogen om het nabeeld ervan zo lang mogelijk vast te houden. Sol was een vat vol tegenstrijdigheden. Hij was een moralist en tegelijk capituleerde hij in stilte voor iets waarmee hij de orde van zijn bestaan ontregelde. Thuis, bij Naomi, zou hij dit verlangen naar gedachteloze intimiteit moeten ervaren, niet in een vliegtuig bij een zangeresje.

Hij opende zijn ogen en zag dat ze haar tijdschrift uit haar stoel pakte. Terwijl ze ging zitten sloeg ze met het tijdschrift zijn glas tomatensap omver. Voordat hij had kunnen opspringen golfde de rode inhoud van het glas over zijn schoot. Intuïtief gilde hij (samen met de zangeres, hoorde hij) en met geheven handen, alsof hij die kost wat kost moest schoonhouden, keek hij in paniek naar het tomatensap dat zijn broek, hemd en de mouwen van zijn colbert had besmeurd. Hij wierp haar vol ontstemming een korte blik toe en zag haar geschrokken ogen. Hij wendde zich naar de ramp en hoorde haar stem: 'Het spijt me vreselijk, echt, ik had het glas niet gezien, ik zal het schoonmaken, blijft u zitten.'

Ze richtte zich op om haar stoel te verlaten, maar de stewardess, gewapend met servetten en een fles water, verscheen al naast hen. 'Mag ik er even bij?'

'Ik doe het wel,' antwoordde de zangeres beslist.

Ze nam de servetten over, sprenkelde er water op en boog zich naar hem toe. Hij rook haar haren. Met de natte lappen raakte ze zijn bovenbenen aan en hij voelde het vocht door de stof dringen.

'We krijgen het ergste wel weg en dan doet de stomerij

de rest wel. Heeft u een andere broek bij u?'

'In m'n koffer.'

'Misschien kunt u die straks op La Guardia aantrekken. Het spijt me echt heel erg. Stom dat ik het glas niet zag.'

'Kan gebeuren,' zei hij zonder dat hij haar iets wilde vergeven.

'Misschien kunt u beter even met mij meekomen,' drong de stewardess aan, 'dan kunnen we het hier in de pantry beter behandelen.'

Sol zag in dat ze gelijk had, maar ondanks de ergernis en de schok van het onhandige moment bleef hij zitten. Als hij zich naar de zangeres toe zou bewegen kon hij met zijn tong haar oor strelen en zacht op haar oorlel bijten. Hij hield zijn adem in bij de gedachte dat hij zich niet zou kunnen beheersen. Het was zeker dertien maanden geleden dat hij met Naomi geslapen had en hij vroeg zich af of die onthouding tot deze gekte leidde.

De zangeres bewoog nu het doekje in de richting van zijn gulp en onwillekeurig zei hij: 'Ik doe de rest wel.'

'Ja?'

De vraag was overbodig. Vanzelfsprekend kon ze de stof daar niet schoonmaken.

Hij stond op, nam afstand van haar hals en oor en hij volgde de stewardess naar de pantry. De blikken van andere reizigers volgden hem. De stewardess sloot het gordijn en bood hem schone tissues aan. Hij depte het sap van zijn kleding, maar er bleven vlekken achter die hij hier niet kon verwijderen.

De gezagvoerder meldde dat ze een startplaats hadden gekregen en dat ze meteen zouden vertrekken.

'Als het een beetje opdroogt, valt het wel mee,' zei hij.

'Moet u nog ver reizen?' vroeg de stewardess.

'Manhattan.'

'De stomerij krijgt de rest er wel uit.'

Hij bedankte haar en keerde terug naar de cabine. De zangeres had haar stoel verlaten. De vliegtuigdeur werd gesloten en het toestel verwijderde zich achterwaarts van de gate. De stewardess toonde de veiligheidsvoorschriften en bootste het opzetten van het zuurstofmasker na. Nog steeds regende het, de betonnen vlakte van het platform lag nat glimmend onder dreigende wolken. Hij keek naar de bezet-melding van de wc, maar die vertelde dat de deur open stond. Had ze op het laatste moment het toestel verlaten? Toen de motoren werden gestart en het vliegtuig naar de startbaan begon te rijden, vroeg Sol aan de purser, die bij de passagiers de veiligheidsriemen controleerde, waar zijn buurvrouw was gebleven.

'Ze had een economy ticket. Zat hier verkeerd. Gaat het?'

'Werk voor de stomerij.'

'Als ik u was zou ik haar de rekening sturen.'

Sol knikte, ook al zou hij zoiets nooit doen.

De purser wenste hem een goede vlucht en Sol vroeg zich hardop af: 'Zat ze hier per ongeluk of…?'

De man haalde zijn schouders op: 'Er zijn er die het elke keer weer proberen. En natuurlijk ontgaat het ons wel eens. Als business niet vol zit, zijn er altijd economy klanten die het proberen.'

Vijf minuten later verhief het toestel zich van de baan en schoot de wolken in. Het lichtniveau verminderde alsof plotseling de schemer intrad en de schroeven en bouten van de Boeing werden door woeste stormen op de proef gesteld. Ze hadden niet mogen vertrekken, besefte Sol, verachtelijke overwegingen (een toestel op de grond kostte geld, in New York wachtten passagiers op een vlucht naar Boston) hadden de gezagvoerder tot zijn besluit gebracht.

Het leven van honderd mensen werd bedreigd. Sol trok een exemplaar van de *Boston Globe* uit zijn tas en bladerde door de krant. Niet zozeer om te lezen maar om de rust die van het bladeren uitging. Iemand die rustig door een krant bladert stort niet neer.

In het katern van de stadsberichten trof hij een artikel over de conventie aan. Zijn voordracht van eergisteren werd omschreven als 'helder' en 'op het randje van het ideeëngoed van het liberale jodendom. Nog even en rabbijn Sol Mayer, de Julio Iglesias van het progressieve jodendom, is niet meer de liberaalste der liberalen maar een hervormer die à la Luther zijn moederkerk wil doen opgaan in een soort joodse New Age Kerk'.

Sol vond het een onzinnige omschrijving van zijn persoon en betoog. Hij had een pleidooi gehouden voor een zwaardere nadruk op de rol van de natuur. De overwinning van de menselijke cultuur op de ergste grillen van de natuur had in de twintigste eeuw zijn definitieve glorie gekregen, zo had hij zijn collega's voorgehouden, maar deze overwinning was nu aan het perverteren. Nog steeds hield de jood vast aan duizenden jaren oude denkbeelden die hun oorsprong vonden in een bestaan in de woestijn, waar elke vorm van natuur niets anders dan levensbedreigend was. Hij pleitte voor een voorzichtige omgang met Thorapassages die de menselijke suprematie – zoals het offeren van dieren – op een niet meer actuele wijze voorstelden. 'God heeft ons gespleten gemaakt: we zijn Zijn evenbeeld en tegelijk zijn we zoogdieren die op twee benen hebben leren lopen en hun handen hebben vrijgemaakt voor het maken van artefacten. Deze gespletenheid is in mijn ogen een kwaliteit waarmee we op een positieve manier moeten omgaan.'

Een vernietigende knal, luider dan alles wat hij ooit gehoord had (op het concert van Led Zeppelin na dat hij ooit tijdens zijn verspeelde jaren had bezocht), sloeg het toestel uit zijn onzekere baan en een fractie van een seconde lichtte het buiten op. Ze waren een felle onweersbui binnengevlogen. Geschrokken liet hij de krant los en greep zich aan zijn stoel vast. De volgende dreun sloeg het toestel naar rechts en hij schoot bijna uit zijn stoel. Achter hem klonk gegil. Hij zocht de ogen van de stewardess en de purser, die in de pantry met hun gezicht naar de cabine zaten en bleek naar een punt bij hun voeten staarden. Zij waren net zo angstig als Sol. Het toestel zocht naar balans, hij voelde dat het toerental van de motoren wisselde. Toen viel de verlichting uit. Zijn bange oren vingen op dat het lawaai van de twee motoren sterk verminderde en in het gebrul van de scheurende wind verdween. Het toestel zakte en de druk op zijn oren nam toe, alsof hij naar de bodem van een diep meer zakte. Een bliksemschicht verlichtte de panische gezichten van de twee bemanningsleden en achter hem werd gegild en gekermd. Een bezetene zette luidkeels de *Star-spangled Banner* in en kreeg bijval van andere ter dood veroordeelden, die blijkbaar allen als patriot wensten te sterven, maar Sol hield zich stil en kneep krampachtig zijn ogen dicht.

Hij zag zijn ouders toen ze nog jong waren en met hem naar het monument op de Dam in Amsterdam wandelden, hij zag de gangen van hun zeventiende-eeuwse huis aan de Herengracht en de droeve blik van zijn moeder toen zij in haar bed door kanker werd leeggevreten en hij zag het laatste groetende handgebaar van zijn vader toen hij op het vliegtuig naar Suriname stapte waar hij in een tropische rivier zou verdrinken en hij zag het glas onder zijn schoen toen hij met Naomi in het huwelijk trad en vervolgens zag hij, terwijl de Boeing door zwarte wolken viel, de zangeres die gisteravond voor hem gezongen had. Hij zag haar oorschelp en de fijne haartjes op haar oorlel. Hij zou de vrouw nooit leren kennen, bedacht hij, voor altijd zou ze een mysterie voor hem blijven, een zangeres die de *Scientific American* las en zonder bij te betalen per business class vervoerd wilde worden. Zou ze nu het volkslied meezingen? Was zij nu net zo bang als hij, transpirerend als na de kwart marathon door Central Park? Over liefde, verlangen en trouw had ze gezongen, en die versleten woorden hadden door haar lippen een nieuwe glans gewonnen. Nooit zou hij het zwarte behabandje van haar gladde schouder schuiven, nooit zou hij haar uit een met kant afgezet slipje zien stappen, half gebogen maar met strakke rug en preutse knieën, nooit zou hij met zijn gezicht tussen haar dijen in haar verdrinken.

Zijn oren hoorden de verlossende brom van de motoren en zijn lichaam registreerde dat de steile val werd vertraagd en na een tiental seconden beëindigd. Na een minuut sprong de verlichting aan en in de cabine steeg gejuich en geklap op. Met een vaste stem die suggereerde dat hij net een ommetje had gemaakt, vertelde de gezagvoerder dat de bliksem de computers had ontregeld en dat ze nu op de hand naar La Guardia vlogen. De passagiers hoefden zich geen zorgen te maken want de bemanning was hierop getraind en ze hadden in New York voorrang bij de landing.

De bewolking werd dunner en de schemer loste op in de normaliteit van een gewone donderdagochtend.

Met gespannen spieren en suizende oren bleef Sol Mayer roerloos in zijn stoel zitten tot de banden de baan raakten, bang dat een verkeerde beweging het toestel uit evenwicht zou brengen. Tijdens de val had hij er zich bij neergelegd dat hij zijn laatste adem uitblies en nu leek de voortzetting van zijn leven op een cadeau dat de ontvanger in verwarring openmaakte. Hij had er eigenlijk geen recht meer op want hij had er al afstand van gedaan. Zomaar, instinctmatig, zonder hysterisch te worden, had hij zijn laatste seconden ondergaan. Gelukzalig voelde hij zijn razende hart, dat nog steeds beheerst werd door enorme stoten adrenaline, maar tegelijkertijd kende hij een vreemde droefenis over zijn gelaten afscheid. Ofschoon hij getrouwd was met de aantrekkelijke dochter van een van de rijkste vrouwen van Manhattan en toegroeide naar een plaats in de bovenste laag van de machtigste natie van de wereld, hunkerde hij op het moment dat zijn leven dreigde te eindigen naar een onbereikbare kut. Sol kwam tot de conclusie dat hij, zonder dat hij het sluipende proces had waargenomen, volkomen krankzinnig was geworden.

## 2

Sols taxi draaide voor het Plaza Hotel naar Central Park South. Op de hoek van het park wachtten verregende koetsjes achter paarden in regenmantels op Japanse toeristen, daklozen benutten een pauze tussen de regenbuien om een paar munten bij elkaar te bedelen. De grote hoekige taxi's stuiterden over het beschadigde wegdek langs de hotels tegenover de zuidrand van het park, en Sol gaf de chauffeur opdracht de oprijstrook van 210 CPS te nemen.

De zwarte, geüniformeerde hoofdportier die sinds de aanschaf van zijn pak zeker vijftig pond was aangekomen, tilde de koffer uit de achterbak terwijl Sol afrekende. Nog altijd kende hij de neiging om de man toe te roepen dat hij dat zelf kon, ook al had hij geleerd dat hij daarmee diens bestaansrecht aantastte. Nooit zou hij wennen aan de vanzelfsprekendheid waarmee rijke Amerikanen hun personeel bejegenden. Nederlands calvinisme.

'Goeie reis gehad, rabbijn?'

'Fantastisch Donnie. Heeft het hard geregend?'

'Met bakken, rabbijn. Ik denk dat onze lieve heer het vuil van de straten wilde spoelen.' De portier doelde op de daklozen die soms in grote groepen aan de rand van het park bivakkeerden.

'Was het zo erg? Die mensen hebben ook recht op een bestaan, Donnie.'

'U bent te tolerant, rabbijn. Iedereen moet werken voor zijn brood.'

Sol vond in Donnie's commentaar vaak het paradoxale

conservatisme van de groepen die met liberalisme meer te winnen hadden maar door gebrek aan kennis en angst voor verandering de klok wilden terugdraaien, wat voor veel Republikeinen een terugkeer naar de goeie oude jaren vijftig inhield. Klagend over het vuil dat de daklozen veroorzaakten droeg Donnie de koffer door de marmeren hal en wachtte tot Sol de lift betrad. De koffer had wieltjes maar Donnie wenste te dragen. Vandaag werd de lift bediend door Alfredo, een sombere, kortgeknipte Puertoricaan met de lichaamsbouw van een gewichtheffer. Anders dan Donnie droeg hij geen uniform maar een eenvoudig wit hemd, zwarte broek en immer glimmende schoenen.

Sol bedankte Donnie en liet zich naar de twintigste verdieping vervoeren.

'Alles goed, Alfredo?'

'Heel goed, rabbijn.'

'Alles goed met Helena?'

'Ze is weer helemaal de oude, rabbijn.'

'Gelukkig. En de kinderen?'

'Ze doen het heel goed op school.'

'Mooi. Nog iets gebeurd?'

'Uw schoonmoeder is boven.'

'Mooi. Nog iets?'

'En de zuster van mevrouw rabbijn.'

'Tamar? Die met 't korte haar?'

'Ja, rabbijn. Ze huilde.'

'Zo.'

Hij stak Alfredo een briefje van vijf toe. 'Mooie schoenen, Alfredo.'

'Dank u, rabbijn.'

De deur schoof open en Sol betrad de hal van zijn penthouse, vierhonderd vierkante meter, rondom terrassen, sauna, vijf badkamers, twee keukens, eigendom van zijn schoonmoeder en kosteloos aan haar dochter ter beschikking gesteld. Manuela, gewaarschuwd door Donnie, wachtte hem op en nam de koffer van Alfredo aan.

'Fijn dat u weer thuis bent, meneer.'

'Dank je. Is er bezoek?'

'Ja, meneer. In de kamer van mevrouw.'

Kalm trok ze zijn mobiele koffer naar zijn kleedkamer. Ze werd te oud voor dit werk maar samen met Naomi had hij besloten haar aan te houden. Manuela had de brede heupen van een vrouw die vele kinderen heeft gebaard (elf, van wie er zes gestorven waren: twee door ziekten, vier door geweld) en het eelt op haar handen vertelde dat ze vanaf haar tiende uit werken was geweest. De afgelopen twintig jaar had Manuela bijna dagelijks in Harlem de bus genomen om dit appartement schoon te houden.

Sol stapte op het glanzende parket dat de vloer van het hele appartement besloeg en klopte op de deur van Naomi's werkkamer.

Zonder op antwoord te wachten ging hij naar binnen en begreep dat hij een familiebijeenkomst verstoorde. Op de rode chesterfield bij het raam, met hun rug naar het uitzicht op de natte daken van de West Side, de kleurloze Hudson en het groene land van New Jersey, zaten Naomi en Tamar, opkijkend naar hun moeder die in het midden van de kamer een voordracht hield. Jenny rookte een sigaret en gebaarde met een hand vol ringen.

'... want ik heb hem nooit vertrouwd, eerlijk gezegd, en ik ben daar nu open in ook al is het lastig te verwerken voor je.'

Ze draaide zich om toen ze merkte dat ze even de aandacht van haar dochters kwijt was.

'Ha, Sol,' zei ze, 'jij bent precies de man die we nodig hebben.'

Halverwege de kamer begroette Naomi hem met een kus, de enige intimiteit waartoe ze de laatste dertien maanden in staat waren.

'Dag schat,' zei ze, 'alles goed?'

'Natuurlijk. En hier?'

'Ach…' Ze wilde het hem onder vier ogen vertellen.

'Dag Jenny.'

Hij probeerde zijn schoonmoeder op beide wangen te zoenen maar hij voelde dat zij haar make-up niet wilde laten beschadigen. Hij beroerde haar schouders en voelde de botten onder haar harige kasjmier trui. Ze leed niet aan een dodelijke ziekte maar aan de obsessie van een schoonheidsideaal en woog hoogstens honderd pond, zich uitsluitend voedend met sla en gestoomde groenten zonder olie, boter of zout. Twee jaar geleden had ze haar rimpels laten verwijderen waardoor haar ogen iets mongoloïdes hadden gekregen en haar mond in een eeuwige grijns werd getrokken.

'Dag schat. Gelukkig bestaan er nog fatsoenlijke mannen. Jij bent er een van.'

'Als overdrijven een kunst was dan zou jij de Nobelprijs krijgen.'

'Je vleit me, maar ik wou dat het waar was.'

Hij wilde Tamar begroeten, maar ze sloeg haar handen voor haar gezicht en begon zacht te snikken.

'Kom je even, Sol?'

Hij volgde Naomi naar de gang. Haar loshangende haar hing dik kroezend over haar schouders en hij zag haar vruchtbare heupen en benen. Terwijl hij zich verlustigde in de fysieke vormen van een zangeres, hield zijn echtgenote zich in onschuld bezig met de sores van haar zus.

Ze sloot de deur achter hem en legde een hand op zijn schouder. Nog steeds had ze volle, rimpelloze wangen, waardoor ze jonger leek dan ze was, en haar wijze ogen, onder volmaakt gelijnde wenkbrauwen, zochten vol zorg zijn begrip. Ze had net haar bovenlip geharst. Ze was druk in gevecht met zichtbare lichaamsbeharing, de keerzijde van haar overdadige zwarte hoofdtooi. Hij legde zijn handen op haar lieve heupen.

'Is er iets gebeurd?'

'Tom heeft een affaire met Maria.'

'Maria? Wie is Maria?'

'De dochter van Victoria.'

'Victoria? Hun huishoudster?'

'Ja, die Victoria. Maria is haar dochter.'

Hij wist wie Victoria was. Een kleine Jamaicaanse wier gezicht geen herinneringen naliet.

'Wat is dat op je broek, en op je arm?'

'In het vliegtuig stootte iemand een glas om. Tomatensap.'

'Stomerij. Luister. Tamar had een afspraak maar onderweg werd ze in de auto gebeld en ze ging terug naar huis. Weet je wat ze in de keuken aantrof?'

'In de keuken?'

'Ze deden het op het snijblok!'

'Wat is een snijblok?'

'Een houten tafel waarop je groenten snijdt, vlees uitbeent, gewoon een aparte tafel voor het snijwerk. Ben je onderweg onnozel geworden?'

'Een beetje moe. En toen?'

'Wat denk je? Tom had zijn broek op zijn enkels en ze keek tegen zijn kont aan en Maria lag daar met haar enkels op zijn billen en ze waren… druk met elkaar in de weer.'

Stom van zijn zwager, dacht Sol. Thuis in de keuken.

'Het snijblok,' herhaalde hij.

'Is dat het enige wat je ervan zegt?'

'Nee, natuurlijk niet. Ik vind het rot voor Tamar. Maar het klinkt nogal extreem, op het snijblok. Alsof hij er iets mee wilde uitdrukken.'

'Sol, je slaat door.'

'Ja? Misschien wel. En toen?'

'Ze is meteen naar mij toe gekomen. We hebben Jenny gebeld en de hel is losgebroken. Tamar wil scheiden.'

'Scheiden? Ze moet eerst proberen wat afstand te nemen en deze affaire laten bekoelen.'

'Het is net gebeurd, ze is helemaal over haar toeren. Ze krijgt zo meteen kalmeringsmiddelen.'

'Moet ik met haar praten?'

'Ja, als je wil. Ze waren zo gelukkig samen.'

Dat veronderstellen anderen ook over ons, dacht hij.

Ze trok zijn hoofd naar zich toe en kuste hem op zijn lippen.

'Sol, zoiets doe jij toch niet? Zeg me dat jij zoiets niet doet.'

Hij maskeerde zijn ongemak: 'Het moment waarop jij hier de deur verlaat duik ik op Manuela. Ik ben gek op zestigjarigen met heupen van beton.'

Ze glimlachte en leek voor het moment genoegen te nemen met zijn uitvlucht.

Ook Jenny verliet de kamer. Van haar strakke gezicht viel sinds de facelift weinig emotie af te lezen, maar de ontzetting was zo hevig dat ze ook zonder gebruik van haar hoge, messcherpe stem duidelijk maakte wat ze voelde.

Naomi vroeg: 'Huilt ze nog?'

'Ja. Nu huilt ze natuurlijk graag. Ze was altijd wat labieler dan jij. Wanneer heb ik jou zien huilen? Op de choppe!'

'Denk je ook niet dat Sol met haar moet praten?'

'Natuurlijk moet je dat, vind jij dan van niet?'

'Vrouwen onder elkaar is altijd beter bij dit soort dingen,' opperde Sol. Hij bespeurde tegenzin om met zijn schoonzus overspel te bespreken. De ochtend die hij had beleefd was geen goede voorbereiding op zoiets geweest.

'Het is je lot als rabbijn,' antwoordde Jenny, en ze nam Naomi bij de arm en liet hem achter.

Toen hij binnenkwam stond Tamar naar buiten te kijken, de armen gekruist voor haar borst alsof ze het koud had. Terwijl Naomi de laatste jaren licht was aangekomen, had Tamar haar gewicht behouden. Op haar achttiende had ze besloten met een kort kapsel door het leven te gaan, ontgoocheld door het onvermogen om dezelfde haardos als haar zus te kweken.

Ze draaide zich niet om bij zijn binnenkomst en bleef wachten tot hij iets zei. Hij ging in een fauteuil naast de chesterfield zitten en keek naar haar silhouet. Ze had een smal, Semitisch gezicht, meer het kind van haar gestorven vader dan Naomi, wier gezicht de lijnen van Jenny's familie volgden.

'Heeft Tom dit vaker gedaan, denk je?'

Zonder hem aan te kijken knikte ze. Ze slikte en poogde een nieuwe huilbui te onderdrukken. Starend naar het park bleef ze de hoofdbeweging voortzetten, alsof ze op andere vragen, die alleen zij hoorde, ook instemmend knikte.

'Met anderen?'

Ze haalde haar schouders op, zei nog steeds niets.

'Maar als hij het met de dochter van de dienstmeid doet, dan doet hij het zeker ook met anderen. Dat is wat je denkt.'

'Zoiets,' zei ze zacht.

'Hebben jullie seks samen?'

Ze slikte en begon met haar ogen te knipperen.

'Tamar, zeg het me, je bent niet de eerste aan wie ik dat

vraag, het is mijn werk.'

'Sinds wanneer ben jij seksuoloog?'

'Sinds ik rabbijn ben.'

'Hoort dat bij het hervormde jodendom?'

'Dat is een flauwe opmerking. Het hoort bij mijn werk als bemiddelaar. Ik heb honderden huwelijkscrises van dichtbij meegemaakt, Tamar, en daarbij wordt over alles gesproken. Echt alles.'

'Ja, we sliepen samen.'

'Tot tevredenheid?'

'Wil je ook weten welke standjes we deden?'

'Als het van belang is voor de kwaliteit van jullie relatie. En de verstoring daarvan.'

'Tot tevredenheid.'

'En voor Tom? Waarom heeft hij dit gedaan, denk je?'

Ze schudde verbijsterd haar hoofd en bleef woordloos.

'Wil je me vertellen wat je zag?'

'Nee.'

'Verontschuldigde Tom zich?'

'Ik opende de keukendeur en ik zag zijn kont.'

'En het meisje?'

'Uitgehongerd leek ze wel.'

'Ze zagen je meteen?'

'Nee, de televisie op het aanrecht stond aan. Ze hoorden me niet.'

Opnieuw schudde ze haar hoofd. Ze zag iets wat pijn deed.

'Dit was al lang gaande, Sol, heel lang.'

'Wat deed hij toen hij je zag?'

'Niks. Hij keek me aan alsof ik niet bestond. Maar zij begon te gillen en toen ben ik weggegaan en ben ik hierheen gekomen.'

'Wil je dat het goed komt?'

'Nee. Ik zal dit nooit kunnen vergeten.'

'Het is goed dat je erover praat. Vertel het aan Naomi, aan je vriendinnen, net zo vaak als je wilt, hou het niet voor je. Heb je een therapeut?'

'Niet meer.'

'Maak een afspraak. Probeer vast te stellen of je verder wilt met Tom of dat dit een absoluut breekpunt voor je is.'

'Ik wil dat ie sterft.'

'Ik begrijp dat je woedend bent.'

'Ik ben niet woedend. Ik ben rustig. Ik wil dat ie sterft aan de ergste ziektes.'

'Je bent wel woedend, Tamar. Anders zeg je zoiets niet. Je man heeft je bedrogen. Dat komt vaker voor. Het is nooit leuk om dat te ontdekken. Maar er zijn ergere dingen denkbaar. Hij slaat je niet, hij is geen moordenaar, geen struikrover, geen oplichter. Je voelt je misbruikt en belazerd.'

'Ik laat me van hem scheiden en ik zorg ervoor dat ie als een hond crepeert.'

'Ik weet niet of je dat zou kunnen verdragen.'

'Je onderschat me, Sol.'

'Dat doe ik niet. Ik weet wat er door je heen gaat en ik vraag je om rust te nemen. Blijf hier logeren, zo lang als je wil, en neem ons in vertrouwen.'

'Ik ga straks terug. Jenny heeft hem al gebeld en ze heeft hem gezegd dat ik wil dat hij uit huis is wanneer ik terugkom. Het is mijn huis. Alles is van mij. Ik wil in m'n eigen bed slapen.'

'Dat recht heb je. Laat hem maar een tijdje lijden in een hotelkamer ergens.'

'Ik weet niet of ie zo lijdt. *Zij* zal wel bij hem zijn.'

'Je moet jezelf wat ruimte geven, Tamar, wees erop bedacht dat je niet in bitterheid blijft hangen.'

'Victoria was al negen jaar bij me. Ze probeerde me tegen te houden toen ik naar de keuken liep. Zij zou wel iets voor me halen. M'n dienstmeid wist al die tijd dat m'n man haar dochter naait en ik wist van niks.'

'Neem een andere Victoria.'

'Ik kan nooit meer een huishoudster vertrouwen.'

'Wat kan ik verder voor je doen?'

Ze haalde haar schouders op en begon opnieuw haar hoofd te schudden.

Sol stond op en vroeg zich een moment af of hij een hand op haar schouder kon leggen, maar het was vermoedelijk beter om afstand te houden en zijn troost enkel verbaal te uiten.

'Blijft Jenny vannacht bij je?'

'Weet ik niet.'

'Ik vind dat Tom zich gedragen heeft als een schoft en ik hoop dat hij *tesjoewa* zal vinden, berouw.'

'Berouw? Je staat niet in sjoel, Sol.'

Ze keek hem nu aan, vol spot en hoon, en hij voelde zich als een geminacht kind.

'Met haat valt niet te leven.'

'Dan moet je nog een hoop leren, rabbijn.'

'Ik begrijp dat je nu ook in mij, want ik ben een man, een vijand ziet, maar ik probeer alleen maar te bemiddelen. Ik zou het verschrikkelijk vinden als jullie uit elkaar zouden gaan.'

'Probeer er maar aan te wennen.'

'Ik ga met hem praten.'

'Hij is geiler op haar dan op mij. Zo simpel is dat. Wat kun je daaraan doen? Ik voldoe niet.'

'Maar je zei net dat jullie een mooi liefdesleven hebben.'

'Jij hebt hem niet gezien, Sol. Zo ken ik hem niet. Zoveel genot. En die meid, hoe ze erbij lag. En je vergeet nog iets anders: ze deden het in de keuken. Niet in bed, niet onder de douche, niet op de vloer, maar op het snijblok in de keuken. Waarom? Begrijp jij het?'

Sol dacht dat hij het begreep. Hij sprak zijn begrip niet uit want hij had tijd nodig om het onder woorden te brengen, maar hij voelde de betekenis van die plek aan.

'Moet ik je met rust laten?' vroeg hij.

'Je moet niet altijd doen wat Naomi van je vraagt.' Ze zei het met een tere glimlach.

Sol knikte en kon even haar arm beroeren.

Naomi en Jenny stonden in de centrale hal, een rond, vensterloos vertrek dat toegang gaf tot acht kamers. In het midden pronkte een Louis xvi-tafel met een marmeren blad waarop altijd een boeket bloemen stond, verlicht door een zestal spotjes.

Gespannen keek Naomi hem aan: 'Tom is beneden. Ik heb gezegd dat hij niet welkom is. Waarom doet hij dit nu? Hij maakt zichzelf onmogelijk zo.'

'Ik ga wel naar beneden,' zei Sol.

Jenny vroeg of ze mee moest.

'Nee. Ik neem hem wel mee naar het café op de hoek.'

Bij de liftdeur belde hij naar Donnie.

'Staat m'n zwager daar nog?'

'Hij wacht in z'n auto, rabbijn.'

'Zeg tegen hem dat ik er aankom.'

Hij nam zijn regenjas en een paar bankbiljetten en wachtte tot Alfredo hem ophaalde.

Buiten zat Tom Wirtschafter in de donkergroene Range Rover die op de oprijstrook van het appartementengebouw geparkeerd stond. Toen Sol in de hoge auto stapte, snoof hij de geur op van de scherpe Egyptische sigaretten die Tom rookte.

'Ze is boven, hè?'

'Ja. Ze wil je niet zien nu.'

'Ik wil met haar praten. Ik wil 't uitleggen.'

'Dat zal je vandaag niet lukken. Laten we om de hoek even wat drinken. Okay?'

Sol vroeg Donnie om de auto een halfuur te laten staan en ze liepen Seventh Avenue op. Een dunne regen dwarrelde op hun jassen. Toms dikke, rossige haar vertoonde geen spoor van veroudering en zag er jong en sterk uit, net als de rest van zijn lichaam. Dagelijks bezocht hij de New York Athletic Club. In de vochtige wind liep hij soepel naast Sol naar Café Europa op de hoek van Fiftyseventh, zwijgend en geconcentreerd in de weer met een aansteker om een verse sigaret aan te steken.

'Je rookt te veel.'

Tom trok zich niets van zijn vermaning aan en had na een paar pogingen opeens lang genoeg vuur. Hij nam snel een paar diepe trekken en trapte de sigaret uit voor de deur van het café. Ze namen achterin plaats, bij het grote raam met uitzicht op het kruispunt van Seventh en Fiftyseventh, en keken elkaar aan. Tom had grote blauwe ogen in een gezicht met een vechterskaak en een gedeukte neus, alsof hij beroepsbokser was geweest. Dat was hij niet. Hij had een loopbaan als nachtclubpianist achter zich en had hoogstens een keer van een schuldeiser op zijn lazer gekregen, maar Sol wist niets van een zware knokpartij die hem zijn neus had bezorgd. In de ogen van vrouwen had Tom een begeerlijk mannelijk en verleidelijk woest uiterlijk. Sol zag slechts het misleidende masker van een aandoenlijk zwakke man die voortdurend twijfelde aan zijn kwaliteiten en levensdoel. Vandaag lag er paniek in zijn ogen. Vandaag had hij het grondig verknald.

Sol bestelde een cappuccino en een pils voor Tom.

'Vertel maar,' zei Sol toen de serveerster zich verwijderde.

'Wat?'

'Dat het je spijt en dat je niet weet hoe je het weer moet goedmaken.'

'Het spijt me. Echt waar. Ik had het niet… ik wist niet dat ze terug zou komen.'

'Had het niet ergens anders gekund?'

'Denk je echt dat ik haar ergens anders ontmoette? Ik zag haar gewoon bij ons thuis.'

Ook dat was een koninklijk appartement, op de hoek van Park Avenue en Seventysecond. Bezit van Jenny.

'Waarom? Tamar is een prachtige vrouw. Ze is slim, rijk – waarom, Tom?'

Tom sloeg zijn ogen neer en probeerde iets te achterhalen van wat hij tot nu toe vaag onderscheiden had maar nog niet helder bekeken. Hij likte zijn lippen en knipperde druk met zijn ogen.

'Waarom, Tom?' herhaalde Sol.

Zenuwachtig zijn hoofd schuddend antwoordde Tom: 'Ik weet 't niet. Echt niet. Het enige wat ik weet is… het klinkt zo belachelijk, Sol, zo platvloers, maar het enige dat ik weet is: Maria is bloedgeil. Echt bloedgeil. En Tamar is anders. Ik weet wel dat dat geen verzachtende omstandigheid is, maar…'

Hij boog zich dichter naar Sol toe: 'Dit moet je niet aan Tamar zeggen want ze maakt me af, maar aan jou kan ik het kwijt want jij bent rabbijn en jij vertelt het niet door. Nee toch, hè Sol?'

Sol knikte: 'Wat je vertelt blijft onder ons.'

'Mooi, mooi.'

Tom nam het bier van de serveerster aan en dronk het glas tot op de bodem leeg. Vervolgens hapte hij naar lucht en keek om zich heen om te zien of ze werden afgeluisterd.

'Vroeger ging ik naar een hoer. Elke dag van elke maand

van het heilige jaar van de Heer. Een fantastisch wijf in de vijfendertigste straat. Ik neukte me daar suf. Dat was goed. Niemand wist ervan, er ging wat geld van hand tot hand, ik nam een douche en alles was in orde. Tot Victoria haar dochter begon mee te nemen. Godskolere, sorry voor die opmerking, maar je kent haar niet en ik verzeker je: als je de kans zou krijgen dan zou ook jij, zelfs jij, moeite hebben om je vingers van haar af te houden.'

'Wat is er dan zo bijzonder aan haar?'

'Alles!' Tom probeerde zijn geestdrift te beteugelen. Zelfs nu, met de catastrofe onder handbereik, na ontmaskerd te zijn door een echtgenote die de sleutel tot een zorgeloos bestaan in de hand hield, kon hij zijn gevoeligheid voor Maria's aantrekkelijkheid niet verdringen.

'Haar ogen, jongen! Je zou die eens moeten zien! De hele Cariben in twee donkere kijkers! En haar tieten en buik en manier van lopen! Alles is geiligheid en vlees en speeksel en gesmeek om zaad!'

'Tamar wil van je scheiden.'

Tom knikte en staarde terneergeslagen naar zijn lege glas.

'Je kunt zo niet bestaan als getrouwde man, Tom. Je seksuele leven moet je met je echtgenote delen en als dat niet lukt dan moet je van haar scheiden. Klinkt dit nieuw voor je?'

'Zonder Tamar zit ik aan de grond.'

'Dat wist je ook voor je vanochtend op die vrouw dook.'

'Ik wist niet dat Tamar zou terugkomen.'

'Dat maakt geen verschil.'

'Ik ging al jaren naar hoeren! Heeft dat haar ongelukkig gemaakt? Nee! Tamar wist het niet! En dat is het beste. Ik kwam altijd opgewekt van die hoer vandaan en wilde me thuis ook best een keer inspannen. Waarom zou je alles moeten zeggen?'

'Omdat je misbruik maakt van iemands vertrouwen! Tom, je klinkt als iemand die de simpelste waarheden vergeten is!'

'Nee! Ik ben een pragmaticus! Dat is alles! Als iets functioneert dan moet je er niet aan gaan rommelen! Alles ging goed! Tamar was tevreden, ik was tevreden, maar ze moest zo nodig opeens die keuken binnenstappen!'

'Het is dus haar schuld?'

'Ja. Eigenlijk wel.'

'Ik begrijp je niet, Tom.'

'Ik ben een beetje in de war, het gaat ook allemaal zo snel. Hoe is 't met haar?'

'Goed, geloof ik.'

'Wat gaat ze doen, weet je dat?'

'Nee. Ze is woedend.'

'Ik wil het weer goedmaken. Ik ga haar echt beloven dat ik Maria nooit meer zal zien. Ik zal alles zeggen wat ze wil horen.'

'En doe je dat dan ook?'

'Het zal moeilijk zijn, echt moeilijk, maar ik probeer het, ik zweer het, maar Maria is... ik heb me nooit eerder zo gevoeld bij een vrouw, alsof alles, mijn hele lichaam, overal, alles, maar één ding wilde: in haar kruipen, haar opvreten en leegstromen.'

'Heb je een psychiater?'

'Heb ik niet nodig. Ik heb geen jeugdtrauma.'

'Je moet die vrouw uit je hoofd zetten, Tom. Je kunt zo niet verder leven. Je maakt jezelf gek.'

'Ik vind het klote voor Tamar. Ik wil echt dat het goed komt tussen ons. Jij nog iets?'

'Ik heb nog.'

Tom wenkte de serveerster. Achter hem, aan de overkant van de drukke straat, liep de zangeres, gekleed in het zwarte jack dat ze vanochtend in de Boeing gedragen had, in dezelfde spijkerbroek die haar ultieme billen had bedekt. Sol stond op omdat het vanzelf sprak dat hij nu naar buiten ging om haar aan te spreken.

Tom vroeg: 'Wat zie je?'

Sol zag dat ze op de hoek het fotolaboratorium passeerde en in de richting van de subway-ingang liep. Zijn ledematen tintelden. Wat hij ervoer had geen taal, kon niet in gedachten worden gegrepen.

Hij zei: 'Ik ben zo terug.'

Zonder zijn ogen van haar af te nemen haastte hij zich naar buiten. Ze verdween in het subwaystation en hij wist dat hij tijd zou verliezen wanneer hij naar de overkant zou rennen. Hij holde naar de dichtstbijzijnde subway-ingang, slalomde om een paar voetgangers terwijl hij drie treden tegelijk nam. Hijgend arriveerde hij in de hal van het station en keek om zich heen, maar ze was blijkbaar al een verdieping lager op het niveau van het perron. Hij sprong over de arm van een van de tokenmachines en sloeg er met zijn linkerenkel tegen. Terwijl de pijn zich verspreidde, holde hij de trap af. De pijn in zijn voet had een curieus effect: hij begon te denken. Wat deed hij hier? Leden van zijn gemeente konden zien hoe hij zich als een verliefde schooljongen aanstelde. Maar hij was niet verliefd. Hij wist niet eens hoe ze heette. Hij bleef staan en keek naar de reizigers op het perron. Ze stond vijftien yards van hem af, onkundig van zijn aandacht, en liep mee met de binnenrijdende trein. Ze ging Downtown. Ze droeg een grote plastic tas waarop hij de naam van een supermarkt las, Zabar's, de winkel op Broadway waar rijken en yuppies hun kazen, brood en olijfolie inkochten, en ze liet andere reizigers voorgaan alvorens zelf als laatste naar binnen te stappen. Betekende dat dat ze er snel weer uit moest? Hij staarde naar de trein en voelde de pijn door zijn been trekken. Verwonderd over het gebrek aan beheersing, over de kracht van de opwelling die hem naar buiten had gebracht, over het opvlammende verlangen naar een volkomen onbekende vrouw, hinkte hij terug naar zijn zwager.

## 3

De dienst verliep niet anders dan op andere zaterdagen. Temple Yaakov, een van de grootste synagogen in de wereld, was redelijk bezet en Sol vervulde zijn verplichtingen. Howie Kohn, de cantor, fladderde door de liturgie alsof hij thuis onder de douche stond, door niemand te stoppen wanneer hij, meegenomen op de vleugels van zijn geestdrift, enkele maten aanhield en vervolgens op applaus wachtte. Howie had een stem die Carnegie of de Met kon vullen maar hij had nooit een professionele zangcarrière nagestreefd. Naast een supermarktketen leidde hij doordeweeks een legioen advocaten met wie hij een slopende zaak tegen een concurrent voerde.

Sols predikatie betrof de koppigheid van de farao die Mozes' plagen moest verdragen. De bijbel vermeldde dat God een extra dosis koppigheid in het hart van de farao bracht, opdat deze volhardde in zijn verzet tegen het vertrek van de joden. Het was een van de vele raadselachtige opmerkingen over Gods wegen. Hij gaf de farao geen kans om redelijk te zijn, Hij verving diens hart door een steen opdat Hij Zijn almacht kon demonstreren.

Sol legde uit dat de opmerking over de koppigheid van de farao op verschillende manieren gelezen kon worden. Een van de interpretaties betrof de herkomst van een eigenschap als koppigheid. Ook die was van Hem afkomstig, zoals alles wat bestond van Hem kwam. Het kon ook betekenen dat de farao alleen door zijn hart gedreven werd: zodra God dat verhardde, werd de farao een hulpeloze speelbal van zijn emoties, waarbij de rede machteloos moest toekijken.

Volgens Sol had God een plan waarin de farao niet meer dan een pion was. En in dat plan ging het niet alleen om het straffen van de Egyptenaren voor de blinde weerbarstigheid van hun koning, maar vooral om het versterken van het geloof van de joden. Die wilden, zonder dat ze dat wisten, bewijzen zien, tekenen die hun de kracht zouden geven om de lange tocht door de woestijn, op het oog misschien nog zwaarder dan het leven onder de farao, tot het einde te volbrengen.

'Wij hebben nog steeds wonderen nodig,' verkondigde Sol, 'zonder ons daarvan bewust te zijn wachten we net als toen op een teken van Hem, een signaal dat we niet alleen zijn en uiteindelijk kunnen rekenen, helemaal op het laatst, wanneer we het bijna opgeven, op een Stem die ons kan verlossen van onze zonden, onze pijn, ons verlangen. Maar we ademen in een tijd waarin wonderen zich niet meer zo sterk in ons leven kunnen manifesteren als toen, in de tijd waarin naamloze schrijvers deze verhalen te boek stelden. Zij leefden in een wereld die nog straalde van magie, waarin de gebeurtenissen betekenissen droegen die ver boven de grauwheid van het alledaagse bestaan uitstegen, en we moeten ons proberen open te stellen voor de ervaringen die ons in hun schitteringen kunnen laten delen.'

Het was een goede preek, aardig boven zijn gemiddelde, en de synagoge, groot genoeg voor vijfentwintighonderd gelovigen maar gevuld met tweehonderd, had de gemanipuleerde pauzen tussen sommige woorden als heilig ervaren. Na afloop van de dienst werd hem verzekerd dat er met kippevel naar zijn wijze toespraak was geluisterd. Sol knikte en voelde zich smerig door zijn gegoochel met acteurstrucs. Wat hij deed werkte, maar het was niet iets dat hem voldoening schonk. Hij schreef liever artikelen, kale tekens op naakt papier die het zonder zijn oratorische talenten moesten stellen. Het was eerlijker om te schrijven en het betoog zijn eigen orde te laten vinden dan met stembuigingen een kunstmatige emotionele lijn te suggereren. Maar in preken was hij goed, beter vermoedelijk dan in schrijven. Zijn schoonfamilie had hem gesteund toen hij een van de gegadigden was voor het leiden van de congregatie, maar hij hield zichzelf voor dat hij voornamelijk op eigen kracht de baan had gekregen.

Toen hij nog aan het Hebrew Union College studeerde en in opleiding was voor rabbijn, was hij assistent-rabbijn geweest in New Haven, de plaats waar zijn vader jarenlang gewoond en gewerkt had. De gemeente daar was zo klein dat 's zaterdags na afloop van de dienst met elkaar koffie gedronken werd en cake en koekjes gesnoept. In de grote synagoge aan Fifth was zoiets onmogelijk. Sol was niet alleen een van de vijf geestelijke leidsmannen van de congregatie, hij was ook bestuurder van een bedrijf dat negentien mensen in dienst had. Hij adviseerde drie assistent-rabbijnen in opleiding, leidde een kantoor met vier medewerksters, gaf les op een zondagsschool met een volledige staf, was vriendelijk tegen een conciërge, twee onderhoudstechnici, en een legioen veiligheidsbeambten. Verantwoording legde hij af aan het congregatiebestuur, en daarin had zijn schoonmoeder een invloedrijke positie. Zij doneerde jaarlijks een kwart miljoen, fiscaal aftrekbaar, en zij mocht, bijgestaan door haar accountants, een beetje harder praten dan de anderen.

Gekleed als een bezoekster van een modeshow zat zij bijna elke zaterdag naast Naomi en vertrok na afloop met vriendinnen naar het Plaza. Voor Jenny was de synagoge een catwalk, waar je bekeken, bewonderd, benijd, gehaat werd. Aan het geloof had zij geen boodschap, zoals zij hem regelmatig openlijk meedeelde. De gang naar Fifth was een vorm van vermaak en gezelligheid, een uur van rust, sociaal besteed, alvorens in het gezelschap van twee andere weduwen de geborgenheid van de Edwardian Room op te zoeken voor een vederlichte lunch.

Sols schoonfamilie had al generaties lang een plaats in de Amerikaanse geschiedenis. De eerste Salomon had in het begin van de achttiende eeuw Amerikaanse bodem bereikt en Chaim Salomon, de financier uit Philadelphia die James Madison, de vierde president, met renteloze leningen had gesteund, was een van haar voorvaderen. Het fortuin had de eeuwen getrotseerd en samen met haar twee zusters was Naomi de erfgenaam van vierhonderd miljoen dollar.

Aanvankelijk had ze Sol onkundig gehouden van haar onmenselijke fortuin aangezien ze hem pas na vier maanden het huis van haar moeder op Long Island toonde.

'Nu weet je waarom ik hier zo lang mee gewacht heb,' zei Naomi toen ze met zijn Kevertje het einde van de oprijlaan bereikten en uitzicht kregen op een bouwsel dat sterke gelijkenis vertoonde met het Witte Huis.

'Ja. Je was bang dat ik dit te minnetjes vond.'

Het pand was vijftig meter breed en drie verdiepingen hoog. Het dak werd gestut door een colonnade van twintig Dorische zuilen die de volledige breedte van het huis besloeg. Hij telde twee Porsches, drie Mercedessen en twee Bentley's.

Hij zei: 'Je was er niet zeker van of ik meer van je geld dan van jou zou houden.'

'Je zou niet de eerste zijn.'

'Waar zie je me voor aan? Als dit een hutje van stro was geweest dan had ik evenveel van je gehouden. Of meer nog, misschien.'

44

'Meer nog?'

'Zoveel schoonheid en intelligentie, ontstaan in een hutje. Is dat niet romantisch?'

'Ik heb vaak gewalgd van de rijkdom van mijn ouders.'

'Jouw sores wil ik hebben.'

'Roep dat niet te vlug.'

Zelf bewoonde Naomi een studio in een vervallen pakhuis op Brooklyn Heights. Bij een vriend van zijn vader, een Nederlander die sinds '40 in New York woonde en nog steeds Engels met een Amsterdams accent sprak, ontmoette Sol de jonge kunstenares, een voorzichtige, voorkomende vrouw in het bezit van weelderig, kastanjebruin haar, een zacht, troostend lijf en ontnuchterend relativeringsvermogen. Haar uitspraak, woordkeuze en omgangsvormen verraadden dat zij op een rij privé-scholen de onbetaalbare opleiding voor leden van de Amerikaanse aristocratie had genoten. Gracieus beantwoordde zij zijn lekenvragen over haar werk, en de spanning tussen haar beheerste, vlekkeloze voorkomen (ze had haar haar opgestoken en haar wangen en kin en hals waren zo schoon en zeepachtig dat ze de indruk wekte dat ook haar zweet naar limoenen rook) en bedekte vrouwelijkheid (een vormeloze trui boven een Levi's die geen nagel tussen haar huid en het ruwe katoen toeliet) maakte hem nieuwsgierig naar haar abstracte doeken. Een week later maakte hij er kennis mee en legde ze hem uit dat ze geïnspireerd werd door Cobra. Als Nederlander wist hij wat dat was, hij kende namen die met die kunststroming verbonden waren, en tot hun opluchting bleken ze de liefde voor Appel en Corneille te delen.

In het huis van haar moeder was een hele zaal aan Cobra gewijd. De intense kleuren vol leven en gretigheid vormden een verademing in het protserige paleis.

Naomi's broodmagere moeder verklaarde dat de zaal met de Cobra's door Naomi was ingericht en helaas niet haar smaak uitdrukte.

'Noem me Jenny,' zei ze toen Sol haar met mevrouw bleef aanspreken. Na de bouw had ze maandenlang met een van de beste woninginrichters overlegd en in de loop van een spannend jaar had het huis zijn sfeer gekregen. Picasso, Rubens, Matisse, naast Warhol, Haring, De Kooning, boven vergulde tafels, bronzen stoelen, kristallen lampen met kappen van kant, en voor elk meubelstuk gold dat het 'handmade' was, wat voor Naomi's moeder een bijzondere klank droeg. Ze had ontzag voor het wonderlijke werk dat duimen en vingers konden verrichten. Monsterlijke plastieken, bij voorbeeld, of koperen leeuwen, 'met de hand geslagen'. Ja allicht, niet met de neus, dacht Sol, geschokt door de zielloze overdaad.

In een van de talloze kamers fluisterde Naomi hem toe dat de inrichting zestien miljoen dollar had gekost: 'En het enige resultaat is een schaamteloze belediging van de goede smaak.'

In de v w op de lange oprijlaan, het paleis in het achteruitkijkspiegeltje, vloekte Naomi tot ze in huilen uitbarstte. 'Ik haat haar. Ik word gek van dat mens. En ik schaam me dat ik haar haat.'

Zes maanden later trouwden ze. Naomi borg haar penselen op en opende een galerie in Soho.

Behalve het landgoed op Long Island bewoonde Jenny een pied-à-terre op Fifth, tegenover de ingang van de Zoo, die haar 's zomers stank, muggen, kakkerlakken en horzels bracht. Door zijn ligging in de omgeving van haar favoriete tearooms werd het appartement aangehouden.

Wanneer Sol de synagoge verliet, had hij een halve werkdag achter de rug. In de regel stond hij op zaterdag om zes uur op en nam de lijst met namen door die hij volgens zijn secretaresse diende te onthouden: de nabestaanden van een overledene, de verloofden, de pasgetrouwden, de ouders van een kind dat zich op een bar- of batmitswa voorbereidde, de zieken.

Een halfuur of langer na het einde van de dienst had hij met iedereen gesproken die een familielid verloren had. Sol was meelevend, luisterde en knikte, pakte handen vast en deelde het verdriet. In het begin van dergelijke ontmoetingen bekeek hij zichzelf met gêne aangezien hij wist dat hij zijn emoties vooral stond te spelen. Om die te ontlopen begon hij te overdrijven, en in de overdrijving kon hij geen onderscheid meer maken tussen spel en werkelijkheid en bracht het veinzen iets echts voort: hij raakte oprecht geëmotioneerd, begon soms te huilen en rouwde om het verlies van iemand die hij goed had gekend, althans, hij had het gevoel de overledene goed te hebben gekend. Wanneer hij naar huis ging, had Sol ook met eenieder gesproken die binnenkort een choppe of een bar- of batmitswa te vieren had, en die gesprekken volgden hetzelfde patroon: hij speelde dat hij hun vreugde tot in zijn ingewanden kende en de stralende gezichten die hij daarmee teweegbracht verwarmden zijn hart en deden hem uitzien naar de komende ceremonie.

Sols werk beperkte zich niet tot de synagoge alleen. Een deel van zijn werkweek bracht hij bij individuele leden van zijn congregatie door, mensen die zijn oor nodig hadden, zijn aanraking, zijn oogopslag, zijn goedkeuring, zijn afkeuring, zijn ironie, zijn straf. Ook daar gaf hij voor iemand te zijn die hij ten diepste niet was. Hij had zich in een korset geperst dat hem een vorm gaf op plekken waar

hij, zo vreesde hij, vormeloos geboren was. Na de onverwachte dood van zijn vader had zijn leven een bizarre
wending genomen: hij wilde in de voetsporen van zijn vader treden. Hij had de vijfjarige rabbijnenopleiding in vier
jaar doorlopen en werd pas op zijn zesendertigste tot rabbijn gewijd. Wat had hij tot zijn tweeëndertigste gedaan?
Gewankeld, getwijfeld, gevloekt, gezopen, zijn tijd ver-
daan.

Sol liep met Naomi naar huis, de korte wandeling die zij
meestal door Central Park maakten. Ze werden vergezeld
door David Mercado, een eerstejaars rabbijn-in-opleiding
die Sols preek wilde bespreken. Sol was moe, maar zijn rol
liet niet toe dat hij de jeugdige waarheidszoeker afscheep-
te. De regen was gedurende de nacht weggetrokken en het
park lag geurend onder een open hemel. Joggers en fietsers
volgden elkaar op de idyllische slingerwegen langs rotspartijen, glooiende grasvelden, boomgroepen, die over-
weldigend natuurlijk oogden maar in de vorige eeuw tot
in detail door landschapsarchitecten waren ontworpen.

'Vertrouwen in God en de verwachting van wonderen,
is dat niet hetzelfde?' wilde David weten.

'Ik denk van niet,' antwoordde Sol voorzichtig. Hij wandelde gearmd met zijn vrouw, de student liep met stijve
benen, alsof hij niet wist hoe hij zich moest bewegen. 'Herinner je je Spreuken 19:3? *De domheid van de mens perver-
teert zijn weg, in zijn hart verwijt hij zijn ongeluk aan God.*
Dit betekent niet anders dan dat je altijd voorbereid moet
zijn je eigen weg te bewandelen, je eigen plannen te maken, je eigen ideeën ten einde te denken. Je mag niet alles
naar God toe schuiven.'

'En Psalmen 37:5?' vroeg de jongen. '*Wijd je weg aan
God. Vertrouw in Hem en Hij zal voor jou zorgen.*'

'Ik denk dat daarmee een innerlijke zorg wordt bedoeld, een innerlijke kracht die kan helpen wanneer je verlamd raakt door twijfel, door zorgen, door gebrek aan inzicht. *Wijd je weg*, zo begint die psalm, *jouw* weg, *jij* hebt al een weg, *jij* hebt al een levensplan, en God kan je daarbij helpen. En als je op weg bent dan zal Hij voor jou zorgen. Maar je moet zelf het initiatief nemen.'

'Soms is de weg pas zichtbaar wanneer het vertrouwen er is.'

'Dat is normaal. Dat is een gevecht dat we allemaal moeten leveren. Ik heb pas op m'n eenendertigste m'n roeping ervaren. Daarvoor zweefde ik van illusie naar illusie.'

'En de rechtvaardige die als rechtvaardige geboren is? Ervaart die eerder de hand van God?'

'Nee. Juist voor de rechtvaardige is God het hardst. De rechtvaardige heeft geen recht op Zijn hulp. De rechtvaardige zal daar zelf ook nooit om vragen, nooit om bidden. Zoek maar op in de Talmoed, in Pesachim en Megillah. Op al die plekken zul je vinden dat de rechtvaardigen heel nuchter zijn over wonderen. Ze hebben geen enkele garantie dat God hen uit de puree zal trekken. Ze bidden, volgen de regels, en vertrouwen. Daar draait het om, David: vertrouwen.'

'Het moeilijkste,' zei de jongen zacht. Hij droeg een bril met sterke glazen die zijn pupillen reduceerden tot speldeknopjes. Tere ogen achter het dikke glas, gekweld door vragen die elke jonge rabbijn tot wanhoop dreven. Sol wilde hem iets geruststellends geven.

'Vertrouwen hebben in God, in een wereld die kookt van onrecht, is de lastigste proef waaraan God ons onderwerpt. *God heeft gegeven, God heeft genomen, de naam van God zij geprezen.* Dat is Job 1:21. We leven in diepe duisternis en hopen dat God ons op een dag het licht zal doen zien. Meer is niet mogelijk. Hoop en vertrouwen.'

David knikte terwijl hij met gebogen hoofd voortliep. Te midden van de pracht van het park wisselden Sol en Naomi een blik, overvallen door de ernst van de student.

Sol zei: 'God weet wat Hij gedaan heeft. Spreuken 6:23: *Het levenspad wordt gevonden door ethische correcties.* Je mag aarzelen, struikelen zelfs, zolang je je bewust bent van je eigen beperkingen, je eigen grenzen. Je vraagt je misschien af of jij tot de rechtvaardigen behoort, maar weet je hoe de rechtvaardigen leven?'

De jongen keek hem vragend aan.

'In armoe. Erger kon niet. Armoe wordt door onze vroegere collega's gelijkgesteld aan de dood. Je had in het oude Beloofde Land geen sociale dienst, geen voedselbonnen. Verder leden ze ook vaak aan chronische ziekten, kijk maar bij Rasji, maar God liet de rechtvaardigen als het even kon niet langer dan drie dagen achtereen lijden. Hoor wat Deuteronomium 32:15 zegt: *Je werd vet, dik en zwaar; je verliet de God door wie je gemaakt was en je vergat de Almachtige door wie je ondersteund werd.* Dus mijn advies is: wacht even met dat verlangen om als een echte rechtvaardige te leven.'

De jongen glimlachte toen hij de lichtheid van Sols woorden vatte.

Opeens werd hun de weg versperd. De man was uit de struiken te voorschijn gesprongen en spreidde zijn armen. Het leven aan de zuidrand van het park had Sol en Naomi geleerd hoe er bij gevaar en gekte diende te worden gehandeld, en meteen trok Sol een bankbiljet te voorschijn. Als hervormde jood was dat geen probleem, maar wat deed een orthodoxe jood, die op sjabbes geen geld mocht beroeren, wanneer hij na sjoelbezoek werd overvallen?

'Het is Tom,' zei Naomi.

Ongeschoren, gekleed in een wijde zwarte regenjas, op bemodderde schoenen, bekeek zijn zwager hen met bloeddoorlopen ogen. Er school hysterie in zijn verschijning. Uit de zak van zijn jas stak de hals van een fles.

'Ik laat jullie niet door voordat jullie met mij gesproken hebben!' riep hij.

Naomi antwoordde: 'We hebben met Tamar afgesproken dat we geen woord met je wisselen. Daar houden we ons aan. Ook Sol.'

'Ik wil praten! Ik heb ook rechten! Ik heb haar m'n beste jaren gegeven en ik laat jullie echt niet naar huis gaan voordat jullie naar me hebben geluisterd!'

David, die een heldenrol voor zichzelf in het verschiet zag, stelde zich voor Sol en Naomi op.

'Wie aan rabbijn Mayer komt die komt aan mij!'

'Ik wil alleen praten,' zei Tom, 'maar als er gevochten moet worden…' Hij liet zijn jas vallen en onthulde een smerig overhemd. 'Ik kan er tien van jouw soort hebben!'

Met een achteloos gebaar sloeg hij Davids hoed weg. Vergeefs probeerde de jongen zijn hoofdbedekking te vangen.

'*Jeshivabocher*, zeker? Jij wil ook in sjoel staan zeiken over rechtvaardigheid maar er ZELF NIETS AAN DOEN!'

Tom brulde en in de verte draaiden mensen zich om. Binnen twee minuten zou er politie verschijnen. Het was een kwestie van tijd rekken. Terwijl David vrouwelijk door zijn knieën zakte en naar zijn hoed graaide, maakte Sol zich los van Naomi en duwde Tom weg. Hij liet zich een paar yards meenemen zonder zich te verzetten. Hij stonk naar whisky.

'Laten we praten, Sol, je moet echt met me praten want er moet toch een oplossing zijn voor deze flauwekul? Ik neukte Maria, okay, big deal, stom van me, m'n lul was groter dan m'n hersens, maar daarvoor hoef ik toch niet als een leproos behandeld te worden? Weet je wat ze gedaan heeft, Sol? Weet je wat?' Hij kwam dichterbij en zijn lippen beroerden bijna die van Sol. Alcohol, zweet, en iets dat deed denken aan de zure geur van halfverteerde hamburgers met mayo en ketchup. 'Ze heeft m'n creditcards geblokkeerd, m'n bankrekeningen, ze heeft de sloten laten veranderen, die klootzakken beneden bij de deur hebben opdracht om me het gebouw uit te sodemieteren, ze heeft m'n auto laten wegslepen! Ze wil me kapotmaken, en dat gaat te ver! Daar moet wat aan gedaan worden, ik heb dit echt niet verdiend!'

'Wanneer wil je praten?' vroeg Sol, achteruitstappend om de stank van Toms adem te ontlopen. Maar Tom, bang het contact te verliezen, bewoog met hem mee.

'Nu! Dit kan geen seconde meer wachten! We moeten dit echt oplossen anders haal ik de avond niet!'

'Ik kan nu niet, ik heb straks een afspraak. Vanavond. Goed? Om acht uur beneden in de hal. Neem een douche. Scheer je. Je ziet eruit alsof je hier woont.'

'Dat is wat ze wil, Sol! Ze wil dat ik crepeer, en het liefst in de goot!'

'Ik wil dat je er vanavond behoorlijk uitziet, anders kom ik niet.'

'Ik scheer me, okay, maak je geen zorgen, ik ben niet gek, alleen een beetje opgewonden.' Hij liep naar David. Geschrokken nam de jongen een bokshouding aan, maar Tom stak slechts een hand uit.

'Sorry, kid, ik was even m'n verstand kwijt, het spijt me echt. Ik heb je toch geen pijn gedaan?'

'Nee.'

'Gelukkig. Sorry, Naomi, dat ik jullie sjabbes versjteer, maar ik was zo wanhopig. Vanavond praat ik met Sol en dan zal ik alles uitleggen, sorry.'

Ze weigerde zijn begroeting en hij hief beide handen en maakte een gebaar vol berusting.

'Tot vanavond, Sol.'

'Tot vanavond.'

Tom probeerde een acrobatische knix te maken, maar zijn lichaam weigerde en hij viel bijna over zijn benen. Beschaamd pakte hij zijn jas en verdween achter een bosschage.

Sol vroeg of David hem later op de dag thuis kon bellen en hij hervatte met Naomi de wandeling naar huis. Zwijgend liepen ze langs families met kinderen, langs tovenaars en masseurs, ballonverkopers, toekomstvoorspellers.

'Pas je op met Tom?' vroeg Naomi.

'Ik weet wie hij is.'

Voortdurend had Tom vele grote projecten onder handen, maar ze werden nooit gerealiseerd. Sol, die zijn Amsterdamse naam Sal in het meer Amerikaanse Sol had veranderd (Sallie klonk zo meisjesachtig), was bijna te gronde gegaan aan zijn eigen talloze mislukkingen, maar Tom was vroeg getrouwd met een miljonaire die hem – directeur van hun gemeenschappelijke T&T Corporation – een salaris van tienduizend dollar per maand betaalde. Omdat het totale levensonderhoud verder door Tamar werd bekostigd kon Tom zijn inkomsten als zakgeld uitgeven en op de zak van zijn vrouw leven. Sol had zijn eigen bron van inkomsten. Weliswaar had hij zijn baan grotendeels aan zijn schoonmoeder te danken, maar zijn populariteit en publikaties waren de vruchten van zijn eigen inspanningen, en die verrichtte hij zonder ondersteuning. Hij gaf toe dat hij genoot van hun rijke appartement, hun personeel, hun auto's en dure vakanties, maar hij had ook in een eenvoudig flatje kunnen werken en leven, zoals voor zijn huwelijk met Naomi. Hij zou als rabbijn van een kleine gemeenschap kunnen overleven, hij bezat zijn eigen geërfde huis, zijn schrijfwerk, maar Tom bezat niets, kon niets, deed niets behalve zeepbellen blazen.

Naomi wilde weten hoe laat hij zijn afspraak had.

'Drie uur. Bij Kohn thuis.'

Kohn was de hoofdrabbijn van Temple Yaakov en voorzitter van het overlegorgaan van hervormde Newyorkse rabbijnen. Sols *Shalom*-artikel over de criminele chassied had slechts in beperkte orthodoxe en chassidische kring tot reacties geleid en bij de tempel waren drie anonieme scheldbrieven binnengekomen. De algemene pers had er geen belangstelling voor – een lucifervlammetje onder sektariërs – ook al hadden twee orthodoxe weekbladen scherpe commentaren afgedrukt. De rest van de wereld bemoeide zich met de echte problemen. Bosnië. De handelsoorlog met Japan. De onlusten aan de grenzen van de voormalige Sovjet-Unie. Maar rabbijn Samuel Kohn, de nestor van de hervormden, probeerde het fragiele bestand tussen de verschillende joodse groeperingen in stand te houden door de rechtlijnigen te bezweren dat Mayers artikel niet de goedkeuring van de officiële hervormden droeg. Hij had dit Sol telefonisch meegedeeld en hem verzocht op zaterdagmiddag langs te komen.

Naomi vroeg: 'Wat ga je vanavond met Tom doen?'

'Ik ga met hem eten. Is dat goed? Proberen wat verstand in zijn kop te rammen.'

'Waar?'

'Iets op Broadway of Amsterdam.'

'Tamar hoeft dit niet te weten,' zei ze.

'Ik vertel het haar morgen wel.'

Thuis nam hij een douche en belde met Uri Werner, de

hoofdredacteur van *Shalom*. Het tweemaandelijkse tijdschrift, boegbeeld van het vooruitstrevende Amerikaanse jodendom, organiseerde zomerkampen, themabijeenkomsten, politieke manifestaties. Het was net zo omstreden als zijn rechtse tegenstrever *Commentary*.

'De telefoon staat roodgloeiend!' riep Werner verrukt. 'Ik wist niet dat we zoveel lezers hadden!'

'Zijn ze een beetje evenwichtig verdeeld?'

'Eenderde instemmend, tweederde afkeurend. De afkeuringen zijn bijna allemaal van fundamentalisten.'

'Fundamentalisten?'

'De *schwartzen*.' Daarmee bedoelde hij niet Afro-Amerikanen maar de in het zwart geklede orthodoxen. 'Je hebt de spijker op z'n kop geslagen. Aan het niveau van de woede van de schwartzen kun je de kwaliteit van je stuk aflezen.'

'Ik wilde niemand beledigen. Ik wilde deze vreemde zaak beschrijven.'

'Je beschrijft dat Finkelstajn zijn vrouw bevrucht door een gat in een laken! Als dat niet duidelijk is, dan weet ik het niet meer.'

'Het is de waarheid,' verdedigde Sol zich.

'Als je zoiets opschrijft, en door mij laat afdrukken, dan maak je een paar mensen tamelijk ongelukkig. Mij maak je er gelukkig mee. Ik sta achter je. Zoals de hele redactie trouwens.'

Een taxi bracht Sol naar de *brownstone* op East Ninety-first. Rabbijn Kohn woonde achter zware fluwelen gordijnen en wanden van boeken. Hij was een kleine, zestigjarige man met zachte, vochtige ogen en een beminnelijke, begripvolle lach. Zijn handdruk was kort en lauw, alsof hij bang was Sol aan te raken, en wanneer hij sprak verhief hij nauwelijks zijn stem in het stille huis. Bij het passeren van de drempel verdween Manhattan.

'Ga zitten, Sol.'

Hij nam plaats in een zware leren fauteuil. Kohn nam een theepot van een komfoor en schonk twee kopjes in.

'Suiker?'

'Nee, dank je.'

Sol nam de schotel aan en hield die beschaafd met beide handen op schoot.

Kohns duistere werkkamer lag aan de achterkant van het huis. Behalve halfgesloten gordijnen hielden vale lappen vitrage de buitenwereld op afstand. De contouren van een kale boom schemerden achter het raam.

'Waarom ben je zo kwaad?' vroeg Kohn terwijl hij ging zitten.

'Kwaad? Waarom zou ik kwaad zijn?'

'Je artikel ruikt naar grote boosheid. Wat heeft Finkelstajn jou aangedaan?'

Kohn nam voorzichtig een slokje. Alles wat hij deed volvoerde hij met de grootste omzichtigheid. Sol, die een gemiddeld postuur had, veranderde in zijn aanwezigheid in een lompe reus.

'Niets. Ik heb niks anders gedaan dan de zaak beschrijven. De problemen van iemand die gevangen zit in zijn achterhaalde traditie.'

'Achterhaald, dat ben ik met je eens. Maar moet er op die manier over geschreven worden?'

'Iedereen weet hoe de schwartzen zijn,' legde Sol uit.

'De gojim niet.'

'De gojim ook. Ze zien ze in roestende schoolbussen langsrijden en achter de ramen zitten die vreemde types met hoeden en baarden en achter een gordijn aan de andere kant van het gangpad zitten hun geschoren vrouwen met stijve pruiken. Alsof je een groep geestelijk gestoorden uit een inrichting een uitstapje ziet maken.'

'Waarom wind je je zo op?' vroeg Kohn.

'Ik wind me niet op. Ik beschrijf een feitelijke situatie.'

'Door je artikel is het overleg onder druk geraakt.'

'Ik begrijp dat ze niet blij zijn met hun crimineel. Maar ze moeten de zaak niet omdraaien en net doen alsof *ik* iemand ontvoerd heb.'

'Ze proberen deze affaire zo voorzichtig mogelijk te behandelen. Het is voer voor antisemieten.'

'Finkelstajn heeft op de voorpagina van de *Times* gestaan, van de *Post*, van elke krant! *Shalom* is het clubblaadje van joodse wereldbestormers en verder wordt dat nauwelijks gelezen. Ik begrijp niet waar ze zich zorgen over maken, en eerlijk gezegd begrijp ik dat ook niet van u, rabbijn.'

'Het overleg, Sol.'

'Ik begrijp evenmin waarom we zouden moeten overleggen met mensen door wie wij niet geaccepteerd worden. Ze vinden ons nepjidden.'

'Daarom is er dat overleg.'

'Ons jodendom heeft hun jodendom niet nodig. Wij zijn sterker, wij hebben de toekomst.'

'Zij zijn onze wortels. We hebben ons afgesplitst van hun stam, en niet andersom. We kunnen hen niet ontkennen.'

'We stammen ook af van de apen, maar dat betekent nog niet dat we met ze moeten overleggen.'

Kohn glimlachte. 'Je had een goeie advocaat kunnen zijn, Sol. Verdient trouwens beter.'

'Het gaat niet om het geld, rabbijn.'

'Er zit je iets dwars, maar wat?'

'Ik wilde alleen maar een stuk schrijven over de valstrikken van het chassidisme, rabbijn. Ik heb met Finkelstajn te doen. De man bezwijkt onder een enorme sociale druk. Hij moet en zal de bruidsschatten voor zijn dochters verzorgen anders kijkt zijn gemeenschap hem met de nek aan. Hij heeft al grote schulden gemaakt en niemand wil hem geld lenen. In zijn nood bedenkt hij iets stoms. Het is een sociaal drama en ik wilde de gevolgen van een achterhaalde traditie beschrijven.'

Kohn knikte terwijl hij het schoteltje op een stapel boeken plaatste. Hij begon in zijn handen te wrijven en keek met belangstelling naar zijn beweeglijke vingers.

'Je vader was toch orthodox?'

'Conservatief, rabbijn. Hij was behoudend, maar hij was geen volgeling van een wonderrabbijn.'

'Waarom ben jij hervormd geworden?'

'Omdat ik van mening ben dat de traditie zich moet blijven ontwikkelen. Deze tijd stelt andere eisen dan Polen in de achttiende eeuw, of Kanaän vijfduizend jaar geleden. Trouwens, mijn vader werkte hier in Amerika bij een hervormde gemeente.'

'Ik ben de laatste die het oneens met je zou zijn, Sol. Ik begrijp alleen nog steeds niet wat jou gedreven heeft om dat artikel te schrijven. Ik ben het in alles met je eens. Ook ik geloof dat het chassidisme zoals we dat kennen niets te maken heeft met de waarde van de traditie, maar alleen met de letterlijkheid daarvan. Binnenshuis zijn we het compleet eens. Maar ik zal er nimmer in het openbaar blijk van geven. Ik vind dat je een faux-pas begaan hebt. Werner kan doen wat wij niet kunnen doen, en ik vind dat je hier een grens overschreden hebt. Je hebt vroeger toch ook geschreven?'

'Ik heb zelfs m'n eigen tijdschrift gehad, rabbijn.' Het was een tijdschrift waarmee hij *Playboy* had willen overtreffen: toptieten en verhalen van literaire kopstukken. Het had hem een faillissement opgeleverd.

'Een rabbijn heeft andere verantwoordelijkheden dan een redacteur van een tijdschrift.'

'Daar ben ik me van bewust, rabbijn.'

'Het overleg dat we voeren probeert de joodse stemmen tot een eenheid te smeden. Dat is niet eenvoudig. We kunnen niet langs elkaar heen leven. Overleg is noodzakelijk in een wereld die zo sterk op drift is geraakt. Elke minderheidsgroep roept om aandacht, en zonder overleg en onderling begrip raken we allemaal overstemd. Eenheid is van belang.'

Sol knikte, maar hij was van mening dat Kohns voorzichtigheid de intentie van zijn artikel onrecht deed.

Kohn vroeg: 'Wat moet ik bij het overleg zeggen?'

'Dat Finkelstajn niemand had moeten ontvoeren.'

'Dat weten ze zelf ook wel.'

'En dat het niet de schuld van Sol Mayer is dat die affaire de buitenwereld heeft bereikt. Het hele land weet al lang dat er een criminele chassied rondloopt.'

'Het is niet de taak van een hervormde rabbijn om daaraan bij te dragen.'

'Het is de taak van een hervormde rabbijn om zijn gemeenschap voor te lichten, in te lichten, te onderwijzen. En ik begrijp echt niet, rabbijn, waarom ik hierover verantwoording zou moeten afleggen. Zelfs niet aan u, ook al respecteer ik u en heb ik grote achting voor het werk dat u heeft verricht voor het hervormde jodendom.'

'Je bent nog steeds kwaad, Sol.' Kohn schudde spijtig zijn hoofd, alsof hij een lastig jochie toesprak.

'Ik begin een klein beetje kwaad te worden omdat ik de chassieden niets te vertellen heb.'

Sol ging staan, de woede nam nu echt bezit van zijn ledematen en hij kreeg de neiging om met iets te gooien. Hij moest snel de straat op en bij voorkeur een stuk gaan hollen.

'Blijf zitten, Sol.'

'Dit heeft niks met u te maken, rabbijn, maar ik moet even een frisse neus halen. Ik ben echt geraakt door uw vermaning.'

'Ik wil je carrière beschermen, Sol. Dat is alles. We lopen allemaal op eieren. Alle rabbijnen.'

'Ik stel uw zorg op prijs, rabbijn. Ik hoop dat u het me niet kwalijk neemt dat ik zo snel vertrek. Ik zal graag binnenkort opnieuw uw gast zijn.'

'Het is goed, Sol. Doe het rustig aan.'

Sol haastte zich uit het schemerige huis en holde door Ninetyfirst in de richting van het park. De frisse lucht tintelde op zijn huid en bracht verlichting voor de hitte die opeens uit een fel innerlijk vuur straalde. Kohn had gelijk. Hij was woedend. Het was een onredelijke emotie die niets met Finkelstajn had uit te staan – het hele artikel was niets anders dan een exercitie in redeneren, onschuldig van opzet en onvoorzien verreikend in consequentie – maar die door allerlei associaties was opgeroepen. Kohn had hem aan zijn vader doen denken. Zijn vader was al jaren dood, maar nog steeds was er voldoende woede voor een opgefokte renpartij naar het park. Vroeger had hij de deur van het huis in New Haven, een romantische houten villa in een tuin vol berken, zilversparren en eiken, met geweld achter zich dichtgetrokken en het op een rennen naar het station gezet, op weg naar de verlossende forensentrein die hem naar zijn kamer op Manhattan bracht. Zijn vader had hem niet de mogelijkheid gegund om hem alles nog eens flink betaald te zetten. Hij verdronk in Suriname voordat Sol de moed had om echt met hem te breken. En zijn restanten waren al lang in het warme water van Suriname opgelost toen Sol de miljonairsdochter trouwde die hem ver-gezelde bij zijn entree in een wereld van respect en welzijn. Hij was rabbijn geworden om het werk van zijn vader voort te zetten. En tegelijk om zich te bevrijden van zijn dubbelzinnige erfenis.

Sol liep het park in en klom naar boven om uit te hijgen tegen het hek dat het reservoir omringde. Het meer be-sloeg een groot deel van Central Park. Langeafstandslo-pers, onder wie Sol in zijn jonge jaren, rondden het meer over een uitgesleten pad dat de oever volgde. Hij was er-mee gestopt toen hij ging drinken. Hij nam in gewicht toe en verwaarloosde zijn gezondheid. Zijn vader stak geen hand uit. Nooit had hij een hand uitgestoken. Sol hield zich aan het hek vast en rook de groene zuurstof die het park aan de stad afstond. Ook al was hij tweeënveertig, nog steeds kon hij als een puber tegen zijn verwekker in opstand komen, blind van wrok, vol broeiende verwijten. Hij voelde zich alleen gelaten toen zijn moeder stierf, hij voelde zich alleen gelaten toen zijn vader het schandaal over zich afriep, hij voelde zich alleen gelaten toen hij in Amerika probeerde te aarden. Zijn vader wijdde zich aan hogere zaken dan de opvoeding van zijn zoon. Aan God. Aan zijn pik.

Sol liet het hek los en volgde het pad rond het meer. Jog-gers kwamen hem tegemoet, wandelaars met honden, fluisterende verliefden.

## 4

In 1968, een jaar na de dood van zijn moeder, probeerde Sol de vierde klas van de HBS te doorlopen. Praag werd door de Russen verkracht, Amsterdam was in de ban van utopisten en onruststokers, en Sol was een onopvallende leerling geworden, nog steeds bevangen door de scherpe rouw om zijn moeder, door het lijdzame toezien bij haar eerloze ziekte. Zijn vader, een van de prominente joodse leiders tijdens de jaren zestig in Nederland, had zich na de dood van zijn vrouw nog sterker in zijn werk teruggetrokken dan hij al gewoon was. Mordechai Mayer was een drukke persoonlijkheid, een man met brede schouders en zware wenkbrauwen. Hij had sterke handen waarmee hij Sol op de schouders tikte, hem in een driftbui een mep verkocht, het perkament van een Thora-rol streelde, maar hij was niet in staat zijn gevoelens te tonen. Hij was op straat in Amsterdam opgegroeid en daar had hij geleerd snel te denken en snel te praten. Immer had hij een kwinkslag paraat, altijd een anekdote, een witz. Totdat hij in zijn kantoor werd betrapt. Niet op het snijblok. Op zijn bureau. Tussen heilige boeken.

In de jaren twintig trokken Herman en Saartje Mayer, Sols grootouders, met een zuurkar langs de huizen: uitjes, augurken, olijven. Vanaf zijn dertiende vergezelde Mordechai, die toen nog gewoon Moos heette, zijn vader op zijn lange dagen door de wijken. Toen hij vijftien was liet zijn vader het venten aan zijn zoon en ging zelf op de Noordermarkt staan. Moos, de oudste van vier kinderen, was een eersteklas koopman. De twee inkomstenbronnen leidden tot een opmerkelijke materiële verbetering en het gezin verhuisde van de Vrolikstraat naar de Rustenburgerstraat. In 1938, op zijn achttiende, ontmoette Mordechai zijn latere vrouw Sara Wegloop. Zij stond in de fruitkraam van haar ouders tegenover die van Herman Mayer, en ze besloten zich te verloven. Ze wachtten met een choppe tot Mordechai voldoende geld had om een eigen gezin te bekostigen. Voordat het zover was, vielen de Germanen het land binnen.

Met Saartje dook hij onder bij een Brabantse boer. Ze overleefden. Hun ouders, hun broers en zusters, hun neven en nichten, hun achterneven en achternichten, iedereen was vermoord. En het vreemde was dat Mordechai zijn verdriet in sjoel kon verzachten. Een groot deel van de overlevende joden wendde zich van de traditie af, maar Mordechai werd juist aangetrokken door zijn machtige God, die onberoerd de gebeden in de gaskamers had aangehoord. In de gebeden en rituelen vond hij troost. Met slechts de kennis die hij tijdens zijn onderduik had opgedaan (om de tijd door te komen gaven de katholieke priesters door wie zij geholpen werden hem boeken te lezen: naast wiskunde-, aardrijkskunde-, grammaticaboeken ook Goethe, Tolstoi, Dickens) werd hij in 1947 aan de jeshiva in Londen toegelaten. De studie duurde vijf jaar. In maart 1952 werd Salomon geboren en een maand later keerden zij terug naar Nederland. Mordechai was een traditionele rabbijn, strikt in zijn opvattingen maar doordesemd van de naoorlogse joods-Nederlandse cultuur, die ruimte liet voor informele compromissen, gemengde huwelijken en autoritten op zaterdagochtend. Voor een verhouding met mevrouw Vischjager was echter geen plaats, ook al was hij toen al weduwnaar. Hij werd ontslagen en vertrok met zijn zoon naar Amerika.

De fouten die Sol in zijn leven had gemaakt, en dat waren er talloze, had hij niet uit luiheid of slechtheid begaan. Het had hem aan begeleiding ontbroken, vond hij. Zijn vader was rabbijn, de begeleider bij uitstek, maar hij had degene die het meest zijn raad en daad nodig had over het hoofd gezien. Nog steeds, zevenentwintig jaar na haar begrafenis, ervoer Sol de eenzaamheid die het overlijden van zijn moeder teweeggebracht had. Bij het kaddisj aan haar graf had zijn vader niet meer gegeven dan een hand op Sols schouder. Decennia later besefte Sol dat zijn vader hetzelfde had gevoeld – uitputtende machteloosheid en weerzin – maar dat ontsloeg zijn vader niet van de ouderlijke verplichting zijn enige kind bij te staan. De rabbijn die eenieder met een grap en grol op zijn gemak kon stellen en zijn warme bevlogenheid aan zijn gemeente schonk, was niet bij machte geweest zijn tranen aan zijn kind te tonen. Had hij wel tranen? had Sol zich vaak afgevraagd. Was hij wel tot echte emotie in staat of spéélde hij zijn zorgen over de Russische joden, de staat Israël, de discriminatie, de Koude Oorlog? Inmiddels wist Sol hoe een rabbijn verstrikt kon raken in het web van zijn werk, roeping, persoonlijk leven, maar hij kon zich niet voorstellen dat hij zijn kind aan zijn lot zou overlaten als Naomi stierf. Hij had geen kind. Naomi was springlevend. Toch kon hij het zich niet voorstellen.

Zelfs de schoonheid van de stad kon hem niet tot rust brengen. In hoog tempo rondde hij het reservoir, zichzelf toesprekend dat hij slechts een kleine onenigheid met Kohn had en dat hij zich niet moest laten meesleuren door oude pijnen. Zijn vader had zich in de dood onaantastbaar gemaakt en Sol moest met hem leren leven zoals hij met God leefde: alsof je iemand toesprak die doof en blind was. Na de verdrinking van zijn vader had hij weliswaar een wonder beleefd dat zijn leven ingrijpend had veranderd, maar zijn relatie met God en met de doden bestond verder uit ontnuchterend eenrichtingsverkeer – nooit hoorde hij iets terug. Sol geloofde niet in een hiernamaals, maar tegelijk was het onacceptabel dat de unieke persoonlijkheden van zijn ouders bij de dood van hun lichamen als alcoholdampen waren vervluchtigd. Zonder het wonder had hij zich niet bij de rabbijnenschool gemeld, maar hij kon zich nog steeds niet volledig met zijn titel vereenzelvigen, net zo min als hij de vanzelfsprekendheid van zijn bestaan in deze stad kon aanvaarden.

Boven de kruinen van de bomen die het water omringden, richtten de hoogmoedige torens van het menselijke vernuft zich op. De lucht zag er bijna Hollands uit, met volle, witte wolken tegen een helder blauwe hemel. Achter de zuidkant van het park stonden tientallen fiere torens, hij kon zelfs de tweeling van het World Trade zien, en hij zocht naar het gebouw waarin hij met Naomi leefde. Het was twintig verdiepingen hoog en zou in Amsterdam boven de Westerkerk uitsteken, maar hier was het een dreumes. Hij vond het penthouse en vroeg zich even af of Naomi toevallig naar buiten zou kijken, maar hij herinnerde zich dat ze de middag in het kantoor van haar galerie zou doorbrengen, de huishoudster had het weekend vrij.

Sol woonde nu langer in Amerika dan in Nederland, maar hij bleef zich scherp bewust van het toeval van zijn woonplaats. Zonder dat hij een verblinde patriot was geworden, kleefden aan zijn ziel (een woord dat hij regelmatig gebruikte maar moeilijk zuiver kon definiëren) de indrukken van zijn Amsterdamse jeugd, de zegswijzen van zijn moedertaal, de smaken van de haringkraam. Sol wist dat de samenleving die hij had achtergelaten een gecompliceerde structuur had: zij had de families van zijn ouders schouderophalend laten deporteren en tegelijk had zij zijn ouders een onderduikplek geboden, zij had zich na de Duitse bezetting opgewerkt tot een welvarend land en kende een voorbeeldige tolerante traditie, die hand in hand ging met onverschilligheid. Maar hij hoorde daar niet meer thuis. De Westerkerk was voor altijd te klein geworden.

Voor het afsluiten van de sabbat werd hij om vijf uur in de tempel verwacht en hij kon er op zijn gemak naar toe lopen. Zand en stof bedekten zijn schoenen en hij moest straks een schoenpoetser vinden alvorens hij de bimah kon betreden. De rommel in zijn kop lag nog steeds hinderlijk los en er hoefde maar een kleinigheid te gebeuren (zoals de rimpeling rond Finkelstajn) of de brokstukken begonnen te schuiven en brachten hem uit balans. In de regel kon Naomi hem sussen en afleiden, maar hun kinderloze huwelijk bood geen bevrijding van de spookwereld in zijn kop. Hij was niet in staat geweest om zelf vader te worden, en het leek wel of dat onvermogen de macht van Mordechai in stand hield. Hij bleef het kind van een ontslagen rabbijn.

## 5

Om acht uur stond Tom Wirtschafter beneden in de hal. Hij zag er nog net zo uit als eerder op de dag.

'Je zou je wat opfrissen. Je zou je scheren, iets anders aantrekken.'

'Ik heb geen tijd gehad. Weet je wat ik de hele dag heb gedaan? Een slaapplaats voor vannacht zoeken.'

'Ik wil zo niet met jou gezien worden.'

'Laat me dan hier douchen! Leen me een schoon overhemd!'

Sol nam hem mee naar boven. Naomi zou pas rond tien uur thuis zijn en kon geen bezwaar maken tegen Toms bezoek.

Na dertig minuten had Tom weer het voorkomen van de dynamische zakenman die hij graag wilde zijn. Maar zijn ogen hadden een uitdrukking die Sol deed denken aan de opgejaagde blikken van chronisch daklozen, panisch, paranoïde bijna.

Tom vroeg: 'Heb je misschien iets te drinken?'

'Absoluut niet. We gaan.'

'Waarheen?'

'We nemen een taxi naar de Village. Vinden wel iets. Voel je je beter?'

'Gaat.'

Deze keer kwam de chauffeur uit Ghana. De man was gewend aan wegen met loslopende kippen en geiten en hij stuurde de wagen als een ontsnapte gevangene Broadway en Fifth af. De lachende chauffeur, die nauwelijks Engels sprak, reageerde op Sols protesten met het verhogen van de snelheid. Tom bleef onberoerd tijdens de dodenrit. Op Washington Square stapten ze uit, Sol opgelucht, Tom stoïcijns.

Onder de bomen van het plein stonden groepen jongeren, junks, undercover politieagenten, diefjes en dealers. Bij de overwinningsboog aan de noordzijde van het plein wachtten twee politiewagens om de passage van voetgangers tussen Fifth en de Village te beveiligen. Nadat het plein jarenlang een vrijplaats voor verslaafden was geweest had de omwonende burgerij het grotendeels teruggveroverd. 's Zomers bood het ruimte aan moeders met kinderwagens, bejaarden, gitaarspelende rugzaktoeristen, basketballspelers, yuppies op weg naar de galeries en restaurants, en dealers en junks. Ongehinderd liepen Tom en Sol naar Bleecker Street, de hoofdstraat van de Village.

'Zeg es wat,' zei Sol.

'Er is te veel om te zeggen. Alles gaat door mekaar heen. Ik heb het goed verknald. Ik had alles en nou ben ik alles kwijt. En het ligt niet echt aan Tamar. Het ligt aan mij. Echt waar, Sol, het ligt echt aan mij. Ik had m'n gulp dicht moeten houden, ik had m'n vingers van andere tietjes en kutjes moeten houden. Maar het vlees is zwak. Ik weet nu wat dat betekent. Het is een harde les, Sol.'

'Een harde les blijft een les. Je léért dus. Dat is een goed teken. Er is altijd hoop, Tommie, er is altijd een uitweg, ook al kun je die nu nog niet zien, geloof me.'

'Wat weet jij daarvan? Je bent rabbijn van een sjieke tempel, je hebt Naomi, wat weet jij van mijn sores?'

'Veel.'

'Weet jij hoe het voelt wanneer je nog tachtig dollar in je zak hebt? Tachtig! Als die weg zijn, kan ik gaan bedelen.'

'Wat heb je de afgelopen week gedaan?'

'Geprobeerd met Tamar te praten. Ik kom niet verder dan een bodyguard die ze in dienst heeft genomen. Die zegt me dat ik met haar advocaat moet praten.'

'Heb je dat gedaan?'

'Natuurlijk niet! Die gaat me vertellen dat ze van me wil scheiden en dat ik tegenwoordig zelf aan m'n ballen moet krabben wanneer ik jeuk heb.'

'Als je zo afhankelijk van iemand bent dan kun je niet rommelen met de regels, Tom. Afhankelijkheid schept verplichtingen.'

'Ik weet het. Shit, ze had niet thuis moeten komen.'

'Je had Maria niet op het snijblok moeten leggen.'

'Ik weet 't. Nooit meer. Ik zwéér het.'

'En die hoer? Was je ooit een trouwe echtgenoot?'

'Als ik 't niet was dan word ik het. Als dit goed komt dan zal ik voor eeuwig en altijd een brave jiddische huisman zijn. Op het graf van m'n moeder zweer ik dat.'

'Je mag niet zweren, Tom.'

'O nee, dat mag niet van de Heer, toch?'

'Het is hoogmoed. Beloof het, maar zweer niks.'

'Goed, rabbijn, ik beloof het, okay?'

'Ik trakteer je op een etentje.'

'Fijn. Als je het niet had aangeboden dan had ik erom gevraagd. Maak je geen zorgen over mijn bescheidenheid. Iemand die tachtig dollar bezit maalt niet om bescheidenheid.'

Bij een van de vele Italianen in Bleecker Street kregen ze een tafel aan de wand tegenover de hete pizzaoven. De clientèle en het personeel hadden een gemiddelde leeftijd van achttien en Sol was zich bewust van het vet op zijn heupen en het grijs op zijn slapen. Met een fles lauwe Californische Cabernet verdroegen ze de verscheurende akoestiek, veroorzaakt door kale muren en betonnen plafonddelen, die volgens Tom zeer postmodern waren.

'Ik had ook een restaurant willen beginnen, maar ik kon geen goeie locatie vinden. Dan had ik misschien een greep in de kassa kunnen doen en dan had ik wat meer dan tachtig kleintjes bij me gehad.'

'Als, als, als…' antwoordde Sol. 'Je ziet er nog altijd goed uit, Tom, je bent een aantrekkelijke vent, je hebt plannen. Waar maak je je zorgen om?'

'Met een lege portemonnee maak je je zorgen, Sol. Dat hoort bij de aard van het fenomeen.'

'Je overdrijft. Je maakt mij niet wijs dat je niks hebt.'

'Denk je nou echt dat ik zoiets graag overdrijf?'

Een serveerster vroeg of ze een keuze uit het menu hadden gemaakt. Sol wilde nog een paar minuten. Ze noemde de dagspecialiteiten terwijl Tom, aandachtig luisterend, de lijnen van haar borsten en heupen en benen in zich opzoog. Hij was onverbeterlijk. Toen ze na het noteren van hun bestelling de tafel verliet, genoot Tom, veinzend de zaak te bekijken, zo lang mogelijk van de aanblik van haar kont.

Hij vroeg: 'Hoe gaat 't met jou en Naomi?'

'Goed.'

'En in bed?'

'Je bent erg direct vandaag, Tom.'

'Jij toch ook?'

'Ik ben hier de deskundige vragensteller, jij bent het probleem.'

'Dat zal best, maar toch vraag ik het.'

'Je vraagt maar.'

'Slecht dus,' concludeerde Tom.

'Heb ik dat gezegd?'

'Als je niet wil antwoorden dan luidt het antwoord: kut.'

'Het gaat heel goed met haar en mij.'

'Dan heb je mazzel. Tamar is anders.'

'Tamar is een gepassioneerde vrouw. Als er problemen zijn dan liggen die niet aan haar.'

'Ze kan geen orgasme krijgen. Ik heb soms het gevaar van een gebroken rug getrotseerd om haar er eentje te bezorgen.'

'Zijn jullie naar een dokter geweest?'

'Ja. Het kan niet op de gewone manier. Ze heeft hulpstukken nodig. Elektrische dildo's en zo. Soms voel ik me de enthousiaste jonge verkoper in een winkel in huishoudelijke apparaten. Daar was geen lol meer aan. Ik was meer in de weer met het vervangen van batterijen en het aanleggen van verlengsnoeren dan met de geneugten van haar holletje. Ik hou van haar, maar in haar bed is het net zo opwindend als bij Radio Shack.'

'En toen dacht je: ik betaal er maar voor?'

'Ik had er behoefte aan, Sol! Ik werd gek van geilheid, en je rechterhand is op onze leeftijd een saaie partner, vind je niet?'

Sol haalde zijn schouders op en deed alsof hij Toms woorden voor kennisgeving aannam. Maar hij kende de krampen waarover Tom sprak. De woedende erectie waarmee hij 's nachts kon ontwaken en die om de schoot van een vrouw schreeuwde, probeerde hij te temmen met denkbeeldige gesprekken met de grote schriftgeleerden, en als dat niet hielp – het hielp nooit maar het leidde af – stond hij in stilte op en las in zijn werkkamer de Talmoed. Dertien maanden geleden hadden ze hun gepijnigde seksleven met een kort, machteloos nummer beëindigd.

Tom vroeg: 'En hoe gaat het met de *in vitro*?'

Sol had de vraag verwacht: 'We blijven proberen. Het is geen eenvoudige zaak.'

Het afgelopen jaar had Sol zich een paar keer afgerukt onder een kille TL-buis in een wit hokje in het Mount Sinaï. Hij had zijn zaad in een flesje gedeponeerd opdat een spermatozoön zich op het juiste moment met Naomi's eitje kon verenigen. Ze ondernamen nu al drie jaar pogingen kunstmatig een bevruchting te veroorzaken. De artsen hadden vastgesteld dat zijn spermatozoa te zwak waren om de lange weg naar het rijpe eitje af te leggen en voldoende energie te behouden om ermee te versmelten. Lui zaad. Bang zaad. Hij had een video bekeken die de barre weg van het spermatozoön naar het eitje toonde en hij kon zich niet aan de indruk onttrekken dat de reis gelijkenis vertoonde met de tocht van een nietig raketje naar een verre planeet, lichtjaren van huis. Hij had er begrip voor dat zijn zaadjes moe waren aan het einde van hun odyssee.

Tot nu toe weigerden de eitjes zich te delen. En wat aanvankelijk een ontspannen overgave aan hun beider lichamelijkheid was, ging na de eerste mislukkingen gepaard met krampachtige bijgedachten, met vreugdeloze blikken vol twijfel aan de natuurlijke vruchtbaarheid van hun samenzijn. De technische procedure had hun liefdesleven verziekt. Over negen dagen zouden ze het opnieuw proberen. Naomi had de afgelopen weken hormoneninjecties gekregen teneinde haar eitjes zo vruchtbaar en ontvankelijk mogelijk te maken, en Sol diende zich aan een dieet te houden en zich van alcohol te onthouden teneinde zijn visjes in optimale conditie te brengen voor de oertocht.

Tom was niet wezenlijk geïnteresseerd in Sols nageslacht. In gedachten had hij zich over een ander probleem gebogen.

'Tamar wil niet dat ik Dave en Judy zie.'

Hun verveelde, ongeconcentreerde kinderen van tien en twaalf jaar bezochten dure East Side scholen en waren in opleiding voor hun bar- en batmitswa. David zou over een halfjaar zijn sidra mogen voordragen. Sol gaf het jongetje twee keer per week les. Normaal liet hij de opleiding van barmitswakandidaten aan zijn assistenten over, maar zijn neefje moest hij zelf naar de bimah brengen. Hij hield niet van het jochie, een arrogant kwalletje dat op designer's sneakers wandelde en met een Amex Goldcard zijn Big Mac afrekende.

'Zolang jullie niet gescheiden zijn en de rechter geen oordeel heeft uitgesproken, mag ze zoiets niet doen.'

'Ik ben gek op m'n kinderen, Sol.'

Sol knikte. Hij had een zwak voor Tom, voor zijn doorzichtige machismo, voor zijn schaamteloze teren op Tamars geërfde rijkdom en zijn opzichtige lijden nadat zijn liederlijkheid was onthuld. Het ontging hem echter waar Toms liefde voor zijn spruiten vandaan kwam. Misschien was dat ouderliefde. Die maakte nog blinder dan andere vormen van liefde.

De serveerster bracht hun pasta's en opnieuw bespeurde Sol de spanning die haar verschijning bij Tom opriep. En hij zag haar gecharmeerde blikken.

'Als u iets wil, dan roept u maar,' zei ze tegen Tom.

'Dan word ik hees,' antwoordde hij.

Sol bewonderde zijn vermogen om direct te antwoorden. Tom moest een ruime ervaring hebben.

Sol vroeg: 'Heb je een advocaat?'

'Carl Gould.'

'Dan hoef je je nergens zorgen over te maken.'

Gould was een jurist die zich nergens voor geneerde. Als hij getuigen moest vinden die onder ede verklaarden dat Tamar een verhouding had met de ijsbeer in de Zoo dan vond Gould die zonder gewetensbezwaren. Hij werd ervoor betaald de belangen van zijn cliënten te behartigen. En dat deed hij met alle middelen die hem ter beschikking stonden.

'Gould is een beetje duur voor mijn budget.'

'Hij werkt op commissie. Hij wint en pakt de helft van wat jou wordt toegewezen.'

'Ik wil niet dat het zover komt.'

'Tamar is woedend.'

'Daar heeft ze recht op,' gaf Tom toe.

'Heb je een slaapplaats?'

'Een pensionnetje op Broadway. Helemaal bovenaan, tussen de Afrikanen in Harlem. Honderdtwintig dollar per week.'

'Hoe ga je dat betalen?'

'Ik ga maandag iets zoeken. Ik ken een hoop mensen.'

'Je bent een stuk rustiger dan vanmiddag.'

'Ik had de hele nacht doorgezopen. Ik was stuk. Ik stelde me aan. Ik kalmeerde toen jij met me wilde praten. Jij bent de oplossing van m'n problemen.'

'Dat ben ik niet. Ik kan niet goedmaken wat jij kapotgemaakt hebt. Heb je Maria nog gezien?'

'In m'n huidige staat?'

'Ben je van plan haar te ontmoeten?'

'Nee.'

'Ik geloof je niet.'

Tom grijnsde. 'Ken je me zo goed?'

'Ik zag hoe je naar die serveerster keek.'

'Ik kijk graag naar vrouwen. Tamar kijkt graag naar kerels.'

'Je kijkt als een veroveraar.'

'Daar moet ik mee leven. Ik mag dromen maar ik moet van de meiden afblijven. Als ik de kans krijg met Tamar te praten dan kan ik 't haar uitleggen. Het is een lichamelijke kwestie, Sol, het overkomt me. En dat met die hoer vroeger, dat was een goeie oplossing. Ik deed er niemand kwaad mee, ik hield het buitenshuis en in bed met Tamar deed ik m'n best als elektricien. Ik *moet* neuken, Sol, ik heb die drift nu eenmaal en ik zou gek worden als ik er niet aan toegaf. Had ze liever gehad dat ik nu in een inrichting werd behandeld?'

'Dat is retoriek.'

'Nee. Dat is de werkelijkheid. Als ik niet elke dag minstens één keer de liefde bedrijf dan ondermijn ik m'n gezondheid.'

'Doe het met je vrouw.'

'Die is bang dat ze kortsluiting maakt.'

'Toon je passie, laat zien dat je haar begeert, maak haar het hof. De Talmoed zegt: *Als je vrouw klein is, buk dan en fluister in haar oor.*'

'Ik zal 't doen. Ik beloof 't. Het is niet eenvoudig wat je daar zegt, maar ik zal m'n best doen.'

'Je hebt haar onrecht gedaan.'

'Jij hebt Maria nooit ontmoet.'

'Dat maakt niet uit.'

'O nee? Ik zou wel eens willen weten wat jij doet als jij 'm in zo'n vrouw mag hangen.'

'Zo praat je niet over vrouwen. Er klinkt iets minachtends in door.'

'Wat bidden de orthodoxen elke ochtend? Bedankt, God, dat ik geen goj ben, geen klootzak en ook geen vrouw.'

'Daar is iets anders mee bedoeld. De Misjna zegt: *De Heilige Boeken plaatsen mannen en vrouwen op gelijke voet met betrekking tot alle wetten van de Thora.* Dus hou je een beetje in.'

'Sorry, sorry, ik wist niet dat jij zo gevoelig was.'

'Het heeft met fatsoen te maken. Ze zijn meer dan een lijf met een gat.'

'Dat hoef je mij niet uit te leggen. Het spijt me. Als 't alleen om een gat ging dan stopte ik 'm wel in een opblaas-pop.'

'Ik wil er graag een voor je kopen.'

'Het gaat om het totale neukgebeuren, Sol! De aanrakingen, de strelingen, de geuren, de opwinding, wat er allemaal te zien is op die vrouwelijke gezichten en wat er in die lijven en in die hoofden gebeurt! Ik moet het steeds weer doen, het is een soort verslaving!'

'Beheers jezelf en probeer een goeie echtgenoot te zijn. Ik heb nog een Talmoed-gezegde voor je: *Eer je vrouw want daarmee verrijk je jezelf. Een man moet er altijd op bedacht zijn om zijn vrouw de juiste eer te bewijzen want er is geen zegen in zijn huis die niet haar verdienste is.*'

'Ik hoop dat ik daartoe nog de kans krijg, ja.'

'Wil je het echt proberen?'

'Ik wil m'n levensstijl niet kwijtraken.'

'Waar kies je nou eigenlijk voor? Tamar of je credit-cards?'

'Is dat voor jou duidelijk?'

'Je uit je soms als een schoft.'

'Waarom zou ik inslikken wat jij zonder scrupules vraagt? Ik hou van Tamar. En daar hoort haar geld bij, natuurlijk! Ik zou een huichelaar zijn wanneer ik dat zou ontkennen.'

'Ik ben niet met Naomi getrouwd om haar geld. Ik heb het alleen maar als een last ervaren.'

'Nu overdrijf jij, Sol. Een last, kom op.'

'We kunnen op CPS wonen omdat haar voorvaders in de afgelopen eeuwen duizenden mensen hebben uitgebuit.'

'Ben je een communist?'

'De Salomons hebben plantages gehad! Wie werkten er op plantages?'

'Hoe kom je daar nou bij?'

'Naomi heeft de geschiedenis van haar familie uitgeplozen. Jarenlang heeft ze geen stuiver van haar moeder willen aanraken.'

'Daarom leven jullie nu zo armoedig?'

'We leven in overvloed. Maar ik wist niets van haar fortuin toen ik haar leerde kennen. Ik heb me altijd ongemakkelijk gevoeld met al dat geld. Het levert een verstoord wereldbeeld op, een hoge mate van onwerkelijkheid die je langzaam normaal gaat vinden.'

'Jij denkt te veel. Je hebt te veel scrupules.'

'Je zit met een rabbijn aan tafel, Tom.'

'Soms vergeet ik dat en lijk je net een normaal mens.'

Sol glimlachte en vergaf hem alles.

'Wil je het weten van Maria?' Met vragende blik had Tom zich over de tafel gebogen, bereid opening van zaken te geven over zijn intiemste momenten.

'Ik weet niet of dat goed voor me is.'

'Natuurlijk is dat niet goed voor je. Waarom zou dat goed voor je zijn? Waar ben je bang voor?'

Dat ging alleen Sol zelf aan. Hij zei: 'Voor heel veel dingen ben ik bang. Ik weet niet of ik iets wil horen dat ik voor mijn schoonzus verzwijgen moet.'

'Deze hele conversatie moet je verzwijgen. Jij mag mij niet zien, jij mag niet met me praten, ze heeft je een algeheel verbod opgelegd. Wie denkt ze wel dat ze is, de moeder-overste van een klooster?'

'Wat was het met Maria?'

Tom knikte en sloeg zijn ogen neer, naar de juiste woorden zoekend. Toen hij opkeek zag Sol een gezicht vol heilige overtuiging. Tom sprak met een vochtige mond, alsof zijn gedachten de speekselklieren tot dolheid dreven.

'Ze was gek op m'n sperma. Als ik in d'r mond klaarkwam dan slikte ze mijn geil niet door, nee, ze smeerde het op haar tieten en rond haar mond en dan moest ik haar kussen en dan kwam ze klaar als een landmijn, ze ontplofte dan gewoon. En daar werd ik dan weer zo gek van dat ie meteen als een slagboom de hemel opzocht en dat ging zo zes, zeven keer achter elkaar door. Hoor je wat ik zeg, Sol? Zes, zeven, acht keer soms, alsof ik een geile achttienjarige was! En elke keer smeerde ze m'n zaad op haar lijf alsof 't het kostbaarste zalfje in de wereld was! Alsof 't ambrozijn was! Alsof 't een wonderelixer was waarmee ze oerkrachten naar buiten bracht! En dat was ook zo! Jezus, ik zal nooit vergeten hoe ze klaarkwam. Een vulkaan, Sol, een eruptie van de kosmos!'

## 6

Tom had als enige van de wijn gedronken en Sol stuurde hem met een taxi naar zijn pension in West-Harlem. Een Russische chauffeur reed hem weg nadat Sol een biljet van honderd in Toms binnenzak had geschoven.

Het was tien uur en op een straathoek wierp Sol een kwartje in een telefoon. Naomi was nog niet terug. Hij sprak een bericht in en liep verder. Hij wilde niet naar huis. De onrust knaagde aan zijn ingewanden, maakte hem wee van onbestemd verlangen, en hij liep door de drukke straten van de Village, langs restaurants en cafés waar iedereen verhit over kutten en tieten en zaad discussieerde. Naomi's galerie bevond zich op West-Broadway en misschien rekende zij erop dat hij haar daar opzocht, maar hij wilde alleen blijven en zich rekenschap geven van wat langzaam in zijn bewustzijn vorm kreeg. Geschokt had hij naar Toms getuigenis geluisterd, had hij de verrukking in diens blik gezien, en een gevoel van verlatenheid had bezit van zijn ziel genomen.

Genesis 2:7 vertelde: *God schiep de mens uit het stof van de aarde en blies in zijn neusgaten een ziel van levensadem, een nisjmath chajim. Hierdoor werd de mens een levend schepsel.* Maar de menselijke ziel, die volgens Sols traditie drievoudig was, had ook een dierlijk deel, een *nefesj habahamith.* Leviticus 17:11 zei hierover: *De levenskracht van het vlees zit in het bloed.* Dat was de verblijfplaats van de dierlijke ziel, die de mens van het geestelijke kon afhouden. Was dat ook bij hem het geval, net als bij Tom?

Sol maakte zich zorgen over het deel van zijn ziel dat het dichtst bij God stond, de *nesjama*. Dat was uitsluitend te benaderen via gedachten, contemplatie, bezinning. Alle zielen waren aan het begin van alle tijd geschapen en vormden pas bij de conceptie een band met een lichaam. De dood heette in het Hebreeuws *jetziat ha-nesjama*, 'het vertrek van de ziel'. En de ziel van de rechtvaardige vond zijn plaats rond Gods zetel. Sol geloofde niet in de letterlijkheid van die concepten, maar ze hadden een sterke gevoelsmatige betekenis voor hem sinds zijn onbevredigde, naar roes en verlossing hunkerende onderbuik in toenemende mate zijn aandacht opeiste.

Tijdens zijn late wandeling door de straten van de Village probeerde Sol zijn fantasieën over felle neukpartijen te doorgronden. Onderscheidde hij zich daarin van veel andere ongelukkig getrouwde mannen? Vermoedelijk niet. Maar Sol was een rabbijn en stelde hogere eisen aan de zuiverheid van zijn verbeelding dan de gemiddelde tragische geilaard. En er was nog iets wat de urgentie van zijn fantasieën onbegrijpelijk maakte: hij was getrouwd met een vrouwelijke vrouw die in zijn verbeelding het middelpunt van zijn lichamelijke behoeften had kunnen zijn.

Anders dan Tom walgde hij van de gedachte aan een hoer. En ook al had hij Tom iets dergelijks aangeraden, hij was niet in staat om voor Naomi de hartstocht te veinzen die vroeger als natuurlijk bij de aanraking van haar lichaam was ontstaan. Toen ze nog gemeenschap hadden spanden ze zich uitsluitend in voor de bevruchting van een ei. Ze hadden zichzelf in twee haperende machientjes veranderd en waren de erotiek kwijtgeraakt. Hij verlangde naar een vrouw die zijn erectie zonder bijgedachten kon ontvangen.

Nadat zij vier maanden algehele onthouding hadden

betracht, vroeg zij hem op een avond in bed, hoog boven het donkere park in de weidse slaapkamer, waarom hij haar nooit meer aanraakte.

'Ik weet niet,' antwoordde hij laf, 'het is tijdelijk, het gaat wel over.'

'Wat gaat dan over?'

'Dat ik er niet mee bezig ben.'

Hij was er wel mee bezig, maar zijn hartstocht had zich van haar lichaam afgewend, van haar rijke billen en fluwelen buik en volgroeide dijen, die vol liefde wachtten op iemand met nijvere zaadjes. Hij probeerde zichzelf te transformeren in een wezen zonder lichaam, een pure geest die zich bevrijd had van de wonderlijke verslaving aan volle borsten met uitnodigende tepels en aromatische huidplooien vol geheimen. Vele maanden lang was hij ervan overtuigd geweest dat hij daarin vooruitgang boekte, maar sinds de aanblik van de zangeres besefte hij dat hij nog steeds beheerst werd door de gekte van de *nefesj habahamith*, het dier in zijn bloed.

Misschien had hij een psychiater nodig, een scherpzinnige *shrink* die hem niet zou uitlachen wanneer hij vertelde dat hij zijn aantrekkelijke vrouw niet meer kon beminnen omdat ze hem deed denken aan een broedmachine. Het was treurig dat er niemand was die hij in vertrouwen kon nemen. En zijn gebeden? Hij vond het tamelijk ridicuul om God te smeken hem te verlossen van zijn ochtenderecties. Hij begroef zich in zijn werk, het bekende recept voor de ongelukkige gehuwde, en schreef artikelen, bezocht de congregatieleden die iets te vieren of te betreuren hadden en schoof zo weinig mogelijk door naar zijn assistenten.

Waarom betrad Sol dan het huis waar hij uitsluitend pijn en verwarring kon verwachten?

Op Seventh Avenue, tussen jonge mensen die deze zaterdagavond naar intense, adembenemende avonturen zochten (in elke mogelijke combinatie omringden ze hem, groepen jongens, groepen meisjes, paartjes, lachend, stoer, stil, uitgelaten, agressief, ontspannen, bedreigend), ging Sol door de deur onder het grote bord: TOTAAL NAAKTE MEISJES, NAAKT NAAKT NAAKT!!!

Sol vond dat hij zichzelf moest testen. Als hij deze proef doorstond dan zou hij de nabije toekomst, verstoken van intimiteit, kunnen doorstaan zonder in een vervloekt moment een call girl naar een hotelkamer te ontbieden. Geen betaalde seks. Geen kutten in zijn kop. Hij was ervan overtuigd dat hij niet door geilheid alleen werd gedreven: dit bezoek was een paardemiddel tegen zijn perverse gedachten.

Hij betaalde twintig dollar en liep door een nauwe gang met rode lampen. De zaal was warm en vochtig en de geur deed denken aan rottende schimmel, alsof de kelders vol stonden met rioolwater. Keiharde *heavy metal* deed een aanval op zijn trommelvliezen en enkele seconden bleef hij staan en legde beschermend zijn handen op zijn oren.

Het uitzicht op de felverlichte bühne werd enigszins gehinderd door een waas van sigaretterook, en hij zocht naar een lege stoel. Een jonge African-American in een rode smoking riep hem iets onverstaanbaars toe en Sol begreep dat hem gevraagd werd of hij een tafel of een plaats aan de bar wilde.

'Tafel!' riep hij terug, ervan overtuigd dat de jongeman hem niet kon verstaan. Maar de man kon zijn lippen lezen en Sol kreeg een tafel rechts van de bühne.

Hij ging zitten op een gietijzeren stoel met kunstleren bekleding en de smoking wenkte naar de bediening. Een andere smoking dook naast hem op en plaatste een vergulde wijnkoeler op het rookglas van zijn ronde tafel, net als de stoel van witgespoten gietijzer. Zonder dat er iets te horen was ontkurkte de smoking met een verbeten gezicht, de volledige kracht van zijn armen gebruikend, een half flesje Californische champagne. Achter de ober, in de gekleurde lampen van de bühne, volgden drie naakte vrouwen op hoge hakken de *beat* van de rockmuziek.

Ze voerden een dans op en probeerden synchroon over het podium te dansen. Ze waren bedwelmend mooi. Hun lichamen glansden, niet alleen omdat ze transpireerden maar ook omdat ze met olie waren ingewreven. Hun schaamhaar was getrimd tot een koket dotje op de venusheuvel. Alle drie hadden ze kolossale borsten met ongerepte tepels, misschien gevuld met siliconen maar van een klassieke schoonheid. Ze hadden strakke lichamen met weelderige benen, billen, heupen, en hun gezichten, jong en verlangend, werden niet ontsierd door harde trekken. Dit waren geen uitgehongerde modellen of getergde balletdanseressen maar gevulde lichamen die om Sols harde pik smeekten. Hij vocht tegen die illusie, gaf toe dat hij zichzelf belazerde. Deze gekmakende vrouwen dansten om het geld dat ze ontvingen.

Een kale man met vadsige wangen legde een bankbiljet voor de voeten van een van de meisjes. Ze knikte en verliet de orde van de dans. Terwijl de twee anderen hun patronen bleven dansen ging de aanbedene op de rand van de bühne staan. Ze spreidde haar benen en zakte door haar knieën. Samen met de man keek de zaal naar haar volle schaamlippen. Ze streelde haar tepels en de man bleef roerloos staan, met gebalde vuisten en dikke aderen op zijn slapen, machteloos in haar kut kijkend.

Sol wendde zijn blik af. Hij nipte aan het glas zoete champagne en bedacht op tijd dat de alcohol de snelheid van zijn zaadjes zou beïnvloeden. Hij zwaaide naar de smoking en brulde om een flesje Pellegrino. Hij probeerde zijn lichaam te beheersen maar desondanks voelde hij zijn pik opstaan, gevangen in zijn broek, en hij perste Psalm 97:10 in zijn hoofd: *Zij die God liefhebben haten het kwaad.*

Sol had zijn leven gewijd aan *kiddoesj hasjem*, de heiliging van Zijn Naam, hetgeen inhield dat zijn leven een toonbeeld van geloof en toewijding diende te zijn. Niet uit opportunisme, niet uit angst, maar uit liefde voor Hem. Wat had God gezegd over een mens die Zijn voorschriften volgde en daarmee een voorbeeldig leven leidde? *En Hij zei tot mij: jij, Israël, bent mijn dienaar, door wie Ik geëerd word.* Dat was Jesaja 49:3. En wat deed rabbijn Mayer? Hij betaalde voor de aanblik van naakte vrouwen die hun heiligheid voor een zaal met bezwete mannen onblootten. Indirect, maar de intentie daartoe was ruim aanwezig, maakte hij zich schuldig aan *gilloel hashem*, het besmeuren van Zijn Naam. En de straf daarop was Jesaja 22:14: *Zij zullen zeker niet voor deze zonde vergiffenis vinden totdat zij sterven.* Sol voelde dat zijn geslacht kromp en toegaf aan zijn gedachten, en hij keek weer op naar de bühne, zoekend naar kwelling.

De vrouw bevochtigde de middelvinger van haar rechterhand en duwde deze, nadat ze de glanzende vinger aan de zaal had getoond, geheel in haar vagina.

Er werd geapplaudisseerd, Sol zag de handbewegingen zonder dat het geluid ervan door de harde muziek kon sijpelen, en de toeschouwers – onder wie zich ook vrouwen bevonden, ontdekte Sol – lachten opgelucht. Toen hij zich weer naar de bühne keerde, zag hij hoe de man, die op twee voet afstand de verdwijntruc van de vinger had gevolgd, zijn verkrampte handen in zijn bovenbenen haakte, de verleiding bedwingend haar aan te raken.

Het meisje trok haar vinger terug en zakte op haar hurken. Ze hield de vochtige vinger onder de neus van de man. Met gesloten ogen zoog hij haar geur op, alsof hij zijn gezicht boven een bord met een delicaat gerecht hield, en opeens greep hij haar vast en trok haar van de bühne.

Onwillekeurig ging Sol staan om het meisje te ontzetten, maar voor hij zijn tafel had verlaten stonden drie smokings over de man gebogen en holde het meisje met haar armen voor haar borst naar een zijdeur, zich plotseling bewust van haar kwetsbare naaktheid. Onverstoorbaar bleven de twee overige danseressen op hun plaats. Ze draaiden hun kont naar het publiek en bogen zich voorover zodat de donkergekleurde bilnaad zichtbaar werd. De armen van de vadsige kale werden op zijn rug gedraaid en hij liet zich kronkelend de zaal uit slepen.

Een muziekovergang diende een nieuwe danseres aan. De twee verlieten het podium en de *beat* van deze song stuwde de hartslag nog sterker op. Nog vijf minuten, dacht Sol, als ik die zonder opwinding, doordrongen van de smerigheid van dit theater, kan doorstaan, dan verlaat ik de hel en zal ik straks Naomi's huwelijkse rechten respecteren. Haar trouw en fatsoen gebieden mij. Mijn principes gebieden mij.

De lampen van het podium werden gedimd, op één gele lichtcirkel na waarin een andere vrouw stapte. Glimmende flosjes bedekten haar tepels en een minuscuul broekje bedekte haar kruis. Een applaus verwelkomde haar verschijning, alsof ze de ster van de avond was, en Sol voelde hoe zijn hart explodeerde toen hij de vrouw herkende die in de Boeing het glas tomatensap had omgestoten.

## 7

Sol liet vier etmalen passeren voordat hij Naomi de eerste van een lange reeks leugens vertelde. Hij moest naar een lezing in Cincinnati en zou daar overnachten.

Zijn status als vooraanstaand hervormd rabbijn in New York had hem in het lezingencircuit gebracht. Zijn ster was rijzend en als hij geen ongelukken maakte (de verkeerde ongelukken; er bestonden ook juiste ongelukken die tot meer uitnodigingen leidden, zoals Oliver North bewezen had) zou hij binnen een paar jaar opklimmen naar de hogere regionen in het circuit, waar duizenden dollars per spreekbeurt konden worden verdiend. Een opvallend boek kon daaraan bijdragen. Sinds zijn nachtelijke Talmoedstudies in aantal toenamen, was hij aan de opzet van een essaybundel begonnen. Een boek over de toekomst van het jodendom. Over de waarde van de oude traditie in de tijd van de informatiesnelweg en quarks en strings. Waartoe seksuele onthouding al niet leidde.

Naomi geloofde zijn aankondiging. Hij was geregeld op reis en zij had nooit aanleiding gevonden om aan zijn woorden te twijfelen. Hij had weliswaar al lang niet meer na het dichtslaan van de boeken en het doven van de lampen met een nieuwsgierige hand haar buik en borsten gezocht, maar dat betekende niet dat hij zijn bevrediging elders vond. Zij wist dat Sol zijn lichaam onder controle had, en Sol deed geen moeite om haar die overtuiging te ontnemen.

Sol loog om de zangeres te ontmoeten. Hij had gebeld

en gevraagd wanneer die vrouw met de flosjes weer danste, en een stem had geantwoord dat Vanessa woensdag op het rooster stond. Net als de zondagsschool had ook een stripjoint een rooster met namen. En net als rabbijnen hadden naaktdanseressen een naam.

Sol wilde Vanessa redden. Hij had niet gewacht tot hij een blik op haar tepels en kut kon werpen en wanhopig van verlangen had hij de joint verlaten en zich over Seventh naar CPS gehaast, vijftig blokken vol waanvoorstellingen, opwinding, schaamte. Toen hij de drukte van de Village achter zich liet, doorkruiste hij verlaten stukken met vervallen panden, duistere portieken en rovers en verslaafden die hem ongemoeid lieten passeren, verrast door zijn onverschrokkenheid, onzeker of hij een gewapende neuroot was die zijn naam op de voorpagina van de kranten wilde lezen. Hij was geen burgerwreker. Hij was een geil ventje dat vluchtte voor een domme verleiding.

Liegen werd in de Talmoed omschreven als een vorm van diefstal. *Er zijn zeven klassen van dieven, en de eerste onder hen allen is hij die de geest van zijn medeschepselen steelt door leugenachtige woorden.* Deed Sol dat nu ook met Naomi? Stal hij een deel van haar onschuld? Sol rechtvaardigde zijn leugen met de gedachte dat de joodse geleerden kinderloosheid net zo sterk veroordeelden als leugenachtigheid: *Een kinderloos persoon wordt als dood beschouwd.* Onvruchtbaarheid was duizenden jaren geleden al grond voor echtscheiding.

Ook al wist Sol dat hij zichzelf – en Naomi – onrecht deed wanneer hij de ware oorzaak van zijn leugen niet onder ogen zag, hij kon de confrontatie nog niet verdragen. Hij doorzag zijn motieven, want ze lagen rijp en grijpbaar in zijn geest, maar hij moest eerst de roes van dit valse avontuur doorstaan alvorens hij het lef had de fundamenten van zijn bestaan op te blazen. Want dat zou gebeuren wanneer hij en Naomi de angst voor elkaars lichaam niet overwonnen. Hij zou haar op een dag moeten bekennen dat hij niet meer als een minnaar van haar hield. Hij respecteerde haar totale verschijning en miste haar wanneer hij slechts één dag van huis was, maar hun huwelijksleven was een fatale weg ingeslagen.

Naomi wenste voor haar veertigste minstens drie kinderen te baren, en schoorvoetend probeerde Sol zich zijn vaderschap voor te stellen. Hij was er niet aan toe, zo had hij zichzelf jarenlang voorgehouden, hij verkeerde nog steeds in een wankel proces van studie en ontwikkeling en een kind zou slechts te lijden hebben van een vertwijfelde vader. Naomi weigerde zijn verweer. Na het tandenpoetsen onthield zij zichzelf een pilletje en het ouderschap werd een reële mogelijkheid. Het leidde tot gênante zaadlozingen onder medische begeleiding.

Sinds de dood van zijn vader had Sol voldoende inzicht in zijn zieleroerselen gekregen om als een verantwoordelijk en fatsoenlijk mens door het leven te komen, maar hij was niet bij machte om zichzelf van zijn verlangens en obsessies los te snijden. Hij wenste dat hij weerstand kon bieden aan wat blijkbaar ook een wezenlijk onderdeel van zijn persoonlijkheid vormde, hij wenste dat hij een heilige was die gelukzalig naar zijn verschrompeld lulletje kon staren en God dankte voor de ontheffing van die last.

Hij had Naomi op een avond bij Johan van Leeuwen ontmoet. Van Leeuwen was een Nederlandse jood die in februari 1940 door zijn ouders naar Amerika was gestuurd en als enige van zijn familie had overleefd. Sols vader leerde hem kennen toen hij voor de Newyorkse Nederlandse Club een lezing hield en Van Leeuwen bezwaar maakte tegen het rooskleurige beeld dat rabbijn Mayer van hun vaderland had geschetst.

'Nederland heeft het hoogste percentage vrijwillige ss'ers van alle bezette landen geleverd! Het hele politieapparaat heeft meegewerkt aan de deportatie van hun joodse landgenoten! En hoeveel van die medeplichtigen zijn er veroordeeld? Niet één, beste rabbijn, niet één!'

De discussie leidde tot een afspraak en de twee mannen raakten bevriend. Nadat Mordechai in Suriname was verdronken probeerde Van Leeuwen Sol op het rechte pad te houden, en bijna dagelijks spraken ze elkaar, belden, gingen eten, haalden herinneringen op aan de dode. Van Leeuwen had zijn fortuin gemaakt in de darmenhandel, wat naar zijn mening ook voor Sol mogelijk was, en zijn vrijgezellenbestaan had zich in toenemende mate gericht op het verzamelen van kunst. Zijn appartement in de nabijheid van het gebouw van de Verenigde Naties werd met elektronica en een team van een beveiligingsbedrijf tegen braak en roof beveiligd. Naomi's moeder belegde in kunst, Van Leeuwen hield ervan. Hij sponsorde verscheidene galerieën voor beginnende kunstenaars en bij een vernissage had hij Naomi ontdekt. Hij kocht een doek van haar en een etentje bij hem thuis bekroonde de transactie.

Sol hoefde niet de darmen in. Hij ging in opleiding voor rabbijn. Hij raakte door de schilderes gefascineerd, ook al kon hij niet precies omschrijven wat hem in haar aantrok. Liefde op het eerste gezicht was het zeker niet want de nacht na het diner lag hij niet wakker, fantaseerde niet over een mogelijk weerzien op de dag die zij in hun agenda's hadden aangestreept. Tot dat moment waren Sols liefdes serveerster, secretaresse, stewardess. Anders dan die vrouwen had Naomi gratie. Zij sprak het allermooiste Engels dat hij ooit had gehoord.

In haar atelier liet ze hem Cobra-achtige doeken zien en de combinatie van een besmeurde overall, handen met verfklodders, een zuiver gezicht, en tanden die het gevolg toonden van eeuwenlange gezonde voeding – generaties die baadden in melk, steaks en honing – riep het verlangen in hem op om zijn toekomst als rabbijn met haar te verrijken. Zij was naakt onder de overall, hij zag haar borsten toen zij zich bukte, en na een middag van praten over Jorn, Dotremont, Appel ('s ochtends had hij zich voorbereid en in de Public Library zijn geheugen opgefrist) kusten ze elkaar toen ze hem bij zijn vertrek zijn paraplu aangaf.

In bed fluisterde Naomi: 'Toen ik je zag wist ik: hier is hij. Ik heb hem gevonden. Hij bestaat. Ik wachtte op je maar ik wist niet dat ik wachtte tot ik je zag. Mijn rabbijntje.'

Door haar woorden, zo lief en romantisch, zo vrij van vuil en dubbelzinnigheid, werd hij verliefd op haar. Iemand die op hem gewacht had. Op hem! Een verliezer met twaalf ambachten en dertien ongelukken. Zakenman met drie faillissementen. Een zoon die zijn vader aan het begin van wat zijn laatste reis zou blijken te zijn, had uitgemaakt voor 'hardvochtige hufter', 'gierige klootzak', 'ellendige oplichter'. Wist zij wel op wie zij had gewacht? Het kostte hem maanden om haar een beeld te geven van zijn verleden, van zijn onvermogen zijn leven op een waardevolle manier in te richten, maar zonder voorbehoud accepteerde zij zijn voorbije onbeholpenheid.

'Je wordt nu rabbijn. Daarmee maak je alles in één klap goed.'

Dat hoopte hij ook. Het was een van de vele motieven waardoor hij gedreven werd.

Naomi was geen oogverblindend mooie vrouw, maar ze was zeker bevallig en charmant. Toch had Sol altijd de indruk gehad dat ze niet geheel samenviel met haar vrouwelijkheid. Een jurk die haar lichaamsvormen accentueerde maakte haar lacherig en theatraal, als een kind dat zich verkleedde. In het begin, op het matras in de kale loft, neukten ze veel en luidruchtig, en het genot dat zij leek te ervaren was vooral op hem gericht, op de ondersteuning van zijn bevrediging en behoeften.

'Ik kom niet altijd klaar,' zei ze een keer, lang geleden. 'Dat hoeft toch ook niet? Waarom moet vrijen zo gericht zijn op een orgasme? Het gaat zoals het gaat.'

Maar wanneer Sol merkte dat zij op afstand bleef, ver weg achter een onoverbrugbaar gebergte, voelde hij een vreemde eenzaamheid en poogde hij zijn verwarring te verbergen. Misschien had hij die moeten tonen, had hij met haar moeten praten. Maar hij kreeg de woorden niet over zijn lippen. Hoe zit het met dat klaarkomen van jou? Het is niet leuk om in je eentje leeg te lopen, weet je. Onmogelijke zinnen voor zijn mond.

Naomi maakte haar eigen werk ondergeschikt aan zijn studie. Ze wilde een gezin en een normaal bestaan, wat niet geheel onmogelijk was met het vermogen waarover zij bleek te beschikken. Hij had nooit getwijfeld aan het motief van zijn huwelijk: hij hield van haar, haar geld was een futiele bijkomstigheid. Hij was gelukkig in de ruwe loft, driehonderd vierkante meter ruimte met een betonnen vloer, een badkamer tussen gipsplaatjes, ruiten waarop een halve eeuw stof en uitlaatgassen kleefden. De vage voorlopigheid van die leefwijze kon hun toekomstverwachtingen niet verstoren; zij wentelden zich in de illusie dat zij alles wat op hun weg kwam in dankbaarheid zouden aanvaarden. Na de choppe bleven zij nog een half jaar in de loft tot zij in het appartement aan CPS trokken en hun leven richting en vorm kreeg. Ze behoorden tot de bovenlaag van deze samenleving. Hun bohémien-achtige bestaan in het pakhuis was een speels intermezzo geweest voordat hun rijke zorgen hun intrede deden en zij zich conformeerden aan de eisen van hun status, aan de verwachtingen die de congregatie van haar rabbijn koesterde.

Sol had een lange weg afgelegd. Vijf jaar voordat hij tot rabbijn werd gewijd was hij nog failliet verklaard. Ook al was zijn restaurant tien maanden lang elke avond tot de laatste stoel bezet geweest, hij moest in het voorjaar van 1983 'Chapter 7' aanvragen, uitstel van betaling. Hij werd bestolen door zijn personeel, zijn leveranciers, zijn zakenpartner. Opnieuw zat hij aan de grond. Zijn vader weigerde geld voor te schieten en betrokken te raken bij Sols ondernemingen. Drieduizend dollar was nodig geweest om zijn zaak te redden. Met alle crediteuren, op één na, had hij een regeling getroffen, en een kleine injectie zou het restaurant voor hem hebben behouden.

'Ik ben geen zakenman zoals jij. Ik ben rabbijn. Ik voltrek huwelijken, begraaf mensen, spreek gebeden uit bij een besnijdenis. Vraag zoiets niet van me.'

Sol had gesmeekt, geschreeuwd, maar zijn vader bleef onverbiddelijk weigeren. Mordechai vertrok naar Paramaribo en verdronk. Behalve zijn huis liet zijn vader achttienduizend dollar na, en daarmee had Sol zich tijdens zijn studie in leven gehouden.

Naomi's moeder hielp hem aan zijn baan en nu stond hij op het punt zijn huwelijk op te blazen omwille van een ijle fantasie over een zangeres. Misschien zat er iets in zijn karakter dat hem naar complicaties en mislukkingen dreef, een verslaving aan de spanning van de blik in de afgrond. En misschien vertrouwde hij er niet op dat hij recht had op succes en innerlijke rust. Het was een onaangename gedachte die hem na de conventie in Boston, na het zien van Vanessa en het voorval in de Boeing had beziggehouden. Naomi, zijn werk en rijkdom konden het gevoel van onbehagen en tekortschieten niet wegnemen. *Dit kon niet alles zijn*, schoot dagelijks door zijn hoofd, *in het vele dat hij had vond hij geen bestemming.* Het was een beschamende vaststelling, ergerlijk van arrogantie en meelijwekkend van domheid, maar hij kon zich er niet meer voor verschuilen.

Het onverwoordbare was zo sterk dat hij eraan moest toegeven en Naomi met een leugen belazeren.

Hij huurde een kamer in Hotel Pennsylvania, tegenover Penn Station, en huurde een auto. Hij wachtte tot het twee uur 's nachts was. Aan het begin van de avond had hij een wijde, zwarte jas gekocht en in zijn koffer had hij een spijkerbroek en een baseballcap meegepakt. Hij kon niet uitsluiten dat een lid van zijn congregatie de kwaliteiten van de Chelsea Club had ontdekt, en hij wilde voorkomen dat hij herkend werd. Naomi dacht dat hij in Cincinnati was. Zoals anders belde hij op (hij was vlakbij, slechts vijfentwintig blokken scheidden haar van haar leugenachtige echtgenoot), maar deze keer veinsde hij dat hij haar miste. Hij leed onder zijn vermogen tot bedrog, maar het had vreemd genoeg ook iets bevrijdends om te bedriegen, om uit het keurslijf van fatsoen en betrouwbaarheid te breken. Salomon Mayer, 42 en rabbijn, gedroeg zich als een puber.

Om kwart over twee 's nachts parkeerde hij tegenover de ingang van de Chelsea Club, NAAKT NAAKT NAAKT, en wachtte tot zij naar buiten zou komen. Hij zou haar aanspreken. Hallo, ik zat naast je op het vliegveld van Boston, dat ongelukje met dat tomatensap, weet je nog? Toevallig dat ik je hier tegenkom halverwege de nacht. Wil je nog iets drinken?

En zijn kleding? Hij oogde als een werkloze boekhouder. Maar het was gevaarlijk om halverwege de nacht in een van de mindere buurten van Manhattan in een kostuum van twaalfhonderd dollar, op schoenen van driehonderd, onder een overjas van duizend, op een naaktdanseres te wachten. Waarom deed zij dit werk? Had ze zo weinig inkomsten als zangeres dat zij alleen kon overleven wanneer zij haar blote kont aan een stel zwetende klootzakken liet zien? Hij werd afgeschrikt door het naaktdansen, het was onbegrijpelijk dat iemand zich op die wijze tot lustobject vernederde, maar hij kon niet ontkennen dat dat feit ook een dubieus, opwindend randje had. Als hij eerlijk was – en dat wilde hij zijn – dan moest hij toegeven dat hij het naaktdansen niet geheel als een abject fenomeen kon afdoen. Natuurlijk, hij wees het af, hij zou sterven van ellende als zijn dochter (die nog ergens in Naomi's eileiders op zijn zaadje wachtte) met dit werk de kost verdiende. Maar toch prikkelde het, daagde het uit, riep het iets mysterieus op. Waarom wandelde een vrouw die in de ontwikkelingen van de wetenschap geïnteresseerd was en de *Scientific American* las, een wetenschapster misschien, een intellectuele, met flosjes op haar tieten en een kruisbedekking ter grootte van een schoenveter voor een groep frustraten over een podium? Alsof ze zichzelf iets wilde bewijzen. Een provocatie. Een daad van schaamteloos individualisme.

Ze had een matige stem en een klein bereik, maar in Boston had ze zo nu en dan de praatgrage rabbijnen tot zwijgen gebracht. Niet alleen met haar benen, met de lijnen van haar schouders en de kwetsbaarheid van haar lange hals, voor de godsgeleerden al genoeg aanleiding voor het riskeren van een verrekte nek. Nee. De manier waarop zij zong. Overgave. Zij stond daar voor zichzelf. Zij stond daar haar eigen demonen te bedwingen. En haar gruwelijke verschijning in de club had bij hem dezelfde gedachte opgeroepen. Zij deed dit om zichzelf iets te bewijzen. Misschien kwam het uit dezelfde ongrijpbare bron die hem tot leugens en ellende bracht. Het belijden van een kosmisch schuldgevoel.

Een politiewagen was al drie keer langzaam voorbijgekomen en hij besefte dat een kerel die midden in de nacht in een donkere auto zat te wachten in het oog werd gehouden. Als ze stopten en zijn ID wilden zien, konden ze hem niet dwingen zijn plek te verlaten. Hij bedacht dat hij kon liegen. Hij kon zeggen dat hij op zijn broer wachtte. Zijn broer zat in de club en hij was bang dat zijn broer weer dronken was. Zijn broer had ruzie thuis en was naar die kuttenjoint gegaan. Zijn broer was verliefd op een van die meiden. Ze zouden geloven wat hij zei. De leugen was machtig.

De tijd verstreek en hij herinnerde zich een uitweg die een paragraaf in de Talmoed, in de afdeling *Chagigah*, aan de potentiële zondaar bood: *Wanneer een man merkt dat zijn slechte neiging hem overmeestert, laat hem dan naar een plek gaan waar hij onbekend is, waar hij zwarte kleren aantrekt en doet wat zijn hart begeert; maar laat hem de Naam niet openlijk belasteren.* Die laatste toevoeging betekende dat God niet belazerd kon worden; Hij zag alles. De oude rabbijnen hadden oog gehad voor zwakkelingen als Sol. Het was minder erg om anoniem te zondigen dan de slechte neiging zo sterk te beteugelen dat de zwakkeling in blinde nood Gods naam ijdel gebruikte. Hier zat hij dan in zijn wijde zwarte jas, gekocht op Fourteenth, wachtend op een vrouw die hij nog één keer van nabij wilde zien om te kunnen vaststellen dat hij zich aanstelde, waanzinnig was, naar huis moest gaan om zijn echtgenote te beminnen.

Op dit tijdstip werden de straten gebruikt door vluchtige silhouetten die zich dicht langs de donkere gevels naar onzichtbare doelen haastten. Net als Sol op zoek naar verlossing van een gekte.

Sols roeping had hem uiteindelijk in een huurauto tegenover de ingang van een club voor trieste mannen gebracht. Hij was niet aan de rabbijnenopleiding begonnen om uiteindelijk als zondaar door het leven te gaan. Hij wilde daarentegen leven naar de regels van de wet, ook al twijfelde hij ten diepste aan de letterlijke betekenis van grote delen van de Misjna, de compilatie van de joodse wetgeving.

Voor een jood in de twintigste eeuw was de intentie van de Misjna van belang, het waardenstelsel dat Judah, zoon van Simeon ben Gamaliel, tussen het jaar 169 en 219 tot zijn definitieve vorm had geredigeerd. Het project was kolossaal en ontroerend door zijn grenzeloze naïviteit: de Thora, de geschiedenis van de haat-liefdeverhouding tussen de Hebreeën en God, moest de bron worden van een eeuwige handleiding voor het leven. Generaties rabbijnen gingen aan de slag en hun studies resulteerden in de Misjna, die zes afdelingen bevatte, elk gesplitst in traktaten met in totaal 523 hoofdstukken. De Misjna moest vervolgens geïnterpreteerd worden en eeuwenlang wijdden academies in Palestina en Babylonië zich aan de uitleg van de regels. Hun werk werd vastgelegd in de Gemara, de voltooiing, waarvan er twee versies kwamen: de Palestijnse en de Babylonische. Compleet met de bijdragen van Rasji, de beroemde elfde-eeuwse commentator, werden ze beide in het begin van de zestiende eeuw door Daniel Bomberg in Venetië gedrukt. De Misjna en de Gemara samen kregen de naam Talmoed, studie. En dat was waaraan Sol zich nu had moeten wijden: studeren tot zijn geilheid was bedwongen.

Het begrip 'zondaar' werd in de Talmoed uitvoerig behandeld en voor een hedendaagse student klonk dat verouderd, maar het was duidelijk wat ermee werd bedoeld:

een persoon die niet zozeer de regels van God maar die van zichzelf overtrad. Sol kende de discussies die veertienhonderd jaar geleden door de scherpste geesten van hun tijd over dit onderwerp waren gevoerd. Een van hun adviezen in Berachoth luidde: *Een man zou nooit achter een vrouw langs de weg moeten lopen, zelfs niet achter zijn eigen vrouw. Zou een vrouw hem op een brug ontmoeten, dan zou hij haar afgewend moeten laten passeren; en wie een stroom doorwaadt achter een vrouw zal geen deel hebben aan de Toekomstige Wereld. Wie geld aan een vrouw betaalt, het uittelt van zijn hand naar de hare teneinde haar aan te staren, zelfs als hij de Thora kent en goede daden zoals Mozes onze leraar verricht, hij zal niet ontkomen aan bestraffing door Gehinnom, de hel. Een man kan beter achter een leeuw lopen dan achter een vrouw.*

Tom Wirtschafter zou gelachen hebben wanneer Sol in zijn bijzijn deze Talmoedische wijsheden had geciteerd. Starend naar de ingang van de Chelsea Club (waar de mannen snel naar binnen glipten of zich met opgetrokken schouders verwijderden, een enkele keer in het gezelschap van een vrouw, wat hem verbaasde) kwam Sol tot de conclusie dat de rabbijnen niet zozeer de waarde van de vrouw in twijfel wilden trekken maar de zelfbeheersing van de man. Vóór alles diende de status quo te worden bewaard. Waarschijnlijk werd er in die tijd in Palestina meer verkracht dan in New York en had de moderne zelfbeheersing, die in de Chelsea Club zijn bekroning vond, zich nog niet in elke man kunnen ontwikkelen. Hoe was het mogelijk dat tweehonderd opgewonden mannen tegen betaling naar de begeerlijkste vrouwelijke geslachtsdelen mochten kijken en zich tegelijkertijd aan de strengste restricties onderwierpen? Op een incidentele verstoring na bleef de orde gehandhaafd, werden de meisjes niet lastiggevallen, verliep het ontbloten van de tepels en schaamlippen zonder bloedvergieten, net als bij de onthulling van een abstract doek op een vernissage, waar soms ook overmatig gezopen, gezweet en gedroomd werd maar verder niets schokkends voorviel. Achteraf besefte Sol dat de wonderlijke rust in de club een teken van beschaving was. Weliswaar speelden zich op het podium zondige taferelen af, maar de mannen leken van het advies in Berachoth, de 'zegeningen', zo intens te hebben geleerd dat ze op hun stoel bleven en hoogstens het glas zoete champagne aanraakten. Of was het de macht van het getal dat hen stilhield? Door hun aantal waren de bezoekers in staat de meisjes en hun bewakers te overmeesteren, en toch deden ze dat niet; ze waren bang van elkaar, ieder hield de opwinding voor zichzelf en zijn gezicht in de plooi, stoïcijns, collectief eenzaam in ongedeelde lust.

Hij schrok toen er op zijn raampje werd getikt. Hij keek op, werd verblind door het licht van een zaklantaarn en hield meteen een hand voor zijn ogen.

'Politie,' hoorde hij, 'laat je handen zien.'

Met dichtgeknepen ogen legde hij beide handen op het stuur.

'Open met je linkerhand de deur. Langzaam. En laat de rechterhand op het stuur.'

Sol deed wat hem werd opgedragen. Ofschoon hij wist dat de voorzichtigheid van de politieman uit ervaring was geboren, voelde hij zich beledigd door diens gebrek aan mensenkennis. Hij was geen misdadiger. Hij was een rabbijn die op het punt stond te worden gearresteerd en zijn toekomst te vergooien.

'Uitstappen! Laat je handen zien!'

Sol stapte uit, nog steeds verblind door de lamp, en stak zijn handen omhoog.

'Omdraaien. Leun tegen de auto met je handen op het dak!'

Sol legde zijn handen op het koele dak.

'Papieren?'

'Mijn binnenzak. Mag ik ze pakken?'

'Ga je gang.'

Hij zag nu een tweede politieman staan, naast de achterbak van de auto, met een hand op de kolf van zijn geholsterde wapen. Hun patrouillewagen stond achter zijn huurauto, de lampen gedoofd.

'Rabbijn Mayer?'

'Ja.'

'Wat doet u hier zo laat?'

'Wachten tot m'n broer uit die tent daar komt.'

'Draait u zich maar om.'

Sol wendde zich naar de man en keek in het gezicht van een forse zwarte *cop*, wiens gelaatstrekken moeilijk te onderscheiden waren in dit van licht verstoken blok. Hij was een halve kop groter dan Sol.

'We moeten oppassen, begrijpt u?'

De rabbijn knikte.

'Uw broer is daar?'

De cop maakte een hoofdbeweging in de richting van de Chelsea Club.

'Hij was dronken. Grote problemen thuis. Zijn vrouw drinkt. Hij is daar nu ook mee begonnen. Zij heeft een verhouding met zijn beste vriend. Een advocaat. Zijn advocaat. Hij vertrouwde hem en hij kwam thuis en ze lagen op het snijblok in de keuken.'

Maakte hij het niet te dol? De andere politieman, blank maar net zo gezet, voegde zich bij hen. Allebei waren ze jonger dan Sol.

'Snijblok?'

'Een houten tafel voor het snijden van groenten en het schoonmaken van dingen.'

'Zijn er slachtoffers?'

'Nee, nee, hij is weggegaan en heeft zich in een bar bezopen. Hij belde om te zeggen waar hij heen ging. U begrijpt dat ik daar niet binnen kan.'

Ze knikten. Sol kreeg zijn portefeuille terug.

'Moeten we een oogje in het zeil houden?'

'Tommie is een rustige man. Hij doet geen vlieg kwaad. Ik ken hem al jaren…' – natuurlijk, zijn eigen broer – 'en hij is iemand die heel goed raad weet met zijn emoties.'

'Ook als hij dronken is?'

'Dan ook.'

'Heeft hij een drankprobleem?'

'Nee.' Hij wist het niet. Of was het beter om dat wel toe te geven?

'Heeft u uw schoonzuster nog gesproken?'

'Na het voorval op dat snijblok?'

'Ja.'

'Nee. Tommie belde, meer weet ik niet.'

'Moeten we niet controleren of er toch iets ernstigs op dat snijblok is gebeurd? Zijn daar anderen bij?'

'Er is echt niets aan de hand. U kunt me vertrouwen, Tom is een fijne vent.'

'Maar zoiets, je vrouw met je beste vriend en op een snijblok? Als u ons het adres geeft dan nemen we contact op met de centrale en die sturen even een auto langs. Je weet nooit met dit soort dingen.'

'Mijn broer is volstrekt onschuldig! Hij doet nooit iets ernstigs! Hij heeft nog nooit een bon voor te hard rijden gekregen! Nooit een parkeerbon! Zo iemand is hij!'

De mannen keken elkaar aan.

'Het is uw broer,' zei de blanke cop. 'Goeienacht. En let op het tuig, rabbijn.'

Ze knikten hem toe en lieten hem staan.

Sol, verbijsterd over zijn eigen bedrog, nam weer plaats in zijn auto en toen hij naar de ingang van de club keek zag hij dat Vanessa naar buiten kwam. Ze droeg een spijkerbroek en een dik jack van een donker, glimmend materiaal, niet het leren jack dat ze eerder had gedragen. De lampen van de politiewagen werden ontstoken en hun licht reflecteerde via het achteruitkijkspiegeltje in zijn ogen. Als ze haar auto voor de deur had geparkeerd dan zou ze nu instappen en miste hij de kans om haar aan te spreken, want hij moest wachten tot de politiemannen, die zijn woorden zonder twijfel met argwaan hadden aangehoord, op veilige afstand waren. Tergend traag reed de politiewagen weg en hij zocht in de donkere straat naar haar gestalte. Was ze weg? In welke auto was ze gestapt?

Op het moment dat ze een zijstraat inliep stapte ze onder het licht van een lantaarn. Maar Sol kon nog niet de straat oversteken zonder de aandacht van de cops te trekken. De achterlichten van hun auto straalden midden op het brede wegdek en Sol startte zijn wagen. Zonder zijn lampen aan te doen trok hij op, schuin de weg over, en schoot de straat in die zij was ingeslagen.

Hij zag een autoportier dichtslaan en hij gaf gas en de motor gromde woest. Met een gewaagde beweging van het stuur zette hij zijn wagen schuin voor de hare. Zo kon ze niet wegrijden.

Hij stapte uit en merkte dat zijn zenuwen zich in zijn benen ontlaadden. Wankelend probeerde hij door haar voorruit te kijken, maar slechts het donkere silhouet van haar hoofd was te zien. Hij stootte zijn knie tegen de bumper, verbeet de pijn en boog zich glimlachend naar het bestuurdersraam.

'Hallo!' riep hij door het glas. 'Ik kwam hier langs en ik zag je instappen!'

Ze reageerde niet. Hij hoorde dat de motor van haar oude Buick aansloeg en hij greep de spiegel en bovenlijst van de wagen vast, bang dat zij zou wegrijden. Hij drukte zijn gezicht tegen de ruit. Misschien had hij de huid van zijn knie opengehaald.

'Ik zat naast je in het vliegtuig! Boston! Herinner je je?'

Met alerte ogen kwam ze dichterbij. Hij kon de trekken van de danseres nu goed onderscheiden want zij werd van hem gescheiden door veiligheidsglas van enkele millimeters dikte. Met een schok stelde hij vast dat zij niet zijn zangeres was.

Deze naaktdanseres leek op haar, zij had dezelfde kaaklijn en mond en neus, maar zij had iets hards rond haar lippen, iets bittters dat zijn engel niet had. Dit was de vrouw met flosjes en G-string die hem naar buiten had doen vluchten. Zij was iemand die alleen maar op haar leek, niet meer dan dat.

Opeens brulde de motor van haar auto en de Buick schoot met gillende banden achteruit. Sol rook verbrand rubber en voelde de zijkant van de auto langs zijn zwarte jas strijken. Snel stapte hij opzij en hij keek toe hoe de auto op veilige afstand van hem draaide en uit zijn blik verdween, gehaast, bijna panisch.

Van de andere kant naderde een andere auto en Sol wierp een blik over zijn schouder en zag boven de felle lampen de omtrekken van de lichtbak op het dak. Politie. Hij bleef stil staan wachten tot de patrouillewagen naast hem stopte. Het raam zakte in het portier en de zwarte agent keek hem aan.

'Alles okay, rabbijn?'

'Alles in orde. M'n broer is weggelopen.'

De agent keek hem doordringend aan en Sol besefte dat de man gedurende zijn carrière minstens een dozijn keer naar alle bestaande en niet-bestaande smoezen en leugens had geluisterd. Sol was voor hem net zo naakt als de meiden in de club.

'Ga naar huis, rabbijn. Hier komt niks goeds van.'

'Ik zal op m'n broer letten, agent,' antwoordde hij, pogend de houding van argeloze herder te bewaren.

'Niet alleen uw broer. Begrijpen we mekaar?'

Sol knikte beschaamd.

'Ik wil u hier niet meer zien,' besloot de agent.

Sol hoorde de zoemende elektromotor die het raampje in het portier naar boven schoof, en de politiewagen gleed verder.

## 8

Aan de balie van het zeventienhonderd stoffige kamers grote hotel, een monument van kosmopolitische eenzaamheid, vroeg Sol om een desinfecteringsmiddel en een pleister. Zijn rechterknie had een schaafwond ter grootte van een brilleglas, ook al was de stof van zijn broek vreemd genoeg ongeschonden gebleven.

In zijn kamer op de drieëntwintigste verdieping behandelde hij de wond en opende de fles Stolichnaya die hij aan het begin van de avond had gekocht. Hij had ook andere dingen ingeslagen voor het geval zij nog iets in zijn kamer had willen nuttigen. De wodka, noten, kazen, stokbrood, wijn, waren getuigen van de dubbelzinnigheid waarmee hij haar had opgewacht. Hij had haar niet alleen willen redden uit de hel van het naaktdansen, hij had ook met zijn *schlong* in haar lichaam willen binnendringen. Maar in plaats van verlossing had hij iets beschamends beleefd, de straf voor zijn zondige gedachten.

Het was half vijf in de nacht en hij had Naomi beloofd dat hij aan het einde van de middag weer thuis zou zijn. Om zijn overspel mogelijk te maken had hij afspraken verschoven, zijn assistenten geïnstrueerd. Hij speelde een gevaarlijk spel met de zekerheden van zijn bestaan, en het enige dat hij kon concluderen was dat hij, meer dan hem lief was, een kind van zijn vader was. Een slachtoffer van zijn zinnen.

Hij nam een mondvol wodka, ook al wist hij dat hij hiermee zijn nageslacht in gevaar bracht, en zette zijn keel en slokdarm in vuur en vlam. Mordechai, zijn vader, had nooit in het openbaar gedronken, maar Sol had hem geregeld thuis in New Haven met een glas whisky aangetroffen. Vroeger, in Amsterdam, had zijn vader wijn gedronken, donkere flessen met schilderachtige etiketten die soms een dag lang in de diepe woonkamer aan de Herengracht op ontkurking wachtten omdat ze, zoals zijn vader zei, 'op temperatuur moeten komen, net als iemand die uren door de vrieskou heeft gelopen en opeens piano moet spelen'.

Ook Sol was een geboren innemer, gulzig eter, muziekgenieter en liefhebber van kunst en vrouwelijke schoonheden. Tot zijn puberteit aanbrak had hij genoten van de grote schaduw die zijn vader op de aarde wierp. Hun voorname huis, de status van zijn vader, de vele blijken van respect wanneer hij met hem over de grachten wandelde, omringden Sol als veilige muren, onneembaar voor de vele gevaren die in de wereld loerden. Hij had over de verschrikkingen gehoord die enkele jaren voor zijn geboorte hadden plaatsgevonden. Behalve zijn ouders had hij geen familieleden, want iedereen was 'weggehaald'. Zijn vader en moeder spraken er weinig over, en zijn kennis van hun onderduikperiode beperkte zich tot enkele nuchtere feiten. Soms droomde hij erover en had hij het gevoel dat zijn angsten ouder waren dan hijzelf. Maar hij was veilig in de nabijheid van zijn sterke vader, die net zo onverwoestbaar was als de sluizen die Het IJ tegen het IJsselmeer beschermden. Sol wist nog hoe hij voor het eerst de sluizen zag. Hij was drie en het was misschien zijn vroegste herinnering. Hij zat in een kinderzitje achter op de zware Gazelle van zijn vader en ze maakten een fietstocht door Amsterdam-Noord, via de pont achter het Centraal Station en de Nieuwendammerdijk naar de Oranjesluizen, die de stad beschermden tegen het water van het eindeloze IJssel-meer, waarvan hij het einde niet kon zien.

'Zie je, Sallie, die deuren? Ingenieurs hebben die deuren bedacht, ze zijn door lassers en timmerlui gemaakt en door mannen met kranen en takels daar opgehangen. Door die deuren kunnen wij rustig slapen wanneer er 's winters oosterstorm staat. Die deuren zijn sterker dan de wind en het water. Dat komt door het menselijk vernuft. *Hasjem*, de Naam, heeft ons dat vernuft gegeven om ons tegen de natuur te beschermen. Er is niks sterkers dan de natuur, Sallie. Maar er is ook niks slimmers dan het menselijk vernuft.'

De betekenis van die woorden ontging hem grotendeels, maar later kon hij zich moeiteloos voor de geest halen wat zijn vader had gezegd. Sol was veilig. In zijn vader kwamen natuur en vernuft samen. Hij kon soms brullen als de storm die over de grachten joeg en de bladeren deed dansen, en soms repareerde hij met vernuft een defecte schemerlamp, opende hij een stekker, las moeiteloos de Hebreeuwse letters in zijn *siddoer*, zijn gebedenboek. Hij kon Sol optillen en hem juichend boven zijn hoofd dragen, God dankend voor de zoon die Hij hem gegeven had. Sols moeder kon dan opmerken: 'Ga je gang, het is allemaal buiten mij omgegaan.'

Een paar keer per jaar zag Sol dat zijn vader dronken was. 'Het zal wel weer een besnijdenis zijn geweest,' luidde het vertrouwde commentaar van zijn moeder. Na Sols besnijdenis had Mordechai zich een stuk in de kraag gedronken, had zij hem verteld, wat in Sols ogen een soort oer-dronkenschap was, ontstaan uit vreugde en schuldgevoel, maar de drie of vier dronkenschappen per kalender hadden een andere bron. Mordechai was een zinnelijke man die zich te buiten kon gaan aan alles wat zijn mond en handen en ogen streelde. Tot Sol zich als een jongeman ging gedragen en de hand van zijn vader van zich afschudde, liet hij zich aanraken en knuffelen, gewend aan de fysieke liefdesuitingen van de brede, bebaarde man die de hele dag door op nootjes knabbelde, een stukje brood of fruit in zijn mond stak, zijn volle lippen aflikte.

Sol was acht toen hij bij het avondeten, na het gebed, zijn ouders bekende dat hij verliefd was. De blikwisseling tussen Mordechai en Saar ontging hem niet, maar het was voor hem geen aanleiding om zijn bekentenis in te slikken of te verdraaien.

'Ben je daar niet een beetje te jong voor?' vroeg zijn vader, die als opvoeder geen notie had van de belevingswereld van zijn zoon. Decennia later kreeg Sol op de New-Yorkse rabbijnenschool onderricht in pedagogie, maar in de tijd van zijn vader was zoiets aan de orthodoxe jeshiva in Londen niet aan de orde. 'Karel was al in de eerste op iemand,' rechtvaardigde Sol zijn gedrag.

'Karel weet van voren niet of ie van achteren leeft,' antwoordde zijn vader.

Als Karel, een roodharig Amsterdams joch met sproeten, zoon van een haringman, naast Sol de marmeren hal van het statige huis betrad, merkte hij altijd op: 'Een stuiver blijft een stuiver en een kwartje wordt een gulden.' Dat had hij van zijn vader gehoord. 'En de joden zijn de kwartjes,' voegde hij citerend toe. Nimmer ontdekte Sol een bedreiging in die woorden. Hij wist dat zijn grootouders marktkooplui geweest waren, net als Karels ouders, en dat het huis eigendom was van de Israëlitische gemeente. En dat de joden kwartjes in guldens veranderden was een mooie gedachte die hij zelf graag in praktijk wilde brengen, maar hij wist nog niet hoe. Karel was zijn vriend en samen konden ze uren over het Waterlooplein dwalen, bij de Magere Brug over de Amstel staren, de wereld bespreken. Ze kenden elkaar vanaf de eerste en behoorden tot de middelmatigen van hun klas. De onderwijzeres moedigde Sol aan beter op te letten omdat hij veel meer kon dan hij liet zien, maar Sols wereld was al vol en spannend genoeg.

Zijn moeder probeerde een balans te vinden: 'Op wie ben je dan?'

'Maria,' antwoordde Sol.

Alleen al in de naam verslikte zijn vader zich.

'Maria de Groot?' vroeg zijn moeder. Zij kende de kinderen in zijn klas. Mordechai had Sol liever naar een school in Zuid gestuurd, waar meer joodse kinderen woonden, maar Saar had de afstand tussen hun huis op de Herengracht en de scholen in Zuid te groot geacht.

'Ze heeft altijd vlechten,' legde Sol uit.

'Maria,' mompelde zijn vader.

'Hij is acht, Mo,' benadrukte Saar.

'Dat maakt het nog erger.'

'Sallie, ga even wat water halen.'

Sol gleed van zijn stoel en liep uit hun gezichtsveld. Zodra hij in de hal kwam, holde hij in het souterrain naar de keuken, liet een glas vollopen en haastte zich terug, een platte hand op de bovenkant van het glas zodat hij geen druppel verloor. Hiermee won hij enkele kostbare seconden voor het afluisteren van zijn ouders.

Ze fluisterden, maar het was duidelijk dat ze ruzie hadden. Dat kwam zelden voor, net als uitbarstingen van geschreeuw en gegil, die hij misschien vier of vijf keer in zijn leven had meegemaakt en die hem duizelig van angst onder de dekens hadden doen kruipen, met dichtgeknepen ogen en gebalde vuisten.

Fluisteren was anders, fluisteren was het aanraken van een geheim.

Ze sisten elkaar toe, zijn moeder was ontzet over iets, en het drong tot hem door dat ze al de hele middag stil en afwezig was geweest, anders dan haar normale drukke opgewektheid.

'Ik wil dit niet meer,' hoorde Sol zijn moeder zeggen, 'de mensen zijn niet gek en ik ook niet. Als je hiermee doorgaat dan ga ik bij je weg, hoor je?'

'Dat kun je me niet aandoen, hoe kan ik als gescheiden man m'n vak uitoefenen?'

'Dan moet je je belofte aan mij houden.'

'Dat doe ik ook.'

'Je liegt, Mo. Hoe bestaat het dat een rabbijn liegt?'

'Een betekenisloze, onschuldige flirt. Dat is alles. Je denkt toch niet dat ik me zoiets kan veroorloven?'

'Veroorloven? Dus zo denk je daarover?'

'Je weet wat ik bedoel. Ik ben een getrouwde man, de mensen zien een voorbeeld in me, ik ben me bewust van de grenzen van m'n mogelijkheden.'

'Niets wat je zegt spreekt voor je onschuld.'

Sol hoorde een stoel schuiven en hij wist dat hij in gevaar kwam wanneer hij bleef staan. Hij kwam te voorschijn en liep argeloos de kamer in. Met snelle passen en afgewend gezicht passeerde zijn moeder hem, een vinger over een ooglid strijkend, en Sol zette het glas op tafel.

Zijn vader staarde naar zijn bord toen hij ging zitten.

'Wat is mama doen?'

'Ze had iets in haar oog.'

'We zijn nog niet klaar met eten.'

'Nee.'

'Ik ga met Maria trouwen.'

Zijn vader gaf hem een klap. Hij was eerder bestraft geweest, maar deze klap was anders. De vroegere tikken hielden een natuurlijk verband met zijn gedrag, waarmee hij, zich bewust van zijn provocaties, grenzen aftastte en bestraffing over zich afriep. Dat wist hij, hoe jong hij ook was. Maar nu was het anders. Deze klap had hij niet uitgelokt. Deze klap had hij niet verdiend.

Hij voelde de vingers van zijn vader op zijn wangen branden en hij beet op zijn tanden om niet in huilen uit te barsten, maar de tranen gleden over zijn wangen.

Hij keek met afschuw naar zijn vader, die onrustig op zijn stoel heen en weer schoof, en zei met ingehouden woede: 'Dit is niet eerlijk. Dit is niet eerlijk. Dit is niet eerlijk!!'

Opnieuw haalde zijn vader driftig uit, maar deze keer dook Sol weg en sprong van zijn stoel. Zijn vader stond ook op en volgde hem. Sol vluchtte naar zijn kamer en hoorde zijn dolgeworden vader achter zich. Hij gooide de deur achter zich dicht en kroop onder zijn bed, tussen de puzzeldozen en stukken speelgoed die uit de gratie waren.

Voor zijn deur kwamen zijn ouders elkaar tegen en zijn moeder gilde dat hij met zijn handen van haar kind moest afblijven en zijn vader brulde dat dat kind van haar het bloed onder zijn nagels vandaan haalde en zij antwoordde dat het kind niks gedaan had maar dat hij zelf op van de zenuwen was en dat zijn gedrag aan gekte grensde en hij riep dat hij niet overleefd had om zijn zoon over Maria te horen praten en zij riep dat het niet om Maria maar om Judith Polak ging. Toen werd het stil. Sol hoorde de zware voetstappen van zijn vader, die naar zijn studeerkamer beneden liep.

Zijn moeder kwam zijn kamer binnen en liet zich op haar knieën zakken. Ze tilde de zijkant van de sprei op en keek hem aan. Ze had gehuild maar nu lachte ze.

'Daar ging ik ook altijd liggen wanneer ik bang was,' zei ze. Ze stak een hand naar hem uit.

Sol schoof naar haar toe en begon geluidloos maar met schokkende ledematen in haar armen te huilen.

De volgende dag had zijn vader een bouwpakket bij zich, een kartonnen model van de *Rotterdam*, het schitterende passagiersschip dat Sols sprakeloze bewondering had. Hij verzamelde afbeeldingen, tekeningen, folders, hij bezat een boek over de bouw van dit gestroomlijnde schip, waarmee vergeleken de *Queen Elizabeth* een slak was. Hij was uitzinnig van dankbaarheid voor het schitterende cadeau dat Mordechai hem schonk, maar een dag later, turend naar het bouwplan op de keukentafel, lijm en schaar op een uitgevouwen krant, bespeurde hij een vorm van verdriet die hij niet eerder had ervaren. Het model van de *Rotterdam* was een pleister op een wond die, zo wist hij nu, niet kon genezen zolang zijn vader hem niet vertelde dat hij spijt had en hem nooit meer zonder aanleiding zou slaan. Sol was te klein om rustig het verschil tussen zijn verdriet en de passie voor het schip te overdenken, en de koortsige lust de delen te assembleren tot een kopie van een van de meest glorieuze verrichtingen van de menselijke soort loste op in een huilerige druk op zijn schouders en armen, waardoor hij urenlang in verwarring naar de gracht bleef staren, niet bij machte zijn liefde voor het schip te bevrijden van de onrechtvaardige klap van zijn vaders hand.

## 9

Vierendertig jaar later lag Sol in een wit T-shirt, rood boxershort en blauwe sokken op de gebloemde sprei van Hotel Pennsylvania hoog boven Manhattan, aangeschoten door drie volle glazen wodka die hij binnen een halfuur naar binnen had gegoten. Hij had nog een half etmaal voordat hij zich thuis moest melden, hetgeen betekende dat hij over genoeg uren beschikte om zijn roes uit te slapen. Totdat hij het wonder na zijn vaders dood beleefde – wat hij als het moment van zijn 'roeping' begreep – had hij perioden van langdurig drankmisbruik gekend. De problemen waarvoor hij zichzelf plaatste waren soms zo onoplosbaar dat de enige uitweg in een beneveling met wodka lag.

Voordat hij het restaurant begon, had hij een antiekhandel geleid, een bedrijf met tweedehands auto's, een pr-zaak voor Nederlandse bedrijven, een reclamebureau, een chocolaterie, een bloemenhandel, een reisbureau. Hij had in loondienst gewerkt als nachtportier, als taxichauffeur, als gerant in restaurants, als reisleider. Hij leefde van het ene mislukte project naar het andere, afgewisseld met baantjes die hem in leven hielden, en zocht koortsachtig naar de formule waarmee hij het grootste succes via de geringste inspanningen kon behalen. In hem sluimerde een alcoholist die bij oneffenheden greep kreeg op zijn leven en de dagen in nachten veranderde.

Na de emigratie bracht hij elk vrij moment in New York door. In Nederland had hij redelijk Engels leren spreken, maar hij ontdekte dat het moeilijk was om zonder nadenken in een gewone conversatie zijn gedachten te uiten. Hij miste Amsterdam en vooral miste hij zijn moeder, die hem, meer dan zijn vader, met onbaatzuchtige zorg had omringd. Wanneer hij op de lagere school met een zwak rapport thuis kwam, wist hij dat zij in weerwil van de feiten zijn kwaliteiten tegenover zijn vader verdedigde.

'Sallie's tijd komt nog. Wij hadden ook tijd nodig.'

'Ik sta toch niet op de markt met zuur?' vroeg zijn vader terwijl hij gepijnigd de vijfjes en zesjes in zich opnam.

'Nee, in sjoel met brooges, wat wil je daarmee zeggen?' antwoordde zijn moeder.

'Hier kan hij zich ontwikkelen. Dat kon ik niet op de markt, anders was ik daar echt eerder weggekomen.'

'Hij hoeft hier niet weg, hè Sal?'

Hij knikte en slurpte de chocolademelk die zijn moeder hem had voorgezet.

Hij was niet meer dan de Mulo waard maar zijn ouders legden het advies van zijn onderwijzers naast zich neer en schreven hem voor de HBS in. In de loop van het eerste jaar ontwikkelde hij zich tot de beste van de klas. Zijn moeder bleef al die jaren dicht bij hem staan, terwijl zijn vader in toenemende mate een vreemde voor hem werd. De man die de kleuter urenlang op zijn schoot had gehouden, zijn wangen en ogen en voorhoofd met kussen had bedekt en hem bijna wekelijks naar Artis had gereden (een man achter een wandelwagen in de jaren vijftig; rabbijn Mordechai Mayer stond bekend als vooruitstrevend), liet later de begeleiding van het opgroeiende kind aan zijn vrouw over. Misschien werd Mordechai teleurgesteld door het dromerige kind dat Sol was, het tegendeel van de snelle straatvechter die hij zich had gewenst. Dat Sol op de HBS de beste van de klas werd leek zijn hart niet te raken, alsof hij zijn emoties voor andere zaken wilde bewaren (de synagoge, zijn congregatie, de nagedachtenis van de shoah). Zijn aandacht diende zich te richten op de echt belangrijke kwesties, alsof te veel belangstelling voor zijn zoon verwachtingen zou wekken die hij niet kon inlossen. Hij gaf Sol Hebreeuwse les, leerde hem de orde van de diensten en de dagelijkse gebeden, de betekenissen van de feesten, compleet met hun liturgie, en leidde hem ten slotte voor zijn barmitswa op. Maar nooit ervoer Sol tijdens al die uren die hij bij hem doorbracht de warmte van vroeger. Zijn vader gaf hem onderricht omdat hij dat als rabbijn nu eenmaal verplicht was, zijn zoon moest voorbeeldig Hebreeuws kunnen lezen, zijn zoon moest de gebeden kunnen opzeggen zoals andere kinderen het alfabet, zijn zoon moest de mooiste parasja lezen die de sjoel sinds tijden bij een barmitswa had gehoord.

Sol verknalde het. Hij kon de parasja, die over Gods aanwijzingen voor de bouw van de tempel handelde, met gesloten ogen zonder haperen opzeggen, maar zijn keel werd dichtgesnoerd toen hij de bimah betrad en de ogen van de hele gemeente op zich voelde. Aan de zoon van de rabbijn werden de hoogste eisen gesteld. Hij moest niet alleen de beste van de klas zijn maar ook de beste in sjoel. De letters op de perkamenten Thora-rol, alleen medeklinkers (de lezer dwingend de klinkers zelf in te lezen), dansten voor zijn ogen, en toen hij het zilveren jatje pakte gleed het direct uit zijn hand en viel op zijn glanzend gepoetste schoenen. Hij begon Exodus 25:1 tot 11 te lezen: *Najedabeer adonai el-mosje*, de Heer zei tot Mozes: zeg het volk der Israëlieten dat zij Mij geschenken brengen; jij zal de geschenken voor Mij accepteren van eenieder wiens hart bewogen wordt.

Sol vulde een van de afwezige klinkers verkeerd in, be-

gon er nerveus nog een keer aan en maakte prompt dezelfde fout bij het volgende woord.

Zijn vader stond naast hem en fluisterde: 'Haal adem.
Tel tot drie. Begin opnieuw.'

Als in trance doorstond hij de lezing en hij ontwaakte
pas toen zijn vader hem zegende, de handen op zijn hoofd,
en hem formeel tot volwassen joodse man verklaarde.
Vaak had Sol de ontroering gezien waardoor andere bar-
mitswa-kandidaten en hun ouders gegrepen werden,
maar Sol en zijn vader bleven raadselachtig nuchter en
wisselden alleen een glimlach. In de vrouwenafdeling
veegde zijn moeder haar tranen weg, anderen knikten
hem bewonderend toe en zeiden dat hij prachtig gelezen
had, maar Sol ervoer slechts teleurstelling over het mislukte begin dat alles verpestte, inclusief de tientallen cadeaus.

Vele jaren later voelde Sol dat het niet de matige barmitswa was geweest die de relatie met zijn vader had veranderd, maar de Maria-klap.

Hij was vijftien toen zijn moeder stierf. Een jaar lang
had ze thuis in bed op het einde gewacht, ook al lachte ze
hem elke ochtend toe en bezwoer ze hem dat ze zich beter
voelde dan de voorgaande dag. Ze had leverkanker. Gedurende haar leven had ze in totaal misschien een half flesje
wijn gedronken. Levertransplantaties waren nog een ijle
utopie, therapieën bestonden niet. Na de diagnose had ze
binnen drie maanden moeten sterven, maar ze rekte haar
leven 'uit liefde', hoorde Sol de arts tegen zijn vader zeggen,
'liefde voor haar zoon en voor jou'.

Sol smeekte God om genezing voor de mens die nooit
gezondigd had, nooit een slechte gedachte had geuit, nooit
gevloekt had of Zijn naam ijdel gebruikt. God greep niet
in en haar lichaam bleef verzwakken en haar huid verge-
len. Er waren weken die een absurde hoop opriepen. Ze

had dan de kracht om rechtop in bed te zitten, te lezen, naar een plaat of de radio te luisteren. Haar huid kreeg zijn normale kleur terug en in haar stem klonk kracht en vastbeslotenheid. Maar de laatste veertien dagen voor haar dood veranderde zijn moeder in een hijgend karkasje, niet meer dan de schim van de volle vrouw die zij tot een jaar geleden was. Zijn vader werd een gebedsmachine, die dag en nacht door zijn werkkamer, door de woonkamer, de hal en gang en keuken liep te bidden, met een hand door zijn baard kroelend, buigend en knikkend in uitzichtloze concentratie, ondoordringbaar voor zijn schichtige zoon die onder zijn onschuldige handen zijn moeder zag verdwijnen.

Soms opende ze haar flinterdunne oogleden om hem met gele ogen, vol pijn en angst, te bekijken, en dan drukte Sol zijn lippen tegen haar oor en fluisterde: 'Ik hou zo veel van je, mama. Dat weet je toch? Er is niemand in de wereld van wie ik zoveel hou.' Zijn woorden brachten hem aan het huilen en zijn moeder vond dan de kracht om een glimlach te tonen en met haar hoofd te knikken.

Op een ochtend lag haar nietige lichaam doodstil in bed. Ze ademde niet. Mordechai hield haar hand vast. Hij keek niet op toen zijn zoon binnenkwam, bewoog met gesloten ogen op zijn stoel heen en weer, biddend tot Hem die Sol niet had kunnen bereiken. Hij wist niet hoe lang zijn vader hier al zat, wanneer zijn moeder besloten had om niet meer te ademen, en hij rende naar buiten, de stille gracht op, en holde naar de Amstel, over de balken van de Magere Brug en langs het brede water in de richting van Carré, en toen hij minutenlang alleen door de stille ochtend had gerend begon hij uitgeput te huilen, met lange diepe uithalen, niet meer wetend of de paniek in zijn lijf door het rennen of door iets anders was ontstaan.

Regelmatig had Sol zijn vader vergezeld naar een sjiwwe of lewaaje, en dan keek hij trots naar zijn zelfverzekerde vader, die overal, ook in het huis waar net een geliefde was gestorven, het middelpunt werd en troost, verzoening en humor schonk. Mordechai werd door velen als een heilige beschouwd, en als kind had Sol in zijn grootheid willen delen. Maar de dood van zijn vrouw leek Mordechai te vernietigen. Wat hij anderen bood, kon hij niet aan zichzelf en zijn zoon geven. Stil en grauw bracht hij zijn vrouw naar de begraafplaats in Diemen, en de zeven dagen van sjiwwe-zitten liet de rabbijn voorbijgaan zonder eten en drinken, ongeschoren en in gescheurde kleren, zijn zoon vergetend.

Toen Sol naast zijn vader aan het graf stond, stelde hij vast dat God niet bestond. Het laatste dat zijn moeder in deze wereld had beleefd, was de ondraaglijke pijn van haar rottende lichaam. Het onrecht dat haar was aangedaan kon door niets worden weggenomen. Er bestond geen God der rechtvaardigheid, geen God van goedheid. Het enige dat regeerde was de Blinde Natuur, willekeurig, onbarmhartig, zinloos.

Een maand na haar begrafenis bleef Sol op zaterdagochtend in bed toen zijn vader naar de synagoge ging. Zijn vader deed geen poging hem te roepen en tot andere gedachten te bewegen, alsof hij begreep waarom zijn zoon in opstand kwam. Sol hoorde dat beneden de deur dichtsloeg. Hij verliet zijn bed en zag zijn vader langs de gracht lopen, eenzaam onder zijn zwarte hoed. Een opwelling van fel schuldbesef bracht Sol naar de badkamer opdat hij snel zijn vader kon inhalen, maar toen hij in de spiegel naar zijn drooggehuilde ogen keek, keerde hij terug naar bed, moedeloos en woedend tegelijk.

Een jaar later vond zijn vader het nodig hun naam in

schande onder te dompelen, daarmee zijn zoon en zichzelf veroordelend tot verbanning uit het land van Rembrandt en Spinoza.

Achteraf gezien had Sol de vijftien jaar tussen hun aankomst in Amerika en het begin van de opleiding tot rabbijn met meer inzicht en intelligentie moeten benutten, maar hij kon niet buiten zichzelf treden en de rouw en schaamte relativeren, ook al waren er perioden dat hij het probeerde. Zijn tochten door Manhattan voerden langs de toeristische attracties, de uitzichtpunten, de etnische buurten, en toen hij na verloop van tijd het eiland beter leerde kennen liet hij de musea liggen en bezocht cafés en clubs, op zoek naar gezelschap en muziek.

Hij was een fan van Jimi Hendrix, Led Zeppelin, The Doors, en hij had de albums van zijn favoriete Nederlandse bands (Cuby & The Blizzards, The Golden Earrings, Q65) naar New Haven meegenomen. Hij liet zijn haar groeien en raakte verzeild in verhitte discussies met zijn vader, die de aanblik van zijn hippieachtige zoon niet verdroeg en hem na een jaar verzocht op zichzelf te gaan wonen. Dat vond plaats in december 1970.

Sol was geen communist. Hij had geen enkele belangstelling voor politiek. Hij wilde muziek maken en met meiden slapen. In Little Italy huurde hij een kamer die zo klein was dat hij het raam moest openzetten wanneer hij een stijve had, zo vertelde hij zijn nieuwe vrienden. In Amsterdam had Karel hem geleerd hoe hij moest biljarten, en zijn techniek maakte indruk toen hij een biljarthal bezocht, een enorme zaal met twintig tafels. De Amerikanen kenden een veel grovere vorm van biljart met vijftien in plaats van drie ballen, en met weddenschappen verdiende hij op een dag soms tien dollars.

Jeff diCarlo werd zijn boezemvriend. Een kleine, drukke

leeftijdgenoot van Italiaanse afkomst die net als Sol zijn opleiding verwaarloosde en bovendien de illusie koesterde dat het leven een speeltuin was, of op zijn minst: moest zijn. Na de dood van zijn moeder en het schandaal rond zijn vader wilde Sol niets liever dan zelfstandigheid en hij besloot het contact met zijn vader tot het minimum te beperken. Zo nu en dan een telefoontje, een keer per twee maanden een bezoek van een uur.

Met Jeff speelde hij biljart, bezocht concerten en neukte in dezelfde ruimte diverse chicks. Het was in die tijd niet moeilijk om een meisje in bed te krijgen ('love' was in en 'square' was uit) en Sol maakte graag gebruik van de geveinsde nonchalance waarmee sommige meiden hun benen spreidden.

Zo had Sol een kut gescoord in de persoon van Debbie Levy, een studente kunstgeschiedenis die hij bij de supermarkt had aangesproken toen haar plastic tas scheurde en de boodschappen over de stoep rolden. Ze had een donker joods gezicht met zachte ogen en in zijn kamertje ontdekte hij een paar indrukwekkende tieten. Ze gaf hem handenvol werk omdat ze moeilijk klaarkwam en eiste dat zij net als hij ook een orgasme had.

's Ochtends roffelde Jeff op de deur want hij had een dringend bericht. Terwijl Debbie uit haar boodschappen een ontbijt maakte bespraken ze een zakenkans. Jeff kon de hand leggen op een partij sigaretten, Camel, Lexington, die ze zelf aan winkels, cafés, clubs, vrienden en kennissen konden verkopen. De inkoopprijs was zo laag dat de herkomst duidelijk was.

'Het is hartstikke safe,' verklaarde Jeff vanaf het bed, wachtend op het roerei dat Debbie in Sols enige pan bereidde. Sol liep rokend heen en weer, drie stappen die de totale breedte van de kamer bestreken, en proefde de volwassenheid van de situatie. Een vrouw stond te koken, een vriend sprak over zaken, en Sol woog de voors en tegens.

'Als er iemand gaat praten dan zijn we de lul,' waarschuwde hij.

'Waarom zou iemand gaan praten? Iedereen heeft er voordeel bij. Weet je hoeveel we hieraan verdienen? Drieduizend! Three big ones!'

'We moeten alleen verkopen aan mensen die we vertrouwen.'

'Absoluut,' knikte Jeff, verend op het getergde matras.

'Mensen die niet weten wie wij zijn,' voegde Sol toe.

'Hoe kunnen we mensen vertrouwen die we niet kennen?' wilde Jeff weten.

'We leren ze kennen.'

'Tegen die tijd hebben de ratten de tabak opgevreten.'

'Onbekenden.'

'Dat is niet echt verstandig,' merkte Debbie op.

Jeff en Sol keken elkaar verstoord aan. De kokkin had lef.

Ze zei: 'De kans dat je door vreemden wordt verlinkt is veel groter.'

'Vreemden weten niet wie wij zijn,' legde Sol uit.

Ze schudde haar hoofd: 'Zo moeilijk is het niet om een naam te achterhalen.'

'We bieden aan en leveren meteen bij contante betaling.'

'Hoe denk je dat te doen?'

'We huren een bestelwagen en rijden bij de klanten voor,' stelde Jeff voor.

'En dat hou je lang stil?'

'We blijven niet langer dan een, twee uur in dezelfde wijk.'

'Goed, jullie doen maar. Het eten is klaar.'

Ze wees op de verse koffie, de toast, de pan met roerei.

'Waar is de douche?'

'We hebben een gemeenschappelijke,' zei Sol.

'Ik neem thuis wel een douche.'

Ze pakte haar spullen bij elkaar.

'Blijf even,' zei Jeff. Sol knikte hem toe. 'Misschien kun je meedoen. Een meisje erbij is altijd goed voor de atmosfeer.'

Debbie lachte en zette haar tas weer neer.

'Geloof me, zonder mij zitten jullie binnen één dag in de bak.'

Ze bleek een strafblad te hebben. Inbraak, joy-riding, winkeldiefstallen. Het vonnis luidde een jaar, maar ze was na twee maanden vrijgelaten. Hun ontbijt had ze uit de supermarkt gejat.

Sol had het tintelende gevoel dat hij definitief gebroken had met de kleinzieligheid van het milieu van zijn ouders. Het compromisloze van dit bestaan stond in schril contrast met de lafhartigheid waarmee zijn vader zijn positie in Nederland had ondergraven.

Debbie droeg bij aan zijn revolutionaire stemming door te verklaren dat het een daad van verzet was om te stelen bij supermarkten en warenhuizen. 'Nooit bij kleine winkeliers, maar het grootwinkelbedrijf kan gerust worden bestolen. De uitbuiting door de rijken moet worden gestopt.' Gretig nam Sol haar jargon over en besloot om met open vizier het dubbelzinnige systeem te lijf te gaan dat overspelige rabbijnen, racisten en oorlogshitsers kweekte. Hij wist dat hij zijn rol als wereldverbeteraar spéélde, maar het zelfbedrog creëerde een sensatie die bedrieglijk veel op oprecht engagement leek, en samen met Debbie, een flower power freak, en Jeff, die in aanleg niet meer dan een kleine crimineel was, vormde hij hun eigen verzetscel en besloot de lading gestolen sigaretten te verhandelen.

Het benodigde geld voor de aankoop leenden ze van een familielid van Jeff, Carlo diCarlo, drager van een halflang bruin leren jack en gouden kettingen rond zijn polsen. Zijn met Brylcreem ingewreven haar lag plat op zijn schedel en liep uit in een eendekontje in zijn nek. De boord van zijn wild gebloemde overhemd had hij over zijn jack geslagen en zijn witte broek spande strak om zijn smalle heupen. Zijn Newyorkse accent, grijns en gebaren pasten in een aflevering van Kojak of McCloud.

'Geen probleem jongens. Ik ben er om jullie te helpen. Jij nog een espresso, Sol?' Hij gebaarde met een beringde pink.

Zoiets had Sol niet eerder gezien, hij knikte, bestelde nog een scherpe dubbele en probeerde zich rekenschap te geven van de reikwijdte van zijn plannen. Het establishment was verrot, daarvan was hij in navolging van Debbie overtuigd, en in zijn vader zag hij een holle autoriteit die alleen met bluf en diplomatie zijn vroegere status had bereikt, maar nu verbond Sol zich met mensen die aan de uiterste rand van de normen dachten en hij moest bekennen dat de opwinding die daarbij ontstond een ongemakkelijke bijsmaak had. Jeff was een OK-jongen met wilde ideeën, Debbie was zo maf als een deur, en met beiden kon hij lachen en *pot* roken, maar Carlo was een Italiaanse crimineel. Een joodse jongen die 's winters op de Amsterdamse grachten had geschaatst was geen partij voor de Newyorkse mob. Hij was doordrongen van zijn wankele positie maar tegelijk wilde hij zichzelf bewijzen dat hij in *The big apple* kon overleven en zelfs met dubieuze types kon omgaan. Hij had meer kracht dan zijn vader in hem kon ontdekken. Hij wilde dit geld verdienen en zijn vader de auto laten zien die hij van plan was te kopen.

Ze leenden het geld, ook al klonk de rente absurd hoog,

en ze huurden een bestelwagen en haalden de sigaretten op bij een opslagloods in de Bronx.

De volgende ochtend brulde Jeff hem uit zijn bed. Ze hadden gedrieën tot diep in de nacht gezopen en Debbie zou de bestelwagen in de garage onder haar appartementengebouw parkeren, een veilige, bewaakte plek.

'Ik vertrouwde het al niet! Ik vertrouwde het al niet!' gilde Jeff.

Sol trok een hemd aan en keek slaperig naar zijn opgewonden vriend.

'Wat is er dan?'

'Ze woont daar helemaal niet! Ze is een fake! Ben jij bij haar thuis geweest?'

Sol schudde zijn hoofd en de omvang van de ramp drong tot hem door. In zijn mond en keel kleefde een bittere slijmlaag, het residu van de goedkope wijn en vette chips.

'Ze heeft ons geript! Fuck! Als ik die *cunt* tegenkom dan trap ik haar verrot! We moeten haar vinden! Waar ken je haar van?'

Het was een warme dag en ze zochten tot ze het halverwege de middag, bezopen na twintig flesjes Budweiser, vloekend opgaven.

'Als jullie nu niet aflossen, wanneer dan wel?' wilde Carlo weten. 'Ik heb ook m'n verplichtingen, jongens, ik moet de huur betalen, m'n auto, jullie espresso's, en ik moet zelf ook aflossen. Het tarief is tien procent per week, en dat is een tarief voor vrienden.'

'Ze heeft ons genaaid! Dat wijf was gewoon niet eerlijk!' legde Jeff uit.

Carlo schudde ernstig zijn hoofd.

'Jullie begrijpen iets niet, jongens. Eerlijk of niet eerlijk, daar ga ik niet over, daar gaat mijn pastoor over. Ik ben een bankier, ik leef van de rente. Dus of jullie nou aflossen of niet, ik moet tien procent hebben. Elke week, tot jullie hebben afgelost.'

De eerste week verstreek en ze betaalden eentiende van de geleende tweeduizend. Samen hielden ze drieëndertig dollar over. Sols nieuwe maandgeld zou hem pas over twee weken bereiken en Jeff leefde van kleine klusjes waarvan Sol de details niet wilde weten.

Sol vond een baantje via een uitzendbureau. Twee dagen lang verving hij een schilder en met een chemisch middel ontvette hij het houtwerk van een miljonairsappartement. Met ontstoken ogen en longen nam hij zijn dertig dollar in ontvangst. De avond voor het verstrijken van de tweede week kwam Jeff met een voorstel.

'De drankhandel van die oude Chinees op Canal, ken je die?'

Het was het goedkoopste adres voor Franse landwijn.

'Ja?'

Jeff was dronken, maar hij had zich voorbereid.

'Maandagavond is het er hartstikke rustig. Hij sluit om één uur en loopt met zijn geld naar huis, om de hoek op Greene. Geen probleem. Hij is stinkend rijk, rijdt in een Mercedes. Wat denk je?'

De volgende ochtend nam Sol op Grand Central de trein naar New Haven. De reis duurde ruim een uur, door de Upper East, Harlem, over de brug over de East River, de groene heuvels van Connecticut.

New Haven was een welvarend stadje in een beboste streek waar forensen landhuizen en villa's hadden gebouwd. Zijn vader woonde in een huis dat in Nederland voor enorm en luxueus zou doorgaan maar hier relatief bescheiden was. Zoals de meeste andere woningen was het uit hout opgetrokken, het lag in een parkachtige tuin en geurde naar gras en vers gezaagd hout. Aan de voorkant van het huis liep een veranda met een balustrade, die in het midden open was voor de toegang naar de dubbele voordeur. Daarachter lag een hal met een doorgang naar de woonkamer en eethoek. Verder bevatte de begane grond, die anders dan in Nederland de eerste verdieping werd genoemd, een studeerkamer, een grote eetkeuken, een bergkeuken en garage. Boven vier slaapkamers, twee badkamers en een extra wc.

Sol klopte en opende direct de deur, die alleen 's nachts werd afgesloten. Met verstoord gezicht verscheen zijn vader uit de woonkamer en uit de richting van de keuken kwam een oudere zwarte vrouw.

'Sallie,' zei hij verrast, 'waarom heb je niet even gebeld?'

'Verrassing.'

Zijn vader drukte zijn wang tegen de zijne. 'Waarom heb je niks van je laten horen de afgelopen weken?'

'Ik had het druk.'

'Waarom moet je van die lange haren hebben?'

'Waarom, waarom, waarom,' zei Sol, 'het lijkt wel talmoedles hier. Je kunt toch wel gewoon blij zijn dat ik er ben?'

'Zie je me staan huilen dan?'

'Vrolijk doe je anders ook niet.'

'Meteen katten?' vroeg zijn vader. 'Dit is Camilla. Ze doet sinds kort het huishouden hier. Camilla, meet my son, Sal.'

'Sol,' corrigeerde Sol.

'Mesjoggaas. Sol,' herhaalde Mordechai, voorheen Moos.

De toon van hun onbegrijpelijke discussie vertelde Camilla hoe vader en zoon elkaar bejegenden. Ze knikte onderdanig en vluchtte naar de keuken.

'Wil je iets drinken? Heb je honger?'

'Pilsje.'

'Ik heb geen bier in huis. En voor iets sterkers is het nog te vroeg. Koffie?'

'Goed.'

Zijn vader gaf Camilla opdracht koffie te zetten.

'Blijf je vanavond eten?'

'Ik moet straks weer terug.'

'Wanneer blijf je es wat langer? Blijf slapen, rust uit, je ziet eruit alsof je een week lang doorgewerkt hebt. Hoe gaat het op school?'

'Goed. Dus je hebt personeel?'

Ze liepen de woonkamer in. Ook al was zijn vader hier aan een hervormde congregatie verbonden, hij droeg binnenshuis een zwart keppeltje op zijn dikke grijze haar.

Ze lieten zich tegenover elkaar op de kussens van de zithoek zakken, een grote Amerikaanse bank en twee brede oorfauteuils, bekleed met roze velours.

'Ik kon het niet meer in m'n eentje aan. Ik heb een kleine loonsverhoging gekregen en daarmee betaal ik haar. Ze is weduwe, haar kinderen zijn allemaal weg uit New Haven, ze woont boven.'

'Sjiek.'

'Noodzakelijk.'

'En verder?'

'De congregatie? Goed. Het is druk op sjabbes, de mensen zijn actief en geïnteresseerd, ik heb het hier naar m'n zin. En jij?'

'Gaat.'

'En…?'

'En wat?'

'Is dat alles: *gaat*?'

Zijn vader bekeek hem met een aanmoedigende glimlach.

126

Sol probeerde de weerzin te overwinnen. Hij hoorde in zijn hoofd de preek, het moralisme, de principes van de geile rabbijn. Mevrouw Vischjager.

Sol stond op en nam het fotolijstje van de schoorsteenmantel. Saar in Londen, op Trafalgar Square voor de pilaar met Nelson. Haar buik vormde toen nog zijn huis.

'Ik ben al twee maanden niet meer naar school geweest.'

Hij vermeed de blik, maar de stilte had hetzelfde effect: in zijn rug voelde hij de veroordelende kracht van zijn vader.

Sol zette de lijst terug en nam de foto van zijn barmitswa. Hij herkende de verslagen uitdrukking. Hij was nauwelijks veranderd.

'Wil je gaan werken?'

'Ik ben al gaan werken.'

'Wat?'

'De handel.'

'De handel?'

'Ja, handel.' Sol draaide zich om en ging weer zitten. Zijn vader knipperde druk met zijn ogen, in verwarring op zoek naar een opinie over zijn enige kind.

'Hoe dan?'

'In- en verkoop.'

'Wat?'

'Het is fout gegaan, okay? Want je weet waarom ik hier ben.'

'Waarom ben je hier?'

'Geld.'

'Ik dacht dat je voor mij kwam. Echt waar, Sol, ik dacht dat je je vader met een bezoek kwam vereren.'

'Dat ook. Natuurlijk.'

'Jeruzalem werd verwoest omdat eerlijke mensen er tenondergingen.'

'Waarom begin je meteen over eerlijkheid? Ik had gewoon wat pech.'

Zijn vader had gelijk, maar waarom moest hij het Sol zo wreed inwrijven? Het was al moeilijk genoeg zo.

'Waarmee? Als je wilt dat ik je help dan moet je me uitleggen wat precies je problemen zijn.'

'Ik heb geld geleend en dat moet terug. Dat is alles.'

'Hoeveel?'

'Behoorlijk wat.'

'Hoeveel?'

'Een hoop.'

'Preciezer, graag.'

'Ik kan er godverdomme ook niks aan doen!'

'In mijn huis wordt niet gevloekt!'

In de hal klonk de timide stem van Camilla. Mocht ze binnenkomen?

'Come on in,' antwoordde zijn vader met onderdrukte woede.

Camilla had een kolossale reet, tieten die de voeding van een volledige zuigelingenkliniek konden verzorgen. Sol vroeg zich af of zijn vader haar ook voor *van dattum* had aangenomen.

Ze plaatste een dienblad met twee kopjes koffie en een schaal koekjes op de salontafel.

'Nog iets, rabbijn?'

'Zo is het goed, Camilla. Dankjewel.'

Snel verwijderde ze zich.

Sol boog zich naar voren en nam een koekje. Verkade, uit het moederland. Iemand stuurde hem elke maand een pakket Hollandse dingen, kaas, hagelslag, pindakaas van Calvé, bittere chocolade van Albert Heijn. Het mecenaat van mevrouw Vischjager?

Zijn vader nam het hete kopje en begon te blazen. Omdat hij kwaad was, klonk het gepiep en gehijg nog luider dan anders uit zijn vlezige, vierkante, onverzettelijke hoofd. Hij staarde naar een plek ergens naast Sol en was verzonken in zijn geblaas. Sols generatie was langer dan die van zijn ouders, maar Sol mat slechts drie centimeter meer. Zijn vader was de afgelopen tien jaar breder en zwaarder geworden en zijn schouders en handen hadden nog meer aan kracht gewonnen, zo leek het wel. Misschien waren de verhalen over zijn reusachtige lul toch waar geweest.

'Wat is er gebeurd?' vroeg hij zonder zijn zoon aan te kijken, zijn blaasbalgwerk een moment onderbrekend.

Sol nam een tweede koekje en knabbelde. Hij wilde zich niet verontschuldigen. Hij had een stommiteit begaan, maar iedereen had recht op een vergissing. Mordechai had ook geen vlekkeloos strafblad. Hij was wel de laatste om iemand terecht te mogen wijzen.

'Ik ben bestolen.'

'Door wie?'

'Iemand die ik ken.'

'Dus geen dief.'

'Wel een dief.'

'Een dief die jij tot je kennissenkring rekent?'

'Wat zeg je het weer mooi.'

'Ja of nee?'

'Ja.'

'Wat?'

'Hoezo *wat*?'

'Wat heeft de dief gestolen?'

'Sigaretten.'

Nu keek zijn vader hem na een kleine hoofdbeweging aan. Hij had nog steeds niets gedronken. Vroeger goot hij de koffie op het schoteltje en blies tot het voldoende was afgekoeld.

'Leg het me uit.'

'Ik had een partij sigaretten gekocht. De partij werd gejat.'

'Je weet door wie?'

'Ze heeft een vals adres opgegeven.'

'*Ze?*'

'*Ze*, ja.'

'Alles kan, tegenwoordig,' zei zijn vader, de beroemdste beffer van Amsterdam.

'Geen verzekering?'

'Ik was net met m'n zaak begonnen.'

'Waarom heb je er niks over gezegd?'

'Je had het toch nooit goedgevonden.'

'Toch had je het kunnen zeggen.'

'Maakt dat nog wat uit?'

'Nu niet, nee.' Hij schudde zijn hoofd en nam voorzichtig een slokje. Hij slurpte. Nog steeds een jongen van de markt, dacht Sol.

Met zijn lippen tegen de rand van het kopje sprak zijn vader: 'Gij zult niet onrechtvaardig zijn in oordeel, in landmeting, in wegen, of in lengte. *Wajikra.*'

Big deal, dacht Sol.

Zijn vader vervolgde: 'Er zijn zeven soorten dieven en de ergste is die welke zijn makker bedriegt.'

Die was voor het kutwijf.

'Wat nu?' vroeg de rabbijn.

'Ik heb schulden.'

'Van wie heb je die sigaretten gekocht?'

'Groothandel.'

'Denk je dat je met een mesjoggene te maken hebt? Denk je dat ik geloof dat jij een sigarenwinkeltje wilde beginnen? Waar zie je me voor aan!'

Hij schreeuwde en verloor zijn koffie uit het oog. Hij

knoeide op zijn baard en witte hemd en schoof sissend en grommend uit zijn fauteuil, zette de koffie op het tafeltje en liep naar de keuken.

Sol at een derde koekje en stak een handvol in zijn zak, voor straks in de trein. Het was een bevrijding om schaamteloos en in alle openheid de confrontatie aan te gaan. Hij was ervan overtuigd dat alles goed zou komen, en het enige waaraan zijn vader moest wennen was Sols autonomie. Sol wilde de dingen op zijn eigen manier regelen, naar eigen inzichten, eigen afwegingen. De blik van zijn vader was beperkt en aangetast, het had geen zin om aan de hand van iemand die toch eigenlijk een tragische figuur moest worden genoemd deze wereld te veroveren. De sigaretten vormden een schoonheidsfoutje dat probleemloos kon worden opgelost, als hij maar niet zo vervelend deed.

Met vochtige plekken in zijn hemd nam zijn vader weer tegenover hem plaats. Hij nam zijn weggeschoven keppeltje van zijn hoofd, zette het weer zorgvuldig terug op zijn haar en drukte het vaster aan.

'De waarheid,' zei hij, 'is dat zo moeilijk, Sal? Hoe komt het toch dat je zo geworden bent? Sinds we hier zijn ben je veranderd, weet je dat? Soms denk ik dat we nooit hadden moeten weggaan. Het doet pijn om je zo te zien. Als je jou op straat ziet zou je denken dat je een zwerver bent. Dat haar, die smerige spijkerbroek, gymschoenen… wat wil je met je leven, Sal?'

'Ik heet Sol, pa. sol.'

De rabbijn trok een gezicht alsof hij zijn tranen moest bedwingen. Sol geloofde hem niet. Zijn vader was een eersteklas toneelspeler.

'De waarheid,' herhaalde hij.

'De waarheid is dat ik sigaretten heb gekocht,' zei Sol.

'Van wie?'

'Een handelaar.'

'Ik geloof je niet.'

'Je moet me geloven! Een partij sigaretten. Tweede kwaliteit of zoiets. We konden het kopen. En weer verkopen.' Liegen was niet zo ingewikkeld.

'Wie is *we*?'

'Twee vrienden van me.'

'Een vrouw en een man?'

Sol knikte. 'Maar de vrouw is er met de sigaretten vandoor gegaan.'

'Je bent dus je centen kwijt.'

'Het waren niet mijn centen.'

'Van wie dan wel?'

'Carlo diCarlo.'

'Carlo diCarlo? Wie is dat?'

'Hij is fout.'

'Fout? Een NSB'er?'

'Een onderwereldfiguur.'

Zijn vader boog zijn hoofd en verborg zijn gezicht in zijn handen. Hij prevelde iets. Een gebed voor een mesjoggene.

Toen hij Sol weer aankeek, leek hij opeens vermoeid en oud.

Hij sprak zacht: 'En als je hem niet betaalt, breekt hij je benen.'

Sol reageerde niet. De ouwe had gelijk, maar hij stikte liever dan diens woorden te beamen.

'Hoeveel?'

Sol slikte en onttrok zich aan de treurigheid in zijn vaders ogen. Hij acteert, dacht Sol, dit is theater. Maar hij kon zich niet onttrekken aan de schaamte die opeens door zijn borst sneed.

'Tweeëntwintighonderd.'
'Ai-jai-jai,' fluisterde zijn vader.

## 10

Met het ledigen van de fles wodka had Sol zich in Hotel Pennsylvania in slaap gezopen. Hij ontwaakte met een rauwe keel, dikke ogen en een schedel vol roestende spijkers. In zijn ballen kon het er niet veel beter uitzien en hij besefte dat hij zijn spermatozoa net zo dronken had gevoerd als zijn hersenen (vele duizenden jaren lang hadden mensen zich voortgeplant en zijn generatie was de eerste die zich zorgen maakte over *de kwaliteit van het zaad*). Over vier dagen moesten ze zich in de kliniek melden en zou er een nieuwe poging worden ondernomen nageslacht te kweken. Hij maakte het zijn visjes niet makkelijk met zijn onbezonnen gedrag.

In de hoop dat de in- en uitwendige gevolgen van de wodka konden worden weggewassen zat hij een kwartier lang in een hoekje van de kunststof cel onder de dikke douchestraal, zijn armen om zijn benen geslagen, zijn hoofd op zijn knieën. Vol zelfbeklag droogde hij zich af en bekeek de dunne huid van zijn handen, die gerimpeld was door de blootstelling aan het vergiftigde Newyorkse water. Omdat het hem nog steeds aan te zien was dat hij net uit een helse slaap was teruggekeerd maakte hij een wandeling door Fourteenth, langs de winkels met aanbiedingen van dumpartikelen, radio's, CD-spelers, sneakers, trainingspakken, horloges, weggooitroep die met containers uit China, Hongkong, Thailand, India was aangevoerd en de plaatselijke industrieën van het Westen had vernietigd.

De uitkeringstrekkers en andere sociaal zwakkeren deden hier hun welvaartsaankopen en lieten zich besode-mieteren met de derderangsartikelen die hun arbeid uit de markt geconcurreerd hadden. Er bestonden geen televisie-toestellen en radio's meer die door Amerikaanse handen in elkaar waren gezet, alles kwam van *East Asia* en wat daarvan naar deze straat werd vervoerd belandde in de flatjes van de hopelozen en zwaarlijvigen. Sol, invloedrijk en welvarend, kon zich moeiteloos hun woede voorstellen ook al bestond zijn gemeente uit bevoorrechten en had hij sinds zijn opleiding tot rabbijn nauwelijks contact gehad met leden van *minorities*. Met Jeff diCarlo had hij Indianen, Puertoricanen, Black Power-zwarten, illegalen uit tientallen landen ontmoet, en velen van hen waren zwaar crimineel of pseudo-crimineel, net als Sol zelf in die tijd, halve avonturiers die uit een combinatie van verongelijkt-heid, gemakzucht en sensatielust oplichtten, inbraken, roofden, bedrogen, en – waar Sol zich gelukkig verre van had gehouden – moordden. Jeff was in een gevangeniscel aan zijn einde gekomen en Sol was rabbijn van Temple Yaakov geworden. Toch knaagde de gedachte dat dat niet zijn eindbestemming was (dat had Jeff vermoedelijk ook gedacht toen hij in de wasruimte van de gevangenis, tussen de kokende ketels met gevangeniskleding, de *home made* dolk in zijn rug voelde glijden: *niet zo, niet hier, niet met deze pijn*), net zo min als zijn huwelijk met Naomi. Hij bezat een stuk of acht Goldcards en genoot van een materiële overvloed die de meesten die hij passeerde nooit zouden kennen, maar hij verbaasde zich erover dat hij zich hier zonder gevoelens van tevreden trots langs de etalages haastte. Ook hij was niet meer dan een vluchtige passant, een zwerver in een kostuum van Giorgio Armani.

Aan het einde van de middag stapte Sol uit de lift op 210 CPS. Naomi verliet haar werkkamer om hem te begroeten.

Sol had niet meer dan een paar kleine leugentjes nodig. In sommige maanden bracht hij wekelijks een bezoek aan een conventie of conferentie en de routine van zijn kortstondige afwezigheid riep geen enkel wantrouwen bij zijn vrouw op. Hij gedroeg zich opgewekt terwijl zijn hersenen gepijnigd werden door een dolle kater.

Hij nam de post door, beantwoordde telefoontjes, verrichtte zijn dagelijkse werk. Geboorten, sterfgevallen, barmitswa's. Sommige gemeenteleden kende hij goed, velen vaag. In zijn computer zocht hij hun antecedenten op en wanneer zijn administratie tekortschoot riep hij telefonisch de hulp van zijn secretaresse in, aangezien zij nog nauwkeuriger dan hij de kenmerkende feitjes van de gemeenteleden registreerde. Hij hield in de zakken van zijn kostuums notitieboekjes gereed en na afloop van een dienst, gesprek of toevallige ontmoeting noteerde hij snel de steekwoorden die later van nut konden zijn en via de vingers van zijn secretaresse hun weg naar de harde schijf van haar PC vonden. De praktijk wees uit dat hij velen verraste en troostte met zijn kennis van hun lotgevallen, ook al had deze manier van werken iets klefs. Als hij op kantoor een gemeentelid per telefoon te woord moest staan, dan tikte Ruth Sonnenthal, zijn secretaresse, de naam van het betreffende lid op de computer in en kon hij nog tijdens het gesprek de achtergrond van de beller op zijn monitor lezen. Regelmatig werkte Ruth zijn huiscomputer bij zodat hij ook in zijn privé-werkkamer de kennis van de databank bij de hand had. Er waren rabbijnen die in hun geheugen moeiteloos ruimte vonden voor de duizenden feiten van hun gemeenteleden, anderen hielden kaartenbakken bij of hadden echtgenoten die de namen van details voorzagen, maar Sol deed het met een IBM.

Ruth had hij met een andere leugen misleid. Haar had

hij verteld dat hij een vriend ging opzoeken. Buiten de synagoge, buiten een gelegenheid die Sols aanwezigheid vereiste, hadden Ruth en Naomi elkaar nooit gezien of gesproken, en Sol schatte de kans dat dat vanochtend was gebeurd op de kans om door een bliksemschicht te worden getroffen. Hij wist dat dergelijke dingen gebeurden, maar het was onmogelijk om met zoiets rekening te houden. En als er tussen hen wel contact was geweest, waarbij zijn doorzichtige leugens tegen het daglicht waren gehouden, dan zag hij daarin iets noodlottigs dat zijn onvermijdelijkheid had aangetoond door het simpele gegeven dat het feit was geworden.

God straft.

Sol geloofde niet dat God strafte. Dan hadden de Germanen die fout geweest waren in alle eeuwigheid gebrand. Sol wist dat dat niet het geval was, en aangezien zijn leugens niet het gewicht hadden van de Germaanse misdaden zouden die nog minder voor straf in aanmerking komen dan die van de moordenaars. God strafte niet, maar Sol merkte nu opnieuw dat hij hunkerde naar Diens Veroordelende Vinger, net als toen hij zijn vader onder een regen van verwensingen naar Suriname had zien vertrekken.

'Klootzak!' had hij hem op JFK nageroepen. 'Je bent een egoïstische hufter! Je hebt je hele leven maar aan één ding gedacht, *mamser*, en dat was niet ik, niet mama, niet Kodisj Borger, maar je PIK! Ga maar naar de zwartjes, *motherfucker*, en vertel ze maar over de hemel en de hel en over de goedertierenheid des Heren, en speel maar de heilige en de wijze, maar zorg voor één ding, rabbijn!, zorg dat ze nooit met mij in gesprek raken want ik zal een boekje opendoen over de Grote Verzoener die de jidden van Suriname het heil komt brengen! Zakkenwasser! Rabbijn zonder kruis!'

Sol wist nog steeds niet precies wat hij met dat laatste had bedoeld, maar het moest kwetsen en beledigen en zijn vader dagenlang zijn rust ontnemen.

Toen hij zijn opleiding volgde drong het tot Sol door dat zijn verwensingen zo christelijk hadden geklonken. Hemel, hel, goedertierenheid. Joden geloofden in de wederopstanding uit de dood, de Talmoedisten voerden zelfs discussies over de vraag of dat naakt of gekleed zou geschieden, en Sol, een onnozele toen hij op JFK zijn vader en zichzelf te schande maakte, hoopte dat hij zijn vader hoogstens met zijn onwetendheid had beledigd. Hij zag de brede rug van zijn vader toen hij zich hoofdschuddend afwendde en op het toestel naar Miami stapte. Sol had geld nodig, drieduizend dollar maar, en zijn vader had zijn hoofd geschud. Nadat Mordechai in de loop der jaren zijn zoon slechts één keer had geholpen, weigerde hij hem op het kritieke moment de reddende hand. Toen zijn vader in de vertrekhal van United op Sols smeekbede met '*jouw leven, jouw sores*' had geantwoord, stortte Sols woede zich in een onbeteugelde woordenvloed op zijn vader. Twee agenten hielden hem tegen toen hij Mordechai tot achter de *gate* wilde volgen, en tot overmaat van ramp pleitte hij voor de invrijheidstelling van zijn dronken zoon. 'Hij heeft een moeilijke tijd achter de rug, heren, weest u alstublieft mild voor hem. Hij is mijn zoon.' De stompzinnige verdrinking waardoor zijn vader aan zijn einde was gekomen leek de vervulling van zijn bezopen dromen te zijn. Aanvankelijk was Mordechai als vermist opgegeven, een dag later ontving Sol een telegram uit Paramaribo met het definitieve bericht: zijn vader was in de Suriname Rivier verdronken. Vervolgens probeerde Sol zichzelf in wodka te verdrinken.

Terwijl de kater de constructie van zijn schedel beproefde, belde Ruth om te melden dat de Rosenthals van Eighty-second zijn hulp nodig hadden. Zonder dat hij dat hoefde na te zoeken wist Sol wie dat waren. Leeftijdgenoten met een zoon, Joel, elf jaar oud en lijdend aan een fatale vorm van leukemie. Ruth vroeg naar zijn reis en Sol loog dat het leuk was om zijn oude vriend weer eens te zien. Het was obsceen om over de naderende dood van een kind te praten en een seconde later zonder haperen te liegen. Toch deed Sol dat.

Hij belde de Rosenthals. Joel, stervende, wilde hem zien.

Een taxi bracht hem naar een *highrise* achter Park Avenue. Op de dertigste verdieping werd hij opgewacht door Ed Rosenthal, een advocaat die leadzanger van een populaire rockband was geweest (Sol kende een half dozijn hits van de groep uit het begin van de jaren zeventig). Sinds zijn optredens was Ed veertig kilo aangekomen, een dikke man met wild krullend, rossig haar, waarop een keppeltje met een clip was vastgezet. Hervormde joden droegen privé of in het openbaar nooit de traditionele hoofdbedekking, en het verbaasde Sol dat Ed het orthodoxe ritueel volgde. Eds ogen glommen en niets wees erop dat hij de vader was van een kind dat niet lang meer te leven had.

'Hallo, rabbijn,' zei Ed glimlachend.

'Ed…' Hij gaf hem een hand.

'Kom binnen. Iets drinken?'

'Glas water.'

'Het is half zes, whisky?'

'Nou, ik weet niet of dat ver…' Natuurlijk was het onverstandig. Hij was net herstellende van een dronkenschap, de kater zette naar believen zijn klauwen in zijn kop, en maandag aanstaande, over vier nachtjes slapen, moest hij in het ziekenhuis trotse, eigengereide zaadjes produceren die niets liever wilden dan het doorboren van Naomi's eitje. Haar eisprong was tot op een uur nauwkeurig uitgerekend en als hij meewerkte (niet roken, niet drinken, veel proteïnen eten), dan kon er een heuse bevruchting plaatsvinden. Het lot van de wereld hing ervan af.

'Ik doe met je mee,' zei Ed vrolijk, alsof er iets te vieren viel. 'Rose, de rabbijn is er!'

Zijn vrouw was klein en slank en had net als Ed een woeste, kroezende haardos, die niet over haar schouders golfde maar als een vol bladerdek haar gezicht omlijstte, alsof het voorjaar haar hoofd in bloei had gezet. Ook zij straalde iets opgewekts uit, ondanks de vermoeidheid in haar gelaat en de rimpeltjes rond haar ogen en lippen. Sol herinnerde zich gladde, blozende wangen, jong als van een vijftienjarig meisje. Dat was een paar jaar geleden.

'Rabbijn, fijn dat je even kon komen. We denken dat het niet lang meer duurt.'

Ze sprak die zin zonder droefenis of gelatenheid uit. Het wachten, het hopen tegen beter weten in, heeft hen gek gemaakt, dacht Sol.

'Heeft hij medicijnen?'

Rose knikte. 'Hij heeft niet veel pijn nu. Dokter Shapiro heeft hem op een hogere dosis morfine gezet, maar hij is helemaal helder, zijn ogen staan zo... nieuwsgierig! We hadden het ons niet beter kunnen voorstellen.'

Om haar zijn medeleven te tonen kneep hij in haar arm en knikte, maar zij hoefde niet getroost te worden.

'We redden het wel, rabbijn, we weten dat we hem niet lang meer bij ons zullen hebben...'

Ze schoot even vol, haalde diep adem en glimlachte. Sol pakte haar hand en hield die stevig vast. Hij begreep niets van deze mensen. Hij zelf zou huilen en gillen en God vervloeken.

'... maar er zit iets natuurlijks in wat er allemaal gebeurt. We zijn niet meer kwaad op... op alles, op het leven. Joel probeert het te begrijpen en we geloven dat hij in zijn korte leventje al meer te weten is gekomen dan wij. Dat troost, vind je ook niet?'

Sol knikte, ook al was hij het niet met hen eens. Hij vroeg: 'Waar halen jullie de kracht vandaan?'

'Uit Joel,' antwoordde Rose, alsof het vanzelf sprak dat het kind zijn ouders bijstond. 'Hij wilde je nog graag spreken. Hij is erg gesteld op je en hij vindt het jammer dat hij geen barmitswa bij je kan doen. Hij zit met een paar vragen.'

'Ik zal proberen om ze te beantwoorden.'

'En er is een wonder gebeurd, Sol.'

'Ja?'

Sol had over vele wonderen gehoord en zijn scepsis kende geen mededogen, maar wat hem na de dood van zijn vader was overkomen had hij nooit rationeel kunnen verklaren (met grote schroom noemde hij dat soms *mijn wondertje*) en hij wilde deze mensen zoveel mogelijk tot steun zijn en hun vermogen tot acceptatie van het onacceptabele vergroten.

'Geloof je ons niet?'

'Ik geloof jullie.'

'Wanneer heb je hem het laatst gezien?'

'Een week of zes geleden.'

'En?'

'Wat bedoel je, Rose?'

'Hoe zag Joel eruit?'

Sol wist niet wat ze wilden horen. Hij probeerde een antwoord dat niet kon kwetsen: 'Niet goed.'

'Vreselijk, rabbijn, hij zag eruit als een gezwollen kreeft. De troep die ze in zijn lichaam hadden gespoten maakte hem nog zieker dan hij al was. Hij was kaal, dik en monsterlijk.'

Ze maakte een hoofdbeweging, hij moest haar volgen.

Het appartement was net zo weids als het zijne en getuigde van hun maatschappelijke succes. Grote ramen lokten het daglicht naar binnen en lieten dat exploderen op de kleuren en vormen van de doeken en sculpturen die zij verzameld hadden.

Rose opende een deur. 'Joel? De rabbijn is er.' Ze trok de deur verder open en gebaarde dat Sol naar binnen kon gaan. 'Hij luistert naar muziek.'

Op de drempel bleef hij staan.

Het jongetje had zijn haar teruggekregen en zag er gezond uit, alsof hij zo meteen zou gaan basketballen. Met gesloten ogen, de koptelefoon van een walkman op het hoofd, lag hij gekleed op bed.

Sol keek naar Rose, en zij knikte glimlachend en haar ogen zeiden: zie je wel?

'Sol, wil je je whisky nog?'

Ed kwam met een glas aangelopen. 'Hier.' Hij fluisterde trots: 'Hij heeft zijn haar terug! In drie weken is het zo aangegroeid! Dríe wéken! Wonderlijk toch? We weten wel dat het kan terugkomen wanneer de chemotherapie wordt stopgezet, maar nooit zo snel! De dokter zei dat hij nog nooit zoiets had gezien. Heb jij daar een verklaring voor?'

Sol schudde zijn hoofd. Hij nam het glas aan en stapte naar binnen.

Toen hij op het bed ging zitten en het matras in beweging bracht, sloeg Joel zijn ogen op. Langzaam trok de jongen de koptelefoon van zijn oren en zette de walkman uit. Een smal joods gezicht met grote bruine ogen, mediterraan, exotisch bijna, met een gave huid en meisjesachtige wimpers. En haartjes die een centimeter lang waren. Hij bleef liggen.

'Hi, rav…' Hij sprak met zachte stem, moeizaam zijn lippen plooiend.

'Hi, Joel…'

Hij had Joel 's zondags les gegeven. Allebei waren ze fan van Joe Montana, de grootste quarterback uit de geschiedenis. Boven het bed hing een levensgrote poster van de tovenaar van de 49'ers.

'Je ziet er goed uit.'

'Ik heb nog een paar dagen. Dan stopt alles van binnen. Dat zeiden ze. Wat vind je van m'n haar?'

'Fantastisch.'

'Goed, hè? Chemotherapie maakt alles kapot. M'n vader zegt, het heeft geen zin.'

'Het heeft je leven gerekt.'

'Dat is waar.' Joel gimlachte, wachtend op een vraag van hem.

'Wat doe je zoal de hele dag?'

'Vandaag… luister ik naar de oude nummers van m'n vader. Best een goeie band. Had hij mee door moeten gaan. Advocaat, iedereen is advocaat. Maar wie heeft een vader die rockmusicus is? Vind je niet?'

'Blijkbaar had hij er genoeg van. Vond dat hij wat anders moest gaan doen. Hij moet goede redenen hebben gehad om zijn gitaar aan de wilgen te hangen. Ik geloof dat ik thuis ook nog een album van hem heb.'

'Ben je niet altijd rabbijn geweest?'

'Nee! In mijn geval duurde het lang voordat ik zover was. Jaren.'

'Ik dacht dat je zo ongeveer als rabbijn werd geboren. Dat je dat als kind al wilde.'

'Misschien zijn er rabbijnen voor wie dat zo is. Niet voor mij.'

'Ik wilde ook een rocker zijn,' zei Joel. 'Heavy.'

'Ik wist dat je gitaar speelde.'

'Volgende week ben ik dood. Dan komt 't er nooit meer van. Maar… rabbijn… wij geloven toch dat we weer terugkomen?'

Sol knikte. Hier ging het dus om. Joel wilde als rockgitarist uit de dood opstaan. Hij pakte de koele hand van de jongen en klemde die als een kleinood tussen zijn palmen.

'Hoe zit dat met… gitaren en versterkers? Zijn die er daar ook? Elektriciteit, speakers, headsets, synthesizers?'

'Ik weet 't niet, Joel. In de tijd dat de Talmoed ontstond was er geen popmuziek, geen Billboard. De rabbijnen hebben er nooit iets over gezegd.'

'Maar jij kan er toch iets over zeggen?'

'Wat wil je precies weten?'

'Wij joden geloven niet in de hemel?'

'Jawel. In Gan-Eden. Wij joden geloven in de hemel op aarde. We geloven dat de doden uit de graven zullen opstaan wanneer de tijd van de Masjiach is gekomen.'

'Dat weet ik. Ik heb gebeden dat de Masjiach zou komen voordat ik zou doodgaan, maar 't is niet gebeurd.'

'Niemand weet wanneer de Masjiach komt.'

'Zullen alle doden opstaan?'

'Dat weet niemand. De geleerde rabbijnen zijn het daarover niet eens. En als zij het niet weten, wie dan wel?'

'God,' zei Joel.

'Dat is zo,' beaamde Sol.

'En staan de doden overal in de wereld op of alleen in het land Israël?'

'Ook dat is onbekend. Ik weet wel dat er rabbijnen zijn die beweren dat de dode lichamen uit de hele wereld door de aarde naar het land Israël reizen en daar met hun ziel verenigd worden.'

'Een drukte daar onder de grond! Verkeersopstoppingen!'

Sol lachte met hem mee. Hij zag dat het Joel kracht kostte.

Nadat de jongen secondenlang naar adem had gezocht, vroeg hij: 'Kom ik ziek terug?'

'Vermoedelijk wel. Dit is wat God zegt: *Ik ben het die doodt en tot leven wekt, en ik heb verwond en ik zal herstellen en genezen.* Dus na de wederopstanding zal God genezen.'

'En dan sterf je nooit meer?'

'De rechtvaardige niet. *De rechtvaardige die door de Heilige, Zijn Naam zij geprezen, weer tot leven wordt gebracht zal nooit meer tot stof vergaan.* Zo staat het geschreven.'

'Hoe weet ik of ik een rechtvaardige ben?'

'Jij bent een rechtvaardige.'

'Ik heb m'n ouders wel eens uitgescholden.'

'Daarvan had je toch spijt?'

'Ja. Ik heb gestolen.'

'Heb je daarvan genoten?'

'Niet echt, nee.'

'Waar maak je je dan zorgen over?'

'Ik wil m'n vader en m'n moeder niet missen.'

'Je zult ze weer zien in de wereld die komen gaat.' Sol geloofde niet wat hij zei. Hij sprak deze woorden tot de jongen maar zelf geloofde hij niet dat hij zijn eigen Saartje of Mordechai weer zou ontmoeten.

'Beloof je dat?'

'Ik kan dat niet beloven. *Jij* moet het geloven.'

'Dat is moeilijk. Ik heb nooit gehoord dat iemand is teruggekomen.'

'De tijd van de Masjiach is nog niet aangebroken.'

'Hoe lang duurt dat nog?'

'Dat weten we niet. *Deze wereld is als een vestibule voor de wereld die komen gaat; bereid je voor in de vestibule zodat je de hal betreden mag.* In de afgelopen duizenden jaren is het vaak voorgekomen dat joden dachten dat de Masjiach was gekomen. Dat bleek steeds nep te zijn. Er zijn joden die denken dat ergens in de Thora het tijdstip verborgen ligt, dat je aan bepaalde woorden een getalswaarde kunt toekennen en dan kun je uitrekenen wanneer de tijd van de Masjiach zal aanbreken. Maar tot nu toe zijn alle reken- sommen verkeerd uitgekomen.'

'Zijn er ook mensen die niet opstaan?'

'In de Talmoed lees je soms de vreemdste dingen. Er- gens staat geschreven: *Zeven soorten personen zullen geen deel hebben aan de wereld die komen gaat: een schrijver, een leraar van kinderen, de beste van de artsen, de rechter van een stad, een tovenaar, een koster, en een slager.*'

'Slager? Waarom?'

'Geen idee. De rabbijnen die dat hebben geschreven hadden misschien een slager in de buurt die met z'n vlees rommelde.'

De jongen keek hem verbaasd aan. 'Maar goed dat papa geen slager is.'

'Er staat ook geschreven: *Het hele volk Israël heeft deel aan de wereld die komen gaat, want het is gezegd: Uw volk zal rechtvaardig zijn, zij zullen het land voor immer erven.*'

'Ron Sheinman zegt dat het er niet toe doet of je zondigt want iedereen die besneden is gaat naar Gan-Eden.'

'Ik weet dat dat wel eens gezegd wordt, maar het is niet waar. Er staat ook geschreven: als je echt gezondigd hebt dan stuurt Hij een engel en die zet de voorhuid er weer aan en dan ga je toch naar Gehinnom.'

'Echt waar?'

'Waarom zou ik liegen? Wie is Ron Sheinman?'

'Hij zit bij mij in de klas.'

'Dus hij denkt dat hij alles kan uitvreten omdat hij be- sneden is?'

'Ja. En m'n barmitswa?'

'In de wereld die komen gaat doe jij je barmitswa.'

Joel glimlachte: 'En Joe Montana?'

'Voor alle eeuwigheid zal hij de mooiste ballen gooien. Tenminste, als hij in Gan-Eden wordt toegelaten.'

'Waarom niet?'

'Precies. Waarom niet?'

Met spijt zei Joel: 'Ik denk niet dat er daar hitlijsten van Billboard zijn.'

'Er zullen andere mooie dingen zijn.'

Joel knikte. 'Emma…' zei hij.

Geen carrière als muzikant. Iets simpelers.

'Uit je klas?'

Joel knikte traag, alsof zijn hoofd zwaar was.

'Wil je haar nog zien?'

'Nee.'

'Weten je ouders van… Emma?'

'Alleen jij.'

'Dat is lief van je, om me zo te vertrouwen.'

'Ik heb een brief voor haar. In de la.'

Sol volgde zijn blik en hij stond op en nam de envelop uit een la vol kleurpotloden en viltstiften. Dik, roze papier. Onervaren handschrift: *Voor Emma, te openen na mijn dood.*

'Moet ik…?'

'Als ik er niet meer ben. Niet eerder, hoor.'

'Hand op het hart.'

Sol ging weer naast hem zitten, zijn hand tussen de zijne.

'Ik ben niet bang,' zei Joel, 'het is meer, net alsof je ergens gaat logeren, maar je weet niet bij wie en waar hij woont. Begrijp je dat, rav?'

## 11

Nadat hij met Ed en Rose een tweede, derde en vierde glas had gedronken – meer nog, bijna een derde van de fles had hij in zijn eentje weggespoeld, zijn zaadjes zwommen lallend door zijn ballen – holde Sol in de avondschemer met tranende ogen van hun flat naar het park, net zo buiten zinnen als na het gesprek met rabbijn Kohn. Hij dacht dat hij gehard was en na talloze afscheidsgesprekken en sterfgevallen door weinig meer kon worden beroerd. Het was zijn werk. Naast de vreugde van het begroeten van nieuw leven hoorde hij de stervenden en de nabestaanden te steunen en hem was tijdens zijn opleiding en stagetijd duidelijk geworden hoe zwaar dit deel van zijn roeping zijn leven zou belasten. Maar zelfs dat wende. Velen had hij ten grave gedragen. Maar niet eerder had hij het gevoel gehad dat hij stond te liegen. Geen woord van wat hij Joel had verteld, had hij gemeend. Hij bedroog niet alleen het kind, hij bedroog ook zichzelf.

Was hij zijn geloof kwijt? Had hij ooit geloofd? Zijn eigen wondertje had uiteindelijk naar de krankzinnige gedachte geleid dat hij zijn vaders diepste wens moest honoreren, en de raadselachtige rust die gepaard ging met zijn keuze voor de rabbijnenopleiding had hem de zekerheid gegeven dat hij iets ondernam waarvoor hij zich zijn leven lang had voorbereid: met stommiteiten, ongelukken, leugens, liederlijkheid. Maar bleek nu ook zijn roeping niet een vlucht te zijn voor zijn onvolmaaktheid, zijn onvermogen om voor het goede en schone te buigen? Hij probeerde denkbeelden toe te passen die in hun letterlijkheid volstrekt belachelijk waren. Een engel die een voorhuidje komt plaatsen. Lijken die door een door God gegraven geul op weg gaan naar het Beloofde Land. Hij kon niet geloven in een Heer die Zijn gelovigen opzadelde met de vraag of blinden in de wereld-die-komt ziende zullen opstaan. Een Heer die Joel liet sterven na het schrijven van zijn liefdesbriefje aan Emma.

Aan de ingang van het park stond hij hijgend bij te komen. Hij wist dat hij opnieuw dronken was, maar dat was geen verontschuldiging voor de verstikkende behoefte aan helderheid die hij ervoer. Joels lijden was zinloos, zei Sol tot zichzelf, zijn hoop op een leven na het sterven van zijn onschuldige lijfje ridicuul. Sol hielp slechts bij de instandhouding van geïnstitutionaliseerd bedrog. Hij vervloekte zijn vader, die hem tot grotere leugens had aangezet dan zijn vroegere vrienden.

Had hij het kind de droom van de wederopstanding moeten onthouden? Hem als een hond in zijn laatste adem laten stikken? Om zijn benauwde borstkas ruimte te geven richtte Sol zich op en wierp zijn duizelige hoofd in zijn nek, met loensende blikken kijkend naar de kruinen van de bomen die niet woedend met hun takken zwaaiden, niet rebelleerden tegen de betekenisloze dood van Joel. De onverschilligheid van de natuur was net zo onthutsend als de onzinnigheid van de joodse theologie. Maar Sol had geen keuze wanneer hij aan de kale feitelijkheid van Joels lijden dacht en het kind zijn laatste momenten zonder angst wilde laten doorstaan. Sol moest troost bieden ofschoon de wereld ontroostbaar was.

Hij liep onzeker het park in en zag de avond over de stad vallen. De wolkenkrabbers verhieven zich machtig boven de kruinen van de bomen, onkwetsbaar en eeuwig, en Sol nam zich voor om hier op de demonen uit de hel te wachten, de junks, dealers en wino's die na zonsondergang bezit namen van de gazons en paden en lanen en hun eigen duistere rituelen uitvoerden: snuiven, spuiten, zuipen, roven en stelen. Sol was ervan overtuigd dat hij niet naar Naomi, naar hun paleis vol illusies, kon terugkeren wanneer hij niet de betekenis van zijn bestaan terugvond. Het was een impuls, Sol begreep dat, maar er was niemand die hem kon tegenspreken om hem op de futiliteit van zijn queeste te wijzen. Het enige wat me kan overkomen is dat ik m'n leven erbij inschiet, dacht Sol, *so what?* Als hij zo meteen door een groep kansarme Afro-Amerikanen aan slagersmessen werd geregen (natuurlijk waren slagers in de tijd van de oorspronkelijke Talmoedisten ook huurmoordenaars), dan zou de volgende ochtend bij de lijkschouwing behalve zijn keppeltje (in zijn broekzak, altijd voor noodgevallen bij de hand) Joels briefje worden aangetroffen. Hopelijk zouden ze het belang ervan (ach, hij wist dat zoiets niet bestond, een belang dat boven het directe en persoonlijke uitsteeg, iets van kosmische omvang – laat me 't maar zien, zei Blinde Maupie) onderkennen en de brief aan Emma overhandigen. Discreet. Zonder dat zij er haar leven lang voor zou moeten boeten.

Weduwe Naomi kon probleemloos een ander huwen, een viriele gynaecoloog (niet de beste, want die mocht niet opstaan in de wereld-die-komt) met ijverige spermatozoa die vrolijk de weg naar haar eitjes vonden en tot oppassende erfgenamen van het slavendrijverskapitaal uitgroeiden. Niemand zou Sol missen. De leugens waarmee hij zijn brood verdiende waren zo doorzichtig dat elke handelaar in tweedehands auto's er zijn carrière mee zou verknallen.

Boven de deur van Temple Yaakov stond een vers van Jesaja te lezen: *En het werk van rechtvaardigheid zal vrede zijn en het gevolg van rechtvaardigheid rust en veiligheid voor altijd.* Hoe kan er rechtvaardigheid bestaan, dacht Sol, hoe is het mogelijk de dood van Joel te verzoenen met de rechtvaardigheid die door God behoed en geprezen wordt? Zijn onbegrip had hij altijd gesust met de gedachte dat Gods wegen duister waren, vaak had hij dat platte idee ten einde raad aangeboden wanneer elke andere vorm van 'troostverlening' (tijdens zijn opleiding had hij er les in gekregen) onbeholpen bleek, maar hij durfde nu toe te geven aan de idee die daarmee spotte: Gods wegen zijn duidelijker dan wat ook in de wereld. Goedheid. Oprechtheid. Trouw. Joel had nog niet de kans gekregen Gods wegen te bevuilen en toch gunde Hij hem niet het voordeel van de twijfel. Blijkbaar interesseerde het Hem niet.

Laat ze maar komen, dacht Sol, de verslaafde ruiters van de Apocalyps, de tandeloze junks met hun rottende huid en gele ogen. Ze mochten zijn hart uitsnijden, zijn lever vreten, zijn ingewanden aan de honden voeren.

Hij zocht steun bij een bank en ging liggen. Vroeger had hij in het park met vriendinnen gewandeld en op de gazons hun lippen geproefd, onder een jasje of vest hun borsten gestreeld. Liggend op het geurende gras beweerde hij dat hij op de wolken zou lopen wanneer zijn toekomst als restauranthouder, reclameadviseur, reisbureaubezitter, koeriertycoon, fast food-imperialist, haar hoogtepunt had bereikt, en de vrouwen (jong, mooi en naïef) hadden met hem meegedroomd. Maar hij had zich niet eerder languit op een parkbank uitgestrekt. Dat deden de waanzinnigen met hun roodbruine uiterlijk en woeste haren, de slachtoffers van de bezuinigingen die de inrichtingen hadden getroffen. Hun gekte was niet gevaarlijk genoeg om ze binnen de poorten te behandelen en ze hadden de binnensteden verrijkt met hun obsessionele ogen, waarin Sol de angst van de oermens las, de nomade zonder grot of dak, de bijgelovige die blootgesteld was aan de magie van regen, bliksem en zon en die zijn dagen vulde met het temmen van de verbijstering.

Het werd donker en stiller in het park en Sol staarde naar de sterrenhemel. Toen hij zijn ogen sloot voelde hij de nadering van een geslepen lemmet. Hij wist zeker dat iemand op hem toesloop met een mes waarop het maanlicht reflecteerde. Het kon elk moment gebeuren. Met kloppend hart wachtte hij op iets waarvan hij geen voorstelling had, behalve angst. Voor wat? Angst voor het niet-zijn, voor het geritsel dat zijn oren onmiskenbaar registreerden. Voorzichtig keek hij tussen zijn wimpers en zag op twee meter afstand een eekhoorn met een gekromde pluimstaart. Ze keken elkaar aan, allebei verrast door elkaars aanwezigheid, en na een paar seconden vluchtte het dier de duisternis van een bosschage in. Opnieuw sloot Sol zijn ogen en na een uur verliet hij de bank, ontwaakt uit een onrustige slaap, en keerde met dreunende kop terug naar het comfort van 210 CPS. Niemand had hem beroerd, bedreigd, beledigd. De schimmen die hij tijdens zijn wandeling naar het licht van de straten achter de boomstammen ontdekte waren net zo bang voor hem als hij voor hen. Hij lette erop dat zijn pas de indruk wekte dat hij hier elke avond zijn vertrouwde ommetje maakte. Maar elke waarnemer kon vaststellen dat hij hier niet hoorde.

Terwijl hij het Plaza naderde en zijn opgewonden hart gekalmeerd werd door de aanblik van het stralende hotel (Trump had het zwaar verpand maar liet zich desondanks niet als een bezetene op een parkbank zakken), besefte Sol dat hij leed aan een volwassen, ouderwetse, gekmakende, alles aanvretende crisis, een tropische storm die hem als een veertje door de lucht liet tuimelen. En het curieuze was dat Sol wist hoe de remedie luidde die hem van zijn crisis kon verlossen: hij hoorde de fles te laten staan en met Naomi een vruchtbaar huwelijk te leiden, in deugdzaamheid en bescheidenheid, hij moest zijn ballen reinigen en zijn zaad aanzetten tot reproduktie. Het was hoogmoed om de engel met het stukje voorhuid uit te dagen.

Hij wandelde langs de koetsen terug naar huis en door het zicht op de onbesneden paardelullen herinnerde hij zich een tweede voorhuidverhaal uit de Talmoed: *In het hiernamaals zal Abraham bij de ingang van Gehinnom zitten en niet toestaan dat een besneden Israëliet erin afdaalt. Maar wat doet hij met hen die onmatig hebben gezondigd? Hij verwijdert de voorhuid van kinderen die zijn gestorven voordat ze besneden konden worden, plaatst die bij de zondaars en stuurt ze omlaag naar Gehinnom.*

De lucide verwarring die zich meester had gemaakt van zijn hart, verhinderde dat hij kon kiezen tussen ergernis en vertedering.

## 12

Aan het begin van de middag zou de eisprong, versterkt door hormooninjecties, plaatsvinden en Sol meldde zich om tien uur bij de kliniek, Naomi zou later komen. Sol kreeg een paar uur de tijd om zijn zaad af te leveren en zodra het eitje zijn vruchtbaarste moment beleefde zou het uit Naomi's eileider worden genomen en onder het licht van TL-buizen aan de stoere vissen uit Sols onderbuik worden blootgesteld. Vervolgens zouden ze het eitje bij haar terugplaatsen. Voor Sol betekende deze gang van zaken niet meer dan een nogal ongewoon moment van zelfbevlekking, maar voor Naomi was het een afmattende gebeurtenis, die zij al een paar keer binnen een jaar had doorstaan.

Sol kende het kamertje. Stapels goedaardige *Playboy*'s en *Hustler*'s en op verzoek wat pittiger werk, eventueel video's met fors hei- & beukwerk en ejaculaties als doorgebroken stuwdammen.

Sol wist niet waar de grillen van de natuur moesten worden beperkt en waar gerespecteerd. In zijn geval werd de medische techniek ingezet voor een relatief onschuldig probleem, en hij was er niet zeker van of de onvruchtbaarheid van zijn huwelijk met zoveel geld, tijd en intellectueel geweld moest worden bestreden. Als lijden kon worden weggenomen dan kende hij geen enkel bezwaar tegen medisch ingrijpen. Het totale medische vernuft mocht wat hem betreft worden ingezet om het blinde noodlot te lijf te gaan, maar er waren grenzen. Euthanasie en genetische

manipulatie vormden problemen die nauwelijks in een-
duidige regelgeving waren te vangen, elke patiënt, elke
ziektegeschiedenis (zijn werk had hem aan vele ziekbed-
den gezet) was uniek, en Sol had nog geen antwoord gevonden op de vraag of aan het leven van een comateuze
patiënt die zich niet kon uiten en geen kans op herstel had
op verzoek van familie een einde kon worden gemaakt. Op
congressen had hij naar rabbijnen geluisterd die vonden
dat dat wel mogelijk was wanneer aan 'eisen van zorgvuldigheid' kon worden voldaan, en Sols vaderland speelde
bij die discussies een belangrijke rol aangezien daar een
vooruitstrevende politiek ten aanzien van medisch ingrijpen werd gevoerd, maar Sol wist nog steeds niet wat 'eisen
van zorgvuldigheid' inhielden, ook al had hij erover gelezen. Zijn praktijk dwong hem een standpunt in te nemen,
want ook zijn congregatie telde ernstig zieken die zonder
hoop op verbetering, zonder menselijke verwachtingen,
de wereld vervloekten en in wanhopige discussies met
weifelende artsen zijn steun zochten. Sol was geregeld getuige geweest van passieve ingrepen. Machines werden gestopt, medicijnen onthouden, morfinedoses opgevoerd.
Wat zou hij hebben ondernomen bij het ziekbed van zijn
moeder?

Met zijn broek op zijn enkels wachtte hij op een erectie.
Zijn gedachten werden beheerst door vragen die zijn opdracht hier ridiculiseerden. Maar hij mocht Naomi's inzet
niet ondermijnen. Haar verlangen om zwanger te worden
en kinderen op te voeden, het gezinsleven in zijn volle rijkdom te consumeren, moest hij niet alleen uit huwelijks-
plicht steunen. Het was ook zijn opdracht als jood om nakomelingen te krijgen. Hij ging staan, nam zijn geslacht in
zijn hand en probeerde het tot groei te brengen terwijl hij
de beelden op de monitor bekeek. Had een van de em-

ployés van het ziekenhuis de bijzondere taak deze video's te selecteren? Een arts, een verpleegster, die in het weekend de catalogi van de videoboeren nasnuffelde op zoek naar de geilste momenten ooit in beeld gebracht? Een grote blonde man met een fijngeknipt snorretje, krachtig gespierd en gezegend met een geslacht waarmee honkbal kon worden gespeeld (het gelaat en de gestalte van zijn zwager Tom Wirtschafter vertoonden enige gelijkenis met deze dekhengst, misschien gold dat ook voor zijn geslacht) bedreef het liefdesspel met maar liefst twee vrouwen tegelijk. Een van de twee deed Sol denken aan een serveerster met wie hij lang geleden een paar maanden was omgegaan, brede heupen, weke, taartachtige borsten en een gezicht met harde, bijna wrede trekken, de zichtbare tekenen van een leven vol teleurstelling. Achteroverliggend op een tafelrand hield ze haar geslacht met beide handen open zodat de man zijn tong kon gebruiken, en Sol vroeg zich gefascineerd af hoe de cameraman zich in die hoek kon hebben gedraaid want hij moest zich zo ongeveer ter hoogte van de verstandskies van de driftige beffer bevinden teneinde Sol het shot van de verse stekeltjes van het geschoren geslacht te kunnen bieden. De beffer verrichtte met gesloten ogen zijn zware werk tussen de dijen van de vrouw, ondanks de levensgrote aanwezigheid van camera plus technici, en het was wonderlijk dat de beffer ondertussen een bovennatuurlijke erectie in stand hield die onder de tafel door de andere vrouw (die zich strategisch op haar knieën had opgesteld) met de mond werd geliefkoosd. Ook al was het mogelijk dat de scène aan het esthetisch gevoel van tafelbouwers appelleerde, Sols geslacht liet er zich niet door amuseren en volhardde in zijn staat van bescheidenheid.

Als hij zich concentreerde op de herinnering aan de

zangeres dan had hij zich kunnen opgeilen, maar Sol vond het weerzinwekkend om zijn vrouw te bevruchten met zaad dat door de gedachte aan een andere vrouw was gaan vloeien. Misschien was dat ook het probleem geweest met de zaadlozingen van het afgelopen jaar: opgefokt door onzinnige beelden van video's en seksblaadjes had hij zijn stijve pik liefdeloos tot ontlading bewogen. Hij was niet medisch onderlegd en zijn gevoel was geen maatstaf voor de waarde van zijn ideeën, maar hij hechtte geloof aan de gedachte dat zijn zaadjes uit pure toewijding Naomi's eitje tot deling moesten aanzetten, en wanneer ze dat niet spontaan tot stand brachten dan konden geen duizend behandelingen hun motivatie beïnvloeden.

Er werd op de deur van zijn kamertje geklopt. Een tafel, bed, stoel, videoset, wasbak, alles strak en glad en eenvoudig schoon te houden, tussen lichtblauwe wanden en een plafond met ingebouwde lichtpanelen. Op het formicatafelblad wachtte het steriele glazen bakje.

'Ja?' riep Sol door de gesloten deur.

'We willen u niet haasten, rabbijn, maar we houden niet veel tijd over. We moeten uw zaad nog opwerken!' Het was de stem van een van de artsen, Phil Goldblum.

Sol had een keer tussendoor wat extra geproduceerd, maar Naomi's eisprong vond toen tijdens een van zijn reizen plaats en het voorraadje was opgebruikt. Daarbij meenden de specialisten dat het beter was dat zijn sperma zo vers mogelijk werd toegepast. Voor een IVF waren minimaal 1 miljoen actieve zaadcellen nodig, en de 19 miljoen trage dienden uit het ejaculaat te worden verwijderd. 'Opwerken,' noemde Goldblum dat.

'Ik doe m'n best, ik doe m'n best!'

'Als het u niet lukt, dan...'

'Wat stelt u voor? Wilt u me helpen?'

Goldblum was een lange joodse jongen van nog geen dertig, bescheiden en voorkomend, die de indruk wekte elke vrijdagavond in verrukking zijn moeders gouden soep te lepelen.

'Dat is niet mijn taak, rabbijn.'

'Ik heb tijd nodig, dat begrijpt u toch wel?'

'Uw vrouw is gearriveerd en we hebben haar zojuist onderzocht. De eisprong kan elk moment plaatsvinden!'

'Ik haast me!'

'Het klinkt een beetje vreemd wat ik ga zeggen, maar… we weten dat hier in het ziekenhuis vrouwen rondlopen die chronische patiënten eh… van dienst zijn. Zou u gebruik willen maken van de eh… mogelijkheden van een van hen?'

'U bedoelt: er lopen hier prostituées in en uit?'

'Dit is een groot ziekenhuis, rabbijn, en we kunnen niet alles controleren. Anders zou ik graag een ethische discussie met u willen voeren, maar zoveel tijd hebben we niet: kunt u het alleen af?'

'Ja.'

'Dat wilde ik alleen maar weten. Het spijt me dat ik u gestoord heb.'

'Mij ook, ja.'

Sol deed zijn best, zijn hand bewoog driftig op en neer, hij probeerde zich te verlekkeren in de mooiste Playboymodellen, las met grote ogen over hun hobby's en ambities, maar wat op zijn palm lag had zijn hoofd elders. Waar?

Sol trok zijn broek op en waste zijn handen toen het tot hem doordrong dat de tijd verstreken was. Goldblum had blijkbaar niet de moed gehad om hem nogmaals op de *deadline* te wijzen en het moment van de eisprong was zaadloos in de eeuwigheid verdwenen.

Toen Naomi hem zag streelde ze zijn arm, een vorm van troost die hem moest vertellen dat ze er niet door van streek was. Sol glimlachte met een schuldige blik. 'Het spijt me,' zei hij. Ze schudde haar hoofd. 'Je kunt er niets aan doen,' antwoordde ze, maar haar ogen liepen vol en ze draaide zich met een ruk af en haastte zich naar de dichtstbije wc. Hij riep haar na, maar ze verborg zich achter de deur.

Sol leefde met leugens, hij had zich de afgelopen week aan slechte invloeden blootgesteld, en de mislukking van vandaag was vermoedelijk te wijten aan de alcohol die hij een paar dagen geleden naar binnen had gegoten. Drank bracht het donkerste van zijn ziel aan de oppervlakte, het wanhopigste, het triviaalste. Jarenlang had hij met de gedachte geleefd dat hij de verwarring van zijn jeugd overwonnen had, maar wat hij nu beleefde was niets minder dan de overtreffende trap van zijn zwakke periode.

Ze namen een taxi naar huis en zwijgend staarden ze naar de stad. Hij had haar hand gepakt en die met kracht op zijn schoot gehouden, alsof hij bang was dat die hem zou ontglippen. Hij wist niet of hij nog van haar hield. Wat hij wel wist was dat hij bij haar in het krijt stond. Net als bij Joel. De afgelopen dagen had hij elke dag gebeld. Het kind was niet bij bewustzijn en Ed en Rose hadden alle medicijnen geweigerd, op pijnstillers na. Gisteren, aan het einde van de zondagmiddag, had Sol vijf minuten naast zijn bed gezeten, onder de poster van Joe Montana. Op het nachtkastje lagen cassettebandjes met de songs van zijn vader en in de hoek stond op een chromen standaard de Fender Stratocaster waarmee hij Emma had willen verleiden. Joel lag stil te slapen. Droom de mooiste dromen, dacht Sol, en hij slaagde erin zijn tranen te bedwingen tot hij in de lift stond.

Naomi was mooi in haar woordloze verdriet. Sol besefte dat ze zichzelf nu moed insprak. Leed zij net zoals hij onder het verdorren van hun seksleven? Hij had in zijn verblinding een naaktclub bezocht en 's nachts de aandacht van *cops* getrokken, maar wat ondernam Naomi? Onderhield zij ergens een *gigolo*, of deden alleen dames van boven de zestig dat? Hij hoopte dat zij zich liet troosten in de armen van een jonge Griek met lang zwart haar dat in een staartje tussen zijn schouderbladen hing, met smalle heupen, soepele billen en een sensibele pik. Hij bespeurde geen greintje jaloezie wanneer hij zich voorstelde hoe zij zich boven op haar minnaar draaide en naar een orgasme galoppeerde. Kwam dat omdat hij niet meer van haar hield? Hij kneep in haar hand en ze keek even naar hem om. Ze glimlachten naar elkaar, maar hij zag de angst in haar ogen en hij vroeg zich af of zij hetzelfde bij hem las.

## 13

Kohn zat aan het hoofd van de beukehouten tafel, links en rechts van hem keken Sols vier collega's ontspannen naar hem om toen hij binnenstapte. Ze stonden op toen hij hun de hand schudde. De rabbijnen van de congregatie waren nu voltallig bijeen en Sol liet zich niet door hun hartelijkheid uit het veld slaan. 'Hi, Sol, fijn dat je er bent.' 'Sol, alles goed met Naomi?'

Ik heb Jenny achter me, dacht Sol zelfverzekerd, en hij beantwoordde hun vriendschappelijkheid met een krachtige handdruk, alsof hij niets wist van hun intriges. Hij vermoedde dat Harvey Pressman de aanzet tot dit overleg had gegeven. Harvey, al vijftien jaar verbonden aan Yaakov en de gedoodverfde opvolger van de pensioengerechtigde Kohn, had geen vrede met Jenny's invloed en zocht sinds enige tijd naar een mecenas die dezelfde financiële kracht kon ontwikkelen als zij. Een andere donateur zou Sols positie verzwakken, en dat was wat Harvey nastreefde. Sol was te populair geworden. Als schrijver trok hij de aandacht en zijn preken vonden bijval. Harvey was bang dat Sol, ondanks zijn kortere staat van dienst en gebrek aan ervaring bij andere congregaties, zich met Jenny's steun als de toekomstige leider van Yaakov zou ontpoppen.

Sol nam plaats naast Steven Wolf, een briljante kenner van het jodendom die drie jaar geleden bij de tempel was komen werken. Hij had geen directe invloed op de stemming binnen de groep en zou slechts de meerderheid steunen, altijd met de wind meewaaien teneinde zijn toekomst hier veilig te stellen. Als preker stelde hij nog teleur, maar Wolf had tijd nodig. Anders dan Sol, die vele jaren als kleine oplichter had geleefd en het klappen van de zweep kende, had Wolf een verleden als wiskundige, waarmee hij zijn retorische vermogens slechts in geringe mate had ontwikkeld. Nog steeds sprak hij als iemand die zijn studenten toefluisterde dat de vergelijking achttien onbekenden had.

Willy Garten, die aan de andere kant van Wolf zat, was een leeftijdgenoot van Sam Kohn. Al lang geleden had hij zich met de gedachte verzoend dat Kohn niet door hem zou worden opgevolgd. Garten zou Sol niet laten vallen aangezien Harvey Pressman zijn grote tegenstrever was (een groot deel van Kohns werk bestond in het balanceren van Garten en Pressman; zolang die twee elkaar haatten was het leidinggeven aan deze synagoge een overzichtelijke baan). Sols vierde collega was Charlie Fields, een grote, dikke man die zijn leven wijdde aan zijn gezin en aan zijn ouders, beiden overlevenden van de kampen. Met Charlie onderhield Sol goede betrekkingen, ze bezochten elkaar thuis en hadden in het verleden samen conventies bezocht. Charlie's preken waren net zo goed als die van Sol, maar hij miste Sols onbeschaamdheid (die Sol vroeger gehinderd had maar hem nu van pas kwam).

'Finkelstajn,' zei Kohn.

'Ja,' zei Sol, en allen lachten.

'Het is jammer dat we erover hebben moeten praten,' ging Kohn verder, 'en we stellen het op prijs, Sol, dat je ons de tijd gaf om het er zonder jou over te hebben, dat is sjiek van je.'

Sol maakte een gebaar van: die verdienste is te klein om er melding van te maken. Toen jullie vergaderden probeerde ik me af te rukken, dacht hij.

Kohn knikte en liet zich niet afleiden: 'Finkelstajn is een

vreemde snoeshaan. Er lopen veel vreemde snoeshanen bij de chassieden rond. Ze lopen met een boog om ons heen, vervloeken ons, zien ons als gespuis, maar als ze ons nodig hebben – voor een geldinzamelingsactie, natuurlijk – dan mogen we eventjes vrienden zijn. Jouw stuk was begrijpelijk. Finkelstajn is dom en domme mensen doen onbegrijpelijke dingen. Je had dit hier aan tafel kunnen zeggen, je had er thuis over kunnen praten met familie en vrienden, maar het in de openbaarheid uiten van zulke gedachten is voor een rabbijn – en niet zomaar een rabbijn maar een die verbonden is aan deze tempel, de meest gerespecteerde die er vermoedelijk in de hele wereld bestaat – op z'n zachtst gezegd omstreden. We hebben veel telefoontjes gekregen, Sol, van onze eigen congregatieleden, van buiten het jodendom, van de pers, en ik moet zeggen dat ze me veel zorgen hebben gebaard. Daarom dacht ik dat het nodig was dat we erover spraken, en ook Harvey vond dat het geen kwaad kon wanneer we er met ons allen over discussieerden.'

Sol wierp Pressman een blik toe en dacht: sterf. Hij smeekte de Heer om beheersing en relativeringsvermogen.

'Ik begrijp het,' zei Sol, 'ik denk dat ik me ook zorgen zou maken wanneer een van ons op de verkeerde manier in de publiciteit kwam. Maar is dat wel het geval? Finkelstajn is hier de crimineel, niet ik. Ik geloof dat we dat uit elkaar moeten houden. En wat heeft erover in *The Times* en in *The Post* gestaan?'

'We houden alles goed uit elkaar, dat doen we,' antwoordde Kohn, 'wat dat betreft valt jou niets te verwijten. Wat voor ons van belang is, is de strategie.'

Kohn sprak graag over zulke dingen, had Sol al jaren geleden vastgesteld. Strategieën, tactieken, manoeuvres, de woorden die bij een denker in brede zetten hoorden, iemand die boven de kleine problemen van de praktijk wilde staan en de belangen van de congregatie als geheel in het oog hield.

'Voor mij ook,' zei Sol.

'Natuurlijk,' zei Kohn, 'ik denk dat dat voor elk van ons geldt. En de strategie op langere termijn vraagt om gesloten gelederen en het hoeden van het beeld van de jood in de openbaarheid.'

*Langere termijn, gelederen, openbaarheid*, Kohns favoriete vocabulaire werd in stelling gebracht. Sol knikte.

'Jouw artikel in *Shalom* valt binnen deze strategie nogal zwaar.'

Sol knikte nog steeds.

'En daarom meent het overleg dat we een persverklaring moeten afgeven om ons te distantiëren van jouw stuk.'

'Het overleg. Dus niet jullie?' vroeg Sol verbaasd.

'Wij ook, natuurlijk, maar wij zijn vanochtend bijeengekomen omdat het overleg, en ik heb wekelijks contact, Sol, dat weet je, het van belang vond om jouw stuk in de openbaarheid te relativeren.'

Een representatieve vertegenwoordiging van de hervormde joden van New York vond het nodig om Sol Mayer terecht te wijzen. Sol begreep niet waaraan hij dit had verdiend.

'Ik heb niets anders gedaan dan een gekke jid als gekke jid beschrijven.'

'Dat zou een rabbijn achterwege moeten laten, Sol,' zei Kohn met een meevoelende glimlach.

'Als wij geen helderheid scheppen, wie doet dat dan?'

'Dat doen de antisemieten wel, Sol, daarvoor hebben zij ons niet nodig,' zei Harvey Pressman op de vriendelijkste toon die hij voor Sol kon opbrengen.

'Suggereer je nu dat ik een antisemiet ben?'

'Natuurlijk niet! Sol! Hoe kun je me van zoiets betichten?'

Hij was in Harvey's val gelopen. Sol had precies de opmerking gemaakt die zijn verdediging kon openbreken.

'Waarom zou ik niet in het openbaar over een vervelende jood mogen schrijven? Waarom niet?'

'Omdat we niet in het Gan-Eden leven,' antwoordde Kohn. 'Zolang er mensen zijn die door jouw artikel denken dat alle joden zo zijn – en daar heb jij geen schuld aan, maar wel de antisemieten – moeten we omzichtig, verstandig, vooruitziend in de openbaarheid treden. Jouw artikel is een voorbeeld van het tegenovergestelde.'

'Ik heb mijn stukje in een blad laten afdrukken dat alleen door joden wordt gelezen. De enige kranten die er aandacht aan hebben geschonken zijn twee clubbladjes van de schwartzen. Ik denk niet dat er antisemieten zijn die reikhalzend naar het nieuwe nummer van *Shalom* uitzien.'

Harvey zei: 'Misschien nu wel.'

'Ik vind dat geen eerlijke opmerking, Harvey.' Sol was rustig genoeg om die woorden zonder stemverheffing uit te spreken.

'Ken je dit?'

Harvey schoof een tijdschrift naar hem toe. *White World.*

'Clubblad van een extreem-rechts groepje. Lees bladzijde drie even.'

'Waarom zou ik? Ik lees die troep niet.'

'Je wordt met instemming geciteerd, Sol.'

'Ze hadden ook de Thora kunnen citeren. Wat daarin staat over joden...'

'Sol, Sol,' suste Kohn, 'zie in dat je niet verstandig gehandeld hebt. Geef dat toe en dan kunnen we gewoon zonder problemen verder.'

'Ik zie niet wat ik verkeerd gedaan heb. Finkelstajn is fout! Niet ik!'

'We leven in een onvolmaakte wereld, rabbijn Mayer!' riep Pressman. 'En daarin hou je rekening met je vijanden!'

Met jou, ja, dacht Sol, niet met een paar racistische gekken uit een gehucht in het mid-westen. Sol pakte het tijdschrift en probeerde te achterhalen waar het werd uitgegeven. Boise, Idaho.

'Jullie weten toch waar dit vandaan komt? Uit het land van xenofobe boeren en herboren christenen! De Heer weet hoeveel exemplaren hiervan zijn gedrukt? Een paar honderd?' Hij schudde zijn hoofd. 'Ik kan me niet door zoiets van de wijs laten brengen. Ik schrijf wat ik moet schrijven. *White World*, kom nou. Hoe zijn we hier aan gekomen?'

'Bij de post,' antwoordde Kohn.

'Mensen, kom nou, gaat het echt hierover?' Sol wapperde met het blaadje. 'Laten jullie je echt gek maken door een paar bezetenen uit Boise, Idaho?'

'Nee. Natuurlijk niet, Sol. Het gaat ons om New York. Om onze eigen mensen. En die hebben gebeld, Sol.'

'Hoeveel?'

'We hebben meer dan dertig telefoontjes binnengekregen.'

Drieduizend gezinnen waren lid van de gemeente, maar dertig was relatief veel. De leden van Yaakov belden nooit als ze geen hulp nodig hadden. Sol had dat niet moeten vragen.

'Allemaal negatief?'

'Ja.'

'Ik wist niet dat *Shalom* zo populair was.'

Kohn zei: 'Ik denk dat ze daar blij mee mogen zijn. Maar dat is niet de kwestie hier. Het overleg vraagt om een openbare distantiëring en we hebben er vanochtend, voordat jij kwam, over gesproken. Wij, de tempel, zullen de verklaring van het overleg mede onderschrijven.'

'Ofwel: jullie geven me op m'n donder?'

'Onze strategie is erop gericht om negatieve publiciteit ten aanzien van de joodse zaak te voorkomen,' zei Kohn. 'Dat is alles.'

'Ik wil dit gesprek relativeren,' zei Charlie Fields, de familieman, 'Sol is een goede rabbijn. Waarom zouden we onze eenheid op het spel zetten?'

'Onze eenheid is niet in het geding. De eenheid van het beeld van de joden wel,' vond Harvey Pressman.

'Dus jullie onderschrijven een persbericht van het overleg?' wilde Sol weten.

'Ja,' zei Kohn.

'En ik moet vervolgens beweren dat ik het zo niet heb bedoeld?'

'Dat zou verstandig zijn,' adviseerde Kohn.

'Mag ik daarover nadenken?'

'Natuurlijk. En mag ik je verzoeken om je pen even te laten rusten?'

'Een schrijfverbod?' vroeg Sol.

'Ik ben geen censor, wil dat ook niet zijn.' Irritatie klonk in Kohns stem. 'Rust, Sol. Dat heb jij nodig. Harvey was zo vriendelijk om zijn preekbeurt aan jou af te staan aanstaande shabbat zodat de buitenwacht het juiste signaal krijgt over onze eenheid.'

Sol vermoedde dat Pressman dat niet zelf had aangeboden. Willy Garten, die geen woord had gezegd, moest de inspirator van dat idee geweest zijn. Willy had op dit moment gewacht en zei: 'Zo brengen we de verhoudingen weer in balans. Goed, Sol?'

Na afloop van de bijeenkomst kreeg Sol in het park gezelschap van Charlie Fields, die bij het verplaatsen van zijn grote lijf uitbundig zweette. Sol was niet van plan om voor de onredelijke druk te wijken.

'Het is een oefening in politiek, jongen,' legde Charlie uit, de boord van zijn hemd openknopend en zijn stropdas lostrekkend. 'Dit zijn de momenten waarop je kunt bewijzen hoeveel je waard bent.'

'Ik ben theoloog, geen politicus.'

'Macht komt ook in de Thora voor, in de Talmoed. Dit gaat om macht. Sam moet zijn positie waarmaken, Harvey wil de baas spelen. Dus jij moet buigzaam zijn. Dit kun je in je voordeel uitbuiten, Sol, als je het spel goed speelt.'

'Ik wil geen spel spelen.'

'Waarom niet? Je staat nu in de belangstelling en je kunt je er niet aan onttrekken. Als ik jou was zou ik zorgen dat ik hier mijn positie mee versterkte.'

'Ik wist niet dat jij om zulke dingen gaf, Charlie.'

'Nee?'

'Ik dacht dat jij een goedmoedige verdediger van familiewaarden was.'

'Waarom zou het een het ander uitsluiten?'

'Omdat het om twee verschillende levensvisies gaat. Familieleven en de politiek bijten elkaar, lijkt me.'

'Niet wanneer je ze goed uit elkaar houdt, Sol. Dat moet jij ook doen.'

'Sam beledigde me.'

'Sam speelt een spel.'

'Als je zo redeneert, wordt alles een spel. En Harvey?'

'Ach, Harvey…' Charlie veegde met een witte zakdoek de druppels uit zijn nek. 'Jij hebt alles in je, Sol. Als je dit goed aanpakt dan kom jij ver.'

'Ik ben al ver genoeg.'

'Jij bent de beste preker van ons, je hebt de scherpste pen, je ziet er niet uit als een volgevreten pad, zoals ik, je hebt een charmant Europees accent, je bent uitstekend getrouwd en je hebt de perfecte schoonmoeder, dus, jongen, wat houdt je tegen?'

'Charlie! Ze beledigen me! Ze gaan voorbij aan mijn recht om me te uiten zoals ik wil.'

'Dat is toch allemaal relatief. Denk nou rustig na, jongen, laat je niet gek maken.'

'Dat doe ik niet. Maar ik verdom het om me m'n vrijheid te laten ontnemen.'

'Sol, beloof me dat je niets onderneemt voordat je er met me over gesproken hebt. Met ons tweeën staan we sterker.'

Sol nam zich voor om straks Jenny te bellen. Die was sterker dan een dozijn rabbijnen.

'Ik vind het erg aardig van je, Charlie, ik zal erover denken.'

'Goed. Denk veel na.'

Charlie nam afscheid en ging op weg naar Carnegie Deli voor een sandwich belegd met een pond pastrami. Sols gekrenktheid hield ook na Charlie's woorden zijn woede op peil. Het was onterecht wat hem zojuist was overkomen. En hij zag geen aanleiding voor een openbaar herroepen van de strekking van zijn artikel. Ook onder chassieden kwamen klootzakken voor.

Donnie knikte bij wijze van groet. Boven in de hal kwam Manuela hem tegemoet.

'Ik moest u deze brief geven, rabbijn.'

*Voor Sol*, las hij, in het handschrift van Naomi.

Hij nam de brief mee naar zijn werkkamer en scheurde de envelop open: *Lieve Sol, ik heb de eerste vlucht naar Europa genomen die het reisbureau kon vinden en ik wil daar een paar dagen op adem komen. Wat er vanochtend is gebeurd heeft me vreselijk getroffen, dieper dan ik op dat moment kon laten zien, en ik vond het nodig om ergens in mijn eentje verse lucht op te snuiven. Ik wil ons samenzijn redden, lieve Sol, en het niet kapot laten gaan uit bangigheid, uit schaamte, uit lafheid. Ik ben nog lang niet op je uitgekeken en ik wil dat we over een paar weken dat gesprek gaan voeren dat we eigenlijk al lang geleden hadden moeten hebben. Maar het is niet eenvoudig om met jou over dingen te praten die jouw falen tot onderwerp hebben. Ik begrijp dat je verleden daarbij een rol speelt, maar als we dit willen overleven dan moeten we bereid zijn elke oneffenheid glad te strijken. Met of zonder een kind. Kom me niet achterna. Ik doe dit niet om ons huwelijk te vernietigen. Ik wil het redden. Alle liefs, Naomi.*

## 14

Na enkele glazen wodka belde hij de organisatie van de conventie in Boston waar hij de zangeres voor het eerst had gezien. Hij loog, wat hem steeds makkelijker afging. Hij gaf een valse naam op en zei dat hij belde in verband met de organisatie van een barmitswa en contact wilde opnemen met het bandje dat op de slotavond had gespeeld. Ze heetten *On the move* en Sol kreeg de naam van een impresariaat. Met een tweede leugen voor de telefoniste van dat bureau verkreeg hij de naam van de leider van de groep.

'John Shimansky? Je spreekt met rabbijn Levi.'

'Rabbijn Levi?'

'Ik heb jouw bandje twee weken geleden horen spelen in Boston.'

'Dat klopt, ja, dat waren wij.'

'Zeg, spelen jullie binnenkort in Manhattan? Ik ben echt een fan van jullie.' Hij klonk als een schooljongen.

'Bijna elke avond deze maand. Volgende maand maken we weer een *tour* door Connecticut, de maand daarna gaan we naar Florida. Gôh, wat leuk, we spelen graag op barmitswa's. Is een goed circuit.'

'Ik heb met verschillende families gesproken die binnenkort een feest hebben en ik heb jullie aangeraden.'

'Nou, erg bedankt.'

'Die zangeres was ook erg goed.' Was dat te direct, of bleef John argeloos?

'Onze vaste is nog beter, rabbijn.'

'Jullie hebben anders een…?'

'Een zwarte stem die echt ongelooflijk is. Echt waar.'

Sol wilde haar naam hebben. Daarmee kon hij haar opsporen, desnoods met de hulp van een privé-detective. Hij zei: 'Die invalster was ook goed, hoor.'

'We spelen niet zonder een goeie stem, rabbijn.'

'En mag ik om een optreden vragen met die nieuwe zangeres?'

'De invalster, bedoelt u?'

'Ja?'

'Nou, ja, dat was tijdelijk. Ik weet niet of ze nog een keer wil meedoen.'

'Ik heb namelijk die zangeres nogal aangeraden, zie je.'

'U moet echt naar onze vaste komen luisteren. Hope Arnold, stem als een klok.'

'Wanneer spelen jullie?'

'Vanavond. In *The Freak* in Soho.'

'En morgen?'

'De hele week staan we daar.'

'Ik kom luisteren.'

'Komt u dan even naar me toe?'

'Absoluut. Nog even voor de volledigheid: wat was de naam van die invalster?'

'Dianne Hogart. Maar die zingt alleen wanneer Hope niet kan.'

'Begrijp ik. Ik zie je in *The Freak*, John.'

'Tot ziens, rabbijn. Bedankt.'

Sol hing op en fluisterde haar naam: 'Dianne. Dianne Hogart.'

Hij stond uit zijn leren stoel op en nam het dikke telefoonboek van Manhattan uit de la van een antieke boekenkast. Hij schrok toen hij in de kleine lijst Hogarts zo onomstotelijk het bewijs van haar bestaan zag staan:

*Hogart, Dianne, 420 Greenwich.*

Hij wist nu hoe ze heette, waar ze woonde. En nu? Hee, hallo, ik ben degene die toen mijn tomatensap over me heen kreeg, weet je nog? Dat was de enige mogelijkheid om haar te benaderen. Met een nieuwe, zoveelste smoes zou hij haar kunnen bellen, maar hij kon er geen verzinnen die hij later niet zou betreuren.

Hij moest beginnen met het bekijken van haar straat, het gebouw waar zij woonde, en daar net zo vaak heen gaan tot het toeval zou helpen. Het gedrag van een puber.

Sol kon zijn ongeduld niet bedwingen en verliet zijn kamer. De telefoon haalde hem terug naar zijn stoel.

'Mayer.'

'Sol? Dit is Ed Rosenthal. We wilden jou als eerste bellen.'

Sol bleef tot zonsondergang bij de Rosenthals. De begrafenisondernemer nam het lichaampje mee, familieleden verschenen en de ruimten van het appartement vulden zich met mensen die het leven van Joel kwamen gedenken. Ed pakte de Stratocaster uit Joels kamer en speelde en zong 'voor het eerst sinds vijf jaar, maar nu moet het want Joel luistert ergens mee'. Hij zette de melodie van zijn eerste hit in en het lukte hem om het slot te halen. Toen stortte hij in.

Sol en Rose hielpen hem naar zijn slaapkamer. Minutenlang zat hij op het parket, schokkend van verdriet, niet bij machte zijn spastische lichaam te beheersen. Ze hielden hem vast tot hij ontspande en bedaarde. 'Hij is epileptisch,' fluisterde Rose. 'Daarom is hij gestopt met spelen.'

Sol nam een taxi naar huis, maar toen ze op CPS reden bedacht hij dat Naomi vertrokken was en het huis leeg. Hij liet zich naar Soho brengen en zei stil de avondgebeden.

Hij kon Tom een dienst bewijzen door samen met hem ergens te gaan eten, maar hij verdroeg de verhalen over Maria's zaadlust niet meer. De afgelopen week had hij Tom een paar keer wat geld toegestopt en hij had bij een van de leden van zijn congregatie, een beruchte huisjesmelker, een studio losgepraat: 'Tijdelijk, hij zoekt iets voor vast, heb je niet iets om hem uit de brand te helpen, Vic?' Tom logeerde nu in een *two bedroom* in Midtown en belde elke dag om zijn dankbaarheid te uiten. Maar Tom was niet iemand bij wie Sol nu over de vloer wilde komen. Honderdduizenden mensen op Manhattan, onder wie velen die hem van naam kenden, talloze bekenden en kennissen, maar niemand aan wie hij kon vertellen hoe Ed had gezongen en hoe Sol had willen roepen *Schuldig! Schuldig! Schuldig!* Een groep rabbijnen had na een pogrom in Oost-Europa een rechtbank gevormd teneinde God als beklaagde te beoordelen. Ze hadden het schuldig over Hem uitgesproken. *Zonder verzachtende omstandigheden,* dacht Sol.

De Palestijn stuurde de taxi over Seventh naar het zuiden van het eiland. Manhattan bereidde zich voor op de avond en zoals anders vulden de straten zich met verwachtingsvolle Broadwaytoeristen, bioscoopgangers, restaurantzoekers. Elke avond de belofte van een avontuur, van een reis naar de ervaring aller ervaringen. Sol had een deel van zijn leven met dat bedrog verloren.

In zijn jonge jaren had hij met Jeff diCarlo door Chelsea gezworven. Want daar gebeurde het. Als ze geluk hadden verdwaalden ze bij een vernissage, de opening van een restaurant, de première van een film of een happening van Warhol. Je kon er *pot* roken en onverschillige meiden naaien. De meeste dagen van de week zocht hij dronken, stoned of opgefokt door het missen van een neukkans tegen zonsopgang zijn bed op en kwam pas aan het eind van de middag tot leven. Wanneer hij wakker werd, beloofde hij zichzelf de onthulling van een nieuw mysterie, en wanneer hij dat niet deed omdat zijn kop te zwaar dreunde dan hield Jeff hem iets sensationeels voor en kroop hij met een mond vol glassplinters uit bed en volgde Jeff naar een rokerige kroeg waar zijn trommelvliezen dreigden te scheuren door de geluidsgolven uit een muur van speakers. Hij hield zich in leven met klusjes en handeltjes. Aan inbraken en overvallen durfde hij zijn handen niet vuil te maken, ook al maakte Jeff het hem moeilijk door hem soms handenvol bankbiljetten te tonen en hem omstandig uit te leggen hoe 'makkelijk het is, je staat er soms echt versteld van wat mensen met hun geld doen, jongen, precies waar je 't verwacht, gewoon onder het matras, in een busje in de keuken, onder een braadslee in de oven, gewoon de plekken die erom vragen, en je loopt echt geen gevaar, als je oppast en geen gekke dingen doet dan loop je gewoon één keer per week ergens binnen en dan heb je weer een tijdje feest. Gemak dient de mens, zeg ik maar'. Jeff deugde niet, en dat was de aantrekkingskracht die hij op Sol uitoefende. Jeff genoot ervan om slecht te zijn. Sol probeerde hem na te volgen, maar hij bleef de brave joodse jongen die zijn moeders ogen in hem hadden gezien.

De gevolgen van zijn eerste illegale daad, de prijs voor de gestolen sigaretten, had Mordechai op zich genomen. Sol beloofde plechtig dat hij het geld zou terugbetalen, maar dat had hij tot op heden, meer dan twintig jaar later, nog steeds niet gedaan. Mordechai had erop gestaan om het geld persoonlijk aan Carlo diCarlo te overhandigen, en Sol had hem er niet van kunnen overtuigen dat hij geen partij was voor een echte rommelaar. 'Dat zullen we nog wel eens zien,' zei zijn vader.

In Carlo's stamkroeg stelde Sol zijn vader aan zijn financier voor.

'Rabbijn, ga zitten. Iets drinken?'

Mordechai, groot en onverzettelijk, bleef staan: 'Nee, van schoften neem ik niets te drinken.'

Carlo staarde hem verrast aan. Een broodmager mannetje met een wezelachtig voorkomen. Giechelend liet hij zich in zijn stoel zakken.

'Rabbijn, van schoften weet ik alles, en ik weet dat je zoon er eentje is. Ik word niet graag beledigd.'

'Ik ook niet,' antwoordde zijn vader. Sol stond erbij als een kind, onmachtig zijn nietige eer, positie en onafhankelijkheid te verdedigen, en hij was bang dat zijn vader op zijn lazer zou krijgen en door hem verdedigd moest worden. Carlo droeg messen.

Mordechai liet een envelop op tafel vallen.

'Hier is je geld. Inclusief je uitzuigersrente. Ik wil niet dat je nog één dollar aan mijn zoon leent, begrijp je?'

'Dat is een zaak tussen hem en mij, niet dan Sol?'

Sol haalde zijn schouders op en maakte een hoofdbeweging die zowel knikken als schudden kon betekenen, de reactie van een zwakkeling.

'Bedankt, rabbijn, goed zaken doen met je.'

Nu deed Mordechai iets dat Sol hem niet eerder had zien doen. Hij greep Carlo bij zijn kraag en tilde hem uit zijn stoel, wat voor zijn machtige armen, vroeger getraind achter de zuurkar in de straten van de Amsterdamse jodenbuurt, geen belasting vormde.

'Jij blijft uit de buurt van mijn zoon.'

Carlo probeerde zich los te wringen, maar wat Mordechai vasthield liet hij niet meer los.

'Jij krijgt hier spijt van,' fluisterde Carlo.

'Nee,' antwoordde Mordechai, 'want ik heb een machtige vriend.'

Hij liet Carlo los. De financier hapte naar lucht en masseerde de huid van zijn hals.

'Klootzak, en jij ook, huftertje.'

Sol sloeg beschaamd zijn ogen neer. Hij hoorde Carlo zeggen: 'Ik denk niet dat die vriend van jou veel waard is op aarde.'

'Dat valt nog te bezien,' antwoordde Mordechai.

Hij legde een hand op de schouder van zijn zoon en Sol wist niet of hij die moest kussen of van zich af moest schudden.

Carlo siste: 'Ga maar lekker bidden, rabbijn, en neem je zoontje mee. Als ik jou was zou ik hem thuishouden want als ie alleen is dan stelt ie weinig voor.'

'Jij nog veel minder, loser.'

'Doe de groeten aan je vriend.'

'Dat zal Abe Leibowitz leuk vinden, meneer diCarlo.'

'Leibowitz?'

'De enige echte, klootzak.'

Mordechai leidde zijn zoon de bar uit, Carlo in verwarring achterlatend, en vroeg hem of hij hem naar Grand Central wilde vergezellen. Ze namen de subway.

'Waarom ga je met die mensen om, Sallie? Het is tuig.'

'Sol, pap, het is Sol, SOL! Wanneer hou je daar nou mee op?'

Het was spitsuur en de treinstellen, gevuld met kantoorklerken, rammelden onder de wolkenkrabbers door. Sol hield zich aan een lus vast terwijl zijn vader tegen hem aan werd gedrukt. Voor het eerst sind vele jaren voelde hij het warme, sterke lijf van zijn verwekker. Ze spraken Nederlands.

'Sol, waarom zoek je je vrienden in die kringen? Je leert niets van ze, behalve hoe je je in het ongeluk moet storten. Dat heb je niet van mij, niet van je moeder, dat ze moge rusten in vrede, niet van je grootouders, die lieverds die nooit hebben geweten dat ze een kleinzoon zouden krijgen die zich in Amerika bij de mafia in de schulden zou steken.'

'Hij is geen mafia, pap, hou op.'

'Pure, onversneden mafia. Als je dat niet ziet ben je nog minder waard.'

*Nog minder.* Sol verdroeg het niet dat zijn vader zo over hem sprak.

'Je begrijpt er niks van,' zei Sol, 'je hebt je ogen echt in je reet.'

'Als ik zo tegen m'n vader had gesproken dan had ie geen spaan van me heel gelaten.'

'Wat let je?'

'Attenoje, ik heb je net voor bijna tweeëneenhalf duizend dollar vrijgekocht en je praat zo tegen me? Als een achterlijke die niet weet wat recht en krom is?'

'Ik wil dat je me ziet zoals ik ben. Niet als een soort spiegel van jou.'

'Ik heb nooit eisen aan je gesteld.'

'Je hebt nooit aandacht aan me geschonken, bedoel je.'

'Ik wilde je vrij laten.'

'Je bedoelt: ik wilde geen last van je hebben. Je lult pa, en je weet 't.'

'Op mijn leeftijd, jongen, dan zul je hieraan terugdenken.'

'Dat zal je tegenvallen.'

'Ik wacht af.'

Ze zwegen en werden door de massa nog strakker tegen elkaar geduwd. Sol kon zijn vaders lichaam ruiken, dierlijk, aards, kleiig.

Hij vroeg: 'Wie is Leibowitz?'

'Een schoft. Maar een joodse schoft.'

'Wat is er met hem?'

'Onderwereld. De Jiddische variant ervan.'

'Waar ken je hem van?'

'Hij heeft een buitenhuis bij ons in de buurt. Komt wel es in sjoel. Ik heb 'm gebeld toen ik over jouw vrienden hoorde. Hij zei: noem m'n naam en dan komt alles wel goed.'

'Dus jij verwijt mij iets wat voor jou niet te vies is?'

'Dat is niet hetzelfde.'

'Dat is 't wel. Hulp zoeken bij eh… dubieuze types.'

'Ik heb niks van 'm geleend. Het waren m'n eigen centen.'

'Je krijgt ze terug. Tot de laatste cent.'

'Ik had niet anders verwacht.'

'Zo ben je, ja.'

'Ben je ooit iets te kort gekomen? Heb je niet altijd alles gekregen wat je wilde?'

'Ja, dat was makkelijk, hè?'

'Je bent harteloos. Heer in de hemel, wat een harteloos kind heb Je me gegeven.'

'Zeikerd.'

De deuren gingen open en Sol vocht zich naar buiten. Hij gebruikte zijn schouders en ellebogen en onverstoord liet hij de verwensingen voor zijn vader achter.

'Sallie, jongen, wat maak je het jezelf toch moeilijk! Sallie!'

Sallie, de part-time misdadiger, verdween in de menigte op het perron en kwam via de uitgang – die rabbijn Sol twee decennia later per taxi passeerde – op een warme straathoek bovengronds.

Achter de rug van de Palestijnse taxichauffeur voelde Sol spijt over zijn onbeschaamdheid van toen. De enige verontschuldiging die hij kon bedenken was zijn grote behoefte aan onderzoek naar het zwart in zijn karakter, dat jaren had gekost en sjieker klonk dan het in werkelijkheid was. Hij wist niet of dat een noodzakelijke fase was alvorens het te accepteren en weg te wassen, en hij wist evenmin of er voor hem een andere mogelijkheid had bestaan om zijn bestemming als rabbijn te vinden. Bestemming? Een paar dagen geleden, toen hij na het bezoek aan Joel met een benevelde geest het park betrad, had hij zijn vader en zijn werk nog vervloekt, en nu dacht hij er weer over met de term *bestemming*. Hij bevond zich in een vreemde terugval naar oude onzekerheden, die gestaag aan de fundamenten van zijn huwelijk en zijn werk knaagden, en hij vroeg zich af of deze taxirit naar een onbekende vrouw (*Dianne* – ze wist niet eens dat hij bestond) deze labiele fase versterkte. Wat wilde hij op haar adres aantreffen? Net als Hij ben ik schuldig, dacht Sol, ook zonder verzachtende omstandigheden.

Greenwich Street was een slecht verlichte straat die beheerst werd door grote, hoekige fabriekshallen, opslagplaatsen, verlaten kantoorgebouwen, hier en daar onderbroken door gerenoveerde woonblokken. Fourtwenty bevond zich net ten zuiden van Canal Street, de drukke dwarsverbinding die China Town in tweeën sneed en hier aansluiting vond op de Holland Tunnel naar New Jersey. Tegenover een grauw benzinestation stond een kaal blok van ongerestaureerde pakhuizen, ogenschijnlijk onbewoond, elk vijf of zes verdiepingen hoog. Sol liet de taxi rond het benzinestation rijden zodat hij een beter zicht op de gevels kreeg, en gaf opdracht om te stoppen.

De stank van het verkeer dat op zoek was naar de mond van de tunnel hing als roet in de lucht. Sol wachtte naast de gele wagen en nam het blok in zich op, niet wetend wat hij hier zocht of wilde aantreffen. Achter een van die duistere ramen ademde Dianne, neuriede ze met de radio mee, lag ze in de armen van haar man. In zijn leven had Sol vele maffe dingen ondernomen en de vage illusie die hem nu in haar greep had (hij wilde weten wie zij was, dat wezen met die hunkerende stem, sensuele benen, wetenschappelijke belangstelling) hoorde bij de lachwekkendste. Hij had geen *pitch* wanneer hij zou aanbellen. De kans dat zij een onbekende zou binnenlaten was nihil. Maar mocht ze dat wel doen dan zou hij zich onsterfelijk belachelijk maken met de verklaring dat hij het bonnetje van de stomerij kwam brengen. Weliswaar had hij het bij zich gedragen sinds Manuela zijn kostuum gereinigd in de kast had gehangen, maar hij was nimmer van plan geweest om het ook daadwerkelijk te gebruiken. Het was meer een soort aandenken, nee, meer dan dat, het was een fetisj, vol magie. Maar hij moest hier weggaan. Als hij zou aanbellen was de kans groot dat Dianne's echtgenoot de deur zou openen en hem na het zien van zijn geile kop in elkaar sloeg.

Hij stapte weer in en zei tegen de Palestijn: 'The Freak. Ken je dat?'

'Nee.'

'Kun je uitvinden waar het is?'

The Freak was gevestigd in een zijstraat van West-Broadway, waar de postmodernen tot laat op de avond langs de restaurants en winkels flaneerden, in een van de panden die er als bouwvallen bij stonden maar vaak de mooiste lofts en appartementen bevatten.

Tussen kale, bakstenen muren en onder een dak van gietijzeren steunbalken stonden enkele tientallen tafeltjes, gedekt met wit linnen, porselein en hotelzilver. The Freak was dus behalve muziekclub ook restaurant.

Een gerant leidde hem naar de tafel die hij wenste, een

onopvallend *tweetje* tegen een van de wanden, en hij herkende de leden van *On the move*. Hope, de vaste zangeres, was een slanke zwarte vrouw die met gesloten ogen zong en de groep als een klassiek dirigent leidde. Sol kende het nummer niet dat ze speelden, misschien was het eigen werk van John Shimansky, de toetsenist die Hope geconcentreerd volgde zonder zijn klavier uit het oog te verliezen. Gespannen verlegde hij om de paar seconden zijn blik.

Een jonge vrouw met een wit voorschoot dat bijna tot op de vloer reikte, gaf Sol een menukaart en vroeg of hij een aperitief wilde. Wodka, koud, zonder ijs.

Ze wilde meer weten: 'Stolichnaya, Moskovskaya, Absolut, Finlandia?'

'Stolich.'

Sol kende de merken en had nooit grote verschillen geproefd. Er bestond een Pools merk met een fles waarin een stukje stro lag en dat echt een eigen smaak had, maar de naam daarvan was hij vergeten. Met het overige publiek applaudisseerde hij aan het einde van het nummer.

Hope kondigde het volgende aan: 'Dankuwel. Nog een eigen nummer, geschreven door Steve Tishman…' (de bassist knikte) '… die veel van onze set heeft geschreven. *Rainbow Rhythms*.'

Na een gecompliceerd drumintro viel de bas in, daarbij voegde zich de piano met een gebroken, staccatoachtige opmaat en Hope begon aan een vloeiende melodie, dansend op de pieken van de verschillende ritmes.

De serveerster zette de wodka op tafel, een glas in de vorm van een kelk, met een schaaltje olijven.

'Dit wordt u aangeboden door een collega van me.'

'Ja? Wie?'

De serveerster wees naar een vrouw die net als zij gekleed ging in een lang voorschoot en een tafel bediende. Wat kon Sol zeggen? Zijn serveerster verliet hem zonder op zijn antwoord te wachten en hij keek naar de weldoenster, die verderop een dienblad met borden en glazen vollaadde en bij het weglopen naar hem lachte.

Ook hij lachte.

Ze liep naar de zijdeur die toegang tot de keuken gaf en Sol vroeg zich af of zijn tocht naar deze plek in de structuur van de voorbije dag verborgen had gelegen, alsof het iets fataals was waarvoor Naomi's vertrek ruimte had gemaakt en dat dwingend uit de aard der dingen geboren zou worden. Nee, dat was onzin. Toeval. Dat was alles. John Shimansky had hier met zijn groep gespeeld vlak voordat zij door Connecticut moesten toeren. Hope werd ziek maar een serveerster met een aardige stem kon voor haar invallen. Nu speelden ze hier opnieuw met de herstelde Hope en de serveerster was teruggekeerd naar haar vaste arbeid: bedienen, charmeren, afruimen, schoonmaken, dromend over een terugkeer naar de bühne.

In gedachten was Sol Naomi ontrouw, maar was haar vertrek naar het oude continent niet ook een daad van trouweloosheid? Naomi had hem de kans ontnomen om de onmacht van vanochtend (hij was blijkbaar anders dan de meeste mannen die zich in het kamertje mochten verlekkeren aan video's met kale kutten) te verklaren – tenminste, als hij de moed daarvoor had gevonden. En zij had zichzelf van de mogelijkheid beroofd om woedend op hem te worden, hem uit te kafferen en zich ten slotte, na uren van verwijten en tranen, met hem te verzoenen. Ze was weg en liet de rafels van de ochtend in de lucht wapperen.

Ze keerde terug met een blad met verse gerechten en bediende een *drietje* twee tafels bij hem vandaan. De lap die zij droeg was tweemaal om haar heupen geslagen en hield het grootste deel van haar lichaam onzichtbaar voor zijn blikken. Ze liep op witte gympen en had haar bovenlijf gehuld in een zwart T-shirt, zoals de rest van de bediening. Haar donkere haar had ze opgestoken en daarmee haar nek en oren ontbloot. Snel en lenig deed ze haar werk en kwam vervolgens naar hem toe, dansend bijna. Hij stond op.

'Dank je wel,' zei hij.

Hij hief zijn glas, alsof hij wilde toasten, maar om haar hand te schudden zette hij het weer neer. Haar gezicht was net zo nabij als toen in het vliegtuig en hij zag de geamuseerde glans in haar ogen. Haar leeftijd kon hij moeilijk schatten, ze was jong, te jong vermoedelijk, minder dan tien jaar kon ze niet met hem verschillen. Ze had felrode lippen, glanzend door een dikke laag lipstick, gulzig en vrouwelijk van vorm, en haar houding was afstandelijk.

'Kom je de rekening van de stomerij brengen? Hoe heb je me gevonden?'

'Ik kwam voor hen, ik wist niet dat jij hier werkte.'

'Alles goed gekomen met het kostuum?'

'Natuurlijk.'

'Gelukkig. Ik moet werken. De baas houdt er niet van wanneer we stilstaan.' Ze wilde zich omdraaien.

'Tot hoe laat ben je hier?'

Iets vermoeids dook op in haar gelaat. Ze wist waar hij op uit was. De zoveelste getrouwde zak met een eenzame nacht in New York.

'Sorry, ik kan niet.'

'Alleen maar iets drinken.'

Ze wierp een blik op zijn hand en zag de ring. Het wantrouwen bleef in haar ogen.

'Mag ik vragen wat je van me wil?'

'Ik ben een blinde in het land van de wetenschappen. Leg me wat uit.'

Ze bekeek hem verrast: 'Hoe weet jij dat ik…?'

'Je had de *Scientific American* bij je.'

Ze lachte: 'Ja. Natuurlijk.'

Ze had een seconde nodig om de situatie te overdenken: 'Je bent hier echt bij toeval terechtgekomen?'

'Ik hoorde toevallig dat *On the move* hier vanavond speelde. Ik vond jullie toen leuk spelen, en ik had vanavond… behoefte aan wat afleiding. Ik wist dat je toen een invaller was en, eerlijk, ik verwachtte jou niet hier.'

Zijn woorden klonken als een bekentenis want ze verraadden zijn dromen. *Ik verwachtte jou niet hier.* Wat een intieme, breekbare zin. En er was geen letter van gelogen.

Ze keek naar hem als door een vergrootglas en hij had het gevoel dat zij alles zag wat hij verborgen wilde houden.

Ze zei: 'Ik ben om tien uur klaar. Ik heb de lunch gedraaid. Eén drankje dan.'

## 15

Sol wandelde door Soho tot het tijd was om zich op de stoep bij The Freak te melden. Hij hield zichzelf voor dat het dom was wat hij nu deed, dat het beter was om thuis over een reactie op de persverklaring van zijn collega's na te denken, over een toespraak aan het graf van Joel, over de toekomst van Israël, het jodendom, de vrijheid, de extreem-rechtse militia's, de slechte visstand, de afnemende kikkerpopulatie, over zijn zwager Tom (hij was zelf geen haar beter, gaf hij toe), over wat dan ook. Alles was verstandiger dan voor de deur van The Freak op een zingende serveerster te wachten die een keer door de *Scientific American* had gebladerd.

Het zou haar hoogstens een paar minuten in verwarring brengen als hij niet kwam opdagen. Zonder desillusie zou ze haar eigen weg gaan. De afgelopen weken had hij voor haar niet bestaan en na vanavond zou hij evenmin een rol in haar verbeelding spelen. Maar Sol Mayer? Hij had alles te verliezen. Als hij bleef zou zij een obsessie worden (wat zij eigenlijk al was, moest hij toegeven) en zou hij zich in nog waanzinniger bochten wringen dan hij sinds Boston had gedaan. Het verstandigste was om nu naar huis te gaan, een koffer te pakken en Naomi achterna te reizen. Want hij stond op het punt om zijn toekomst te verspelen.

Om precies kwart over tien naderde hij de toegang van de club en Dianne stond buiten te wachten. Onder het T-shirt droeg ze nu een korte zwarte rok, en Sol begreep opeens waarom haar benen zo volmaakt oogden: ze was vrouw en meisje tegelijk. Nog nooit had iemand haar dijen gestreeld, nog nooit had iemand de holten van haar knieën gelikt. Ze had onschuldige benen die sinds haar geboorte op zijn aanraking wachtten.

Hij zei: 'Ik heb je toch niet laten wachten?' En hij dacht: ik ben een zieke kwast, laat haar met rust, breng je dolle fantasie tot bedaren, zeg dat je je bedacht hebt.

'Ik was te vroeg,' zei ze.

Ze glimlachte als een pril meisje, alsof ze nog nooit eerder mee uit was gevraagd, en Sol, die behalve de ziel van een ouwe viezerik ook die van een sentimentele vijftienjarige had, werd vermorzeld door vertedering.

Hij wilde zeggen dat hij opeens weg moest, zijn pieper was net gegaan en hij moest zich naar een ernstig zieke haasten, hij was chirurg en radioloog en internist en het ging om leven en dood, en hij vroeg: 'Zullen we naar The Village lopen?'

Ze knikte. 'Goed.'

Ze liepen door de duisternis van Broome Street naar West-Broadway. Ze was bijna net zo lang als hij, maar smal en sierlijk van bouw. Hij hoorde het knisperende geluid van haar panties, het gefluister van haar dijen, en nam zich voor om na een espresso naar huis te gaan en zijn kop een uur lang onder een ijskoude douche te houden.

'Je bent rabbijn?'

'Ja.' Dat wist ze dus.

'Ga je vaak naar muziek luisteren?'

'Vroeger. Tot een jaar of tien geleden. Toen ging ik naar de rabbijnenopleiding en kwam het er niet meer van.'

'Welke muziek?'

'In die tijd rock. Jimi Hendrix. Led Zeppelin. The Cream. En nu vind ik eigenlijk alles goed wat goed is. Ik ben een allesvreter. Van klassiek tot goeie *rap*.'

'*Rap* is *bullshit*.'

'Niet altijd.'

'Jawel. Toen het uit de getto's kwam werd het *fake*.'

'En toen Mozarts muziek uit de paleizen kwam?'

'Mozart is anders. Mozart is God – o, sorry, mag ik dat zeggen?'

'Je mag zeggen wat je wil. Mozart is dus God.'

'Vind jij niet dan?'

'Jawel. Mozart is volmaakt.'

Hij dacht: samen met jouw ogen, jouw mond, jouw benen, en dan weet ik nog niet eens welke schoonheden onder je rok en t-shirt schuilgaan.

'Ja. Hou je van Bach?'

'Ja. Ook. Maar Mozart laat ons de hemel zien.'

'Zoals Jezus Christus,' zei ze.

'Wij joden zijn wat minder met Christus in de weer dan katholieken en protestanten.'

'O ja, natuurlijk.' Zij giechelde als een bakvis. Hij wilde in haar ogen kijken, maar ze keek naar de omgeving. Kijk me aan, dacht hij, hier ben ik, ik ben gekomen, verlos me.

Hij vroeg: 'Ben jij gelovig?'

'Geen idee.'

'Denk je er nooit over na?'

'Jawel. Maar op mijn manier. Technisch.'

Ze verlieten de schemer van de zijstraat en werden onder de lampen van West-Broadway opgenomen in de massa van flaneerders. Tussen de volle restaurants, kleurrijke etalages, straatverkopers, versierde punks, nam een diepe ernst bezit van Sol, een gevoel van zuiverende heiligheid. Hij wist dat een rabbijn zoiets niet deed, maar hij zou willen knielen om haar voeten te kussen (deden Hindoes zoiets, boeddhisten?).

Ze zei: 'Vertel hoe je bij The Freak terechtkwam.'

'Ik belde iemand van de organisatie van de conventie in Boston. Ik vroeg naar de naam van de groep, heb toen de impresario gesproken, vervolgens iemand van de muzikanten…'

'Wie?'

'John Shimansky. Hij vertelde me dat ze hier speelden en ik ben komen luisteren.'

'Vond je ze zo goed?' Er klonk iets sarcastisch in haar stem. Ze keek hem niet aan. De omgeving was nog steeds interessanter.

'Ja. Ik vond jullie heel goed.'

'Zo goed om als een echte fan uit te zoeken waar ze speelden?'

'Ja.'

'Geloof ik niet.' Ze klonk opeens onverholen vijandig. Ook van opzij zag hij het vuur in haar ogen.

'Nee?'

Hij keek naar haar bescheiden Arische neus, naar haar geprononceerde lippen, haar lange hals. Hij kon zich voorstellen dat sommigen haar mond en onderkaak te groot vonden, maar in zijn ogen voldeden de verhoudingen in haar gezicht aan alle klassieke regels.

Ze zei: 'Je bent getrouwd.'

'Ja.'

'Je bent niet voor mij naar The Freak gekomen?'

'Ik wist dat je niet zou zingen. Hope zou zingen. Dus ben ik niet voor jou gekomen.'

'Je hoopte dat ik er zou zijn.'

'Het ligt wat gecompliceerder. Wat doet het ertoe? We drinken een espresso en dat is alles.'

'Ja. Sorry.'

'Ik heb geen bijbedoelingen,' zei hij.

Hij loog, hij bedoelde: ik wil geen bijbedoelingen hebben, help me door me weg te jagen.

'Dan is het goed,' antwoordde ze.

'Werk je daar al lang?'

Onzinnige vraag, dacht hij, maar hij wilde haar argwaan verdrijven. Nee, het was beter om die in stand te houden, uit te lokken, te vergroten, zodat ze hem kon toeroepen dat hij moest opdonderen.

Ze waren nu in de nabijheid van Naomi's galerie, gevestigd in een van de tientallen panden die eigendom van Jenny waren. Sol voelde zich hier niet op zijn gemak.

Ook in de richting van Houston Street was het druk op de trottoirs. Soms moest ze opzij stappen om trage wandelaars in te halen, en dan raakten ze elkaar aan, voelde hij haar schouder tegen de zijne, haar arm, haar heup.

'Twee jaar. Niet continu. Soms doe ik andere dingen. Werk ik een tijdje in een galerie. Maar bij The Freak kan ik altijd terecht wanneer ik geld nodig heb. Art Fratelli, de eigenaar, is een oud vriendje van me.'

'Je hebt een relatie met hem gehad?' Hij klonk als een sociaal werker. Het gekke was, dat hij jaloers was op iemand die hij niet kende.

'Ja. Gitarist is hij eigenlijk, maar hij spoot zich de vernieling in. Toen hij clean was is hij een muziekclub begonnen. Geld van z'n ouders. Daarna The Freak.'

Als ze sprak staarde ze voor zich uit, gebaarde met haar vrije hand (de andere hield de schoudertas op zijn plaats), en boog zich licht naar hem over. Hij luisterde knikkend en benutte elke seconde om haar gezicht van dichtbij te bekijken. Haar verleden rook naar chaos. Net als het zijne.

'En nu?'

'Hoe bedoel je?'

Ze wierp hem een blik toe die hij niet kon interpreteren. Onzeker, bang, verward? Ze deed hem denken aan iemand die herstellende was na een lange ziekte. Waaraan had ze geleden?

'Nu is alles goed met hem?'

'Ja.'

Ze slenterden even stil door tot Dianne ruimte maakte voor een groep bejaarden. Een moment bleven ze staan, tegen elkaar aan, en Sol wilde haar omarmen en toefluisteren dat ze niet meer bang hoefde te zijn en dat hij zonder haar niet kon leven. Voor de lachwekkende pathetiek van die woorden voelde hij geen enkele reserve. Zonder deze vrouw, die hij niet kende, kon hij geen dag meer leven.

Ze glimlachten toen ze verder liepen.

Ze vroeg: 'Hoe was dat congres?'

Hij haalde zijn schouders op: 'Die bijeenkomsten zijn bedoeld om onze groep op bepaalde ontwikkelingen te wijzen. Wij rabbijnen hebben de neiging om te verstenen, want wij zijn bezig met eeuwige waarheden en we gebruiken vaak jarenlang dezelfde antwoorden. Toch moeten we oog hebben voor wat er allemaal verandert. Het milieu verandert, de samenleving verandert, de mens.'

'Verandert de mens?' Ze grinnikte cynischer dan haar breekbare ogen suggereerden.

'Wij leven toch anders dan onze ouders, dan de generatie voor ons?'

'Dat is de buitenkant.'

'Die maakt vaak uit wat er aan de binnenkant gebeurt.'

'Een pragmaticus?'

Op zijn beurt grijnsde Sol: 'Dat is nou een van de dingen waarvoor ik nog niet ben uitgemaakt. Ik weet 't niet, Dianne, ik geloof dat ik door m'n collega's als een romanticus word beschouwd, een dromer.'

'Een pragmatische romanticus.'

'Dat klinkt wel interessant, maar wat is het?'

'Het suggereert iets evenwichtigs,' zei ze, 'een verband dat zowel met berekening als met intuïtie moet worden aangelegd. Trouwens, hoe weet je m'n naam?'

Precies. Hoe kon hij zich hieruit redden? De waarheid, vertel haar de waarheid.

'Ik heb naar je gevraagd.'

'Bij wie?'

'Shimansky.'

'Waarom?'

'Ons gesprekje in het vliegtuig… maakte indruk op me.'

'Dus je hebt me wel gezocht?'

'Niet bij The Freak, geloof me. Shimansky vertelde dat ze met hun vaste zangeres zouden spelen en hij heeft me niet gezegd dat jij daar zou werken.'

Zo nu en dan wierp ze hem een blik toe. Nooit langer dan een seconde. De wandeling, de drukte in de buurt, andere voetgangers, vroegen ook om haar aandacht.

'Waar doe je al die moeite voor?'

'Ik vond je, geloof ik, mysterieus. Een zangeres die de *Scientific American* leest. Een serveerster die probeert een pragmatisch romanticus te analyseren.'

'Ik ben astrofysicus.'

Hij bleef verrast staan, maar Dianne liep verder en hij haastte zich om weer naast haar te komen.

Hij vroeg: 'Wat is dat?'

'Sterrenkundige. Theoreticus. De natuurkunde van de kosmos.'

'En waarom verdien je daar de kost niet mee?'

'Ik wil niet als wetenschapper leven. Me erin verliezen. Ik wil studeren, *weten*, maar ik hoef er geen carrière in te maken.'

'Waarom niet? Waarom zou je je daartegen verzetten?'

'Het is een gesloten wereld met moordende concurrentie. En ik wil ook nog wel eens een aardig boek lezen en 's avonds een film zien en ontspannen door het park wandelen.'

'Dat doen astrofysici te weinig?'

'Je kunt alleen iets betekenen wanneer je je als een vakidioot uitslooft. Dat doe ik niet. Ik volg de ontwikkelingen, maar ik heb afstand genomen van de gedachte om van de astrofysica m'n levensvervulling te maken.'

'Bevredigt dat? Ik zou, voor zover ik me daarin kan verplaatsen, niks anders willen.'

'Ik niet.'

Ze was resoluut. Sol wist niet of ze zichzelf die radicaliteit afdwong of hem uit werkelijke overtuiging had verworven.

Ze bereikten Houston en staken met tientallen andere flaneerders de straat over.

'En wat doet een rabbijn de hele dag?' Ze glimlachte. Geamuseerde, onschuldige ogen.

'Helpen.'

'Helpen? Waarmee?'

'Met verzoenen.'

'Verzoenen? Je bedoelt: accepteren?'

'Dat klinkt me net iets te gelaten. Verzoenen is een woord dat ik liever gebruik.'

'En wat bedoel je daar dan mee?'

'Wanneer een geliefde sterft, moet ik helpen bij de verwerking daarvan.'

*Verwerking* was een onbeholpen woord dat een autonoom proces leek te suggereren, iets mechanisch dat op gang kon worden gebracht en vervolgens tot een resultaat leidde, maar hij had geen betere uitdrukking tot zijn beschikking.

'Kun je zoiets verwerken?' Ze staarde nu rustig voor zich

193

uit. Haar stemmingen waren blijkbaar eenvoudig te beïnvloeden. Was dat een teken van labiliteit of van kracht?

'Ik weet 't niet. Ik hoop het.'

'En die houding is voldoende?'

'Ik schijn behoorlijk te worden gewaardeerd voor wat ik doe.'

'Dat is het enige dat telt?' Ze zei het bijna agressief.

'Natuurlijk niet. Wat ook telt is wat ik er zelf van vind.'

'En dat is…?'

Ze gunde hem geen rust. Ze sloegen Bleecker Street in. Het was maandagavond en op de terrassen was volop plaats. In het weekeinde keken de rijen wachtenden verlangend uit naar een benauwd plekje aan een tafel ter grootte van een postzegel.

'Ik twijfel.'

'Dat lijkt me niet prettig als je in de business van eeuwige waarheden zit.' Vlak als een mes.

'Daar heb je gelijk in. Maar ik kan me niet een theologie voorstellen die voorbijgaat aan twijfel, wanhoop, strijd.'

'Kun je verzoenen als je zelf in gevecht bent?'

'Ik zal wel moeten.'

'Je hebt de vrijheid om iets anders te doen.'

'Tot op zekere hoogte. Maar je doet toch ook dingen omdat je het gevoel hebt dat je niet anders kunt? Toen ik me meldde bij de rabbijnenschool had ik de overtuiging dat ik dit moest doen. De twijfel die ik nu heb is, laten we zeggen, van technische aard. Ik denk na over de dingen waarover ik na moet denken. Maar het is geen wetenschap, het is niet een optelsom van precies omschreven elementen.'

'Astrofysica ook niet. Ik denk niet dat er een tak van wetenschap is die zoveel fictie in zijn theorie doet.' Ze ontspande nu. Leek hem wat adem te geven.

'Ik doe niet aan fictie,' verdedigde Sol zich.

'Ik bedoel er niks negatiefs mee, hoor.'

'Zullen we hier gaan zitten?'

Een terras op een straathoek, ronde tafeltjes met marmeren bladen, op poten van gietijzer, replica's van Franse bistrotafels. Naomi zat er nu misschien ook aan. Vergeef me, dacht hij, maar een moment later schaamde hij zich voor de schijnheiligheid van zijn smeekbede.

Ze sloeg haar benen over elkaar.

Ze glimlachten opnieuw, verlegen. Waarom kon hij niet gewoon zijn handen om haar achterhoofd leggen en zijn mond op haar lippen drukken? Straks zou hij regels uit het Hooglied citeren: *Als een scharlaken draad zijn uw lippen en liefelijk is uw mond. Als een gespleten granaatappel zijn uw slapen door uw sluier heen. Uw hals is als de Davidstoren, die gebouwd is met tinnen; uw beide borsten zijn als tweelingjongen van gazellen, die te midden van de leliën weiden.*

Dianne zei: 'Jij bent de eerste rabbijn die ik in m'n leven ontmoet.'

'En jij voor mij de eerste astrofysicus.'

'Dat zal je leven niet veranderen,' zei ze plotseling vrolijk.

Sol dacht: alsjeblieft, verander m'n leven.

Een meisje overhandigde hun menukaarten. Sol zei dat ze alleen iets wilden drinken, Dianne cappuccino, *decaf*, en hij een dubbele espresso, *straight*.

Sol vroeg: 'Waar heb je gestudeerd?'

'Princeton. De vakgroep zit in een soort kleine tempel op de campus, heel symbolisch. Ik heb nog les gehad van Jerry Ostriker.'

'Wie is dat? Het spijt me dat ik 'm niet ken.' Hij voelde zich aangenaam onwetend.

'Ostriker is een van de mensen die de pulsars hun plaats in de kosmos gaven.'

'En wat zijn pulsars?'

'*Pulsating radio sources.* Aanvankelijk dachten ze dat het ging om een soort sterren die uitdijden en samentrokken. Nu klinkt dat als flauwekul, maar in de jaren zestig geloofden ze echt in dat sprookje. Jerry Ostriker toonde aan dat het om heel compacte sterren ging die met een enorme snelheid roteren, enorm zwaar zijn maar een middellijn hebben van niet meer dan een paar kilometer.'

'En hoe ontstaan die dingen? Bij de oerknal?' Wat wist hij? Niets. Maar hij wilde wat vragen zodat hij naar haar bewegende lippen kon kijken.

'We weten niets van de oerknal.'

'Nee? Ik dacht dat die door jullie als bewezen werd geacht.'

'Hoe kom je daarbij? Nee. Het is een theorie. En eentje die nog omstreden is ook. De kosmologie verkeert in een diepe crisis.'

'Heeft Stephen Hawking dan niet allerlei definitieve antwoorden gevonden op jullie problemen?'

'Hawking? Behalve een genie is hij ook een showmaster. Wat hij in 1985 beweerde over het omkeren van de tijd was pure science-fiction. Maar het ging er bij het grote publiek in als koek. Want het was iets waarvan ze zich een voorstelling konden maken. Die rolstoel, z'n stemcomputer, de hele mikmak, dat droeg bij aan de magie van Hawking, het verlamde genie. Hij is de beste personificatie van God die mensen zich kunnen dromen. De geest die de lullige materie de baas is. Hawking geeft de mensen hoop.'

'Ik ben een leek maar ik vind 't jammer dat je hem van z'n troon stoot.'

'Het grote publiek wil mensen op tronen. Albert Einstein, Niels Bohr, Kurt Gödel, geesten die *alles* willen begrijpen.'

'Dat wil ik ook.'

'Wie niet? Maar als het effe kan wel wetenschappelijk gefundeerd. Het beste wat Hawking kon overkomen was die spraakcomputer. Daardoor klinkt hij als God.'

Het waren wrede uitspraken. Niemand wilde een spraakcomputer als stem. Waarom was ze zo hard?

Ze nam een slokje van haar cappuccino. Een streepje schuim bleef op haar bovenlip achter en ze likte het weg. Hij wilde het schuim van haar koffie zijn. Een kosmisch probleempje op haar tong.

Ze zei: 'Ik denk dat de oerknal over een tijdje net zo absurd wordt als de idee dat de zon om de aarde draait.'

'Er moet toch een begin zijn?'

'Waarom *moet*? Die dwangmatige behoefte aan een begin ook altijd! Misschien leven we in een ruimte die eeuwig uitdijt. Misschien leven we in een ruimte die krimpt en uitzet in een onbegrensde frequentie. Kijk, we hebben kunnen meten dat ons Melkwegstelsel een snelheid heeft van vijfhonderd kilometer per seconde. Dat is een relatieve snelheid, berekend ten opzichte van de beweging van andere groepen. En we ontdekten toen dat er groepen waren die met een eigen snelheid door de ruimte bewogen! Maar grote afwijkingen van de snelheid van losse sterrenstelsels zijn niet te rijmen met de theorie dat de uitdijing overal even groot is, dus ook de snelheid van beweging! Begrijp je? De afwijkingen van de theoretische regels zijn zo enorm dat de theorieën als lekke ballonnen leeglopen, maar de theoretici doen de hele dag niks anders dan er lucht in blazen.'

Zij lachte en Sol vroeg zich af of hij haar niveau kon evenaren. Zij bezat solide kennis, hij slechts ijl geloof, en zelfs dat was gammel.

Hij zei: 'Misschien missen ze God in hun berekeningen.'

'Wat zijn dan Zijn data?'

'In je ziel.'

'Ook in die van mij? Zelfs als ik niet geloof?'

'Ja.'

'Nee,' zei ze, 'ik geloof dat niet. Het spijt me. Er is niks buiten ons.'

Niet waar, dacht Sol, er bestaan wonderen. Zoals jij. Zoals de siddoer van mijn vader

Hij moest van onderwerp veranderen: 'Hoe ben jij opgevoed? Methodist, baptist?'

Ze wachtte een paar seconden. Vroeg zich natuurlijk af waarom hij hun gesprek deze wending gaf.

'Niks. Mijn ouders deden nergens aan. Ik was altijd jaloers op kinderen die wel duidelijk bij een geloof hoorden. Ik wilde ook bidden.'

'Ben je hier opgegroeid?'

'In San Francisco. M'n ouders behoorden tot de voorhoede van de linkse intelligentsia in Berkeley.'

'Ben jij familie van gouverneur Hogart?'

'Dat is m'n vader.'

'Zo…' George Hogart was deel van het politieke establishment. Een van de sterke mannen in het huis van de Democraten.

'Niks zo. Ik ben niet dol op 'm.'

'Een redelijk politicus. Onkreukbaar. Liberaal in de beste traditie.'

'Hij is een zak. Je mag me niet citeren.'

'Je bent dus in welvarende omstandigheden opgegroeid met progressieve ideeën?'

'Nee. Georgie verliet het huis toen ik vier was.'

'Ik dacht dat die actrice met wie hij getrouwd is…'

'Nee. Jackie Mendez is niet m'n moeder.'

Ze dronk het restje uit haar kop. Hij had iets aangeraakt wat niet beroerd mocht worden. Het was voorbij.

'Ik ga,' zei ze.

'Jammer.'

'We hebben allebei ons leven.'

Hij vroeg het enige dat hij kon vragen: 'Mag ik je nog eens zien?'

'Waarom zou je je leven compliceren?'

'Jij denkt dat het ongecompliceerd is.'

'Je weet niet tegen wie je dat zegt,' zei ze spottend. 'Hoe heet je eigenlijk?'

'Heb ik me niet voorgesteld?'

'Nee.'

'Sol Mayer. Geboren in Amsterdam, Nederland, in tweeënvijftig. En jij?'

'Berkeley, zesenvijftig.'

'Schelen we zo weinig? Ik dacht dat je veel jonger was.'

'Kijk es goed naar de rimpels.'

Hij antwoordde: 'Heb ik al gedaan. Kon ze niet vinden.'

Hij wilde geen afscheid van haar nemen.

'Het zou leuk zijn als ik je nog eens zag,' zei hij.

'Ik ken je niet.'

'Ik jou ook niet.'

'Ik ben niet klaar voor iets. Geen verplichtingen. Geen verhouding. Zeker niet met een getrouwde man.'

'Ik ben geen getrouwde man.'

'En je ring dan?' vroeg ze verontwaardigd.

'Het is over,' zei hij. Hij luisterde oplettend naar zichzelf. Misschien vond hij helderheid in zijn woorden.

'Dat is treurig,' zei ze.

'Het is treurig en het is een feit. Het heeft tijd gekost om dat te beseffen.'

'Ik wil geen gedoe, Sol. Ik zit niet te wachten op ellende en gezeik. Ik vind je aardig. In het vliegtuig al. Ik heb daarna nog aan je gedacht. Ik dacht: kijk, zo'n man had ik ook kunnen hebben, jammer dat ik 'm niet heb. Over en uit.'

'Je had me toen meteen die gedachte moeten vertellen.'

'Nee. En het is stom dat ik 't nu heb gedaan.'

Ze pakte haar tas en stond op, stak een hand uit.

'Dag Sol. Leuk met je gepraat te hebben.'

'Had je een ticket voor die plek?'

'Nee. Soms ga ik in een bredere stoel zitten en dan merk ik wel wat er gebeurt.'

'Als je het glas niet had omgestoten had je de hele reis daar kunnen zitten.'

'Het was een rotvlucht,' zei ze, 'ik was doodsbang. D'r gingen een paar mensen zingen, weet je nog. Alsof dat een mooie dood zou zijn. Met het volkslied ten onder.'

Zijn laatste gedachten waren bij haar geweest.

'Dag Dianne. Je hoort nog van me.'

'Doe geen moeite.'

## 16

De volgende ochtend zocht Sol in de Britannica het lemma *astrofysica* op, en reageerde hij op het bericht van Jenny dat hij bij thuiskomst op het antwoordapparaat had aangetroffen.

'Ze klonk heel goed, hoor, maar ik maak me toch een beetje zorgen. M'n ene dochter beleeft een huwelijkscrisis en nu gaat de andere haar nadoen.'

'Ze is eventjes weg om dat te voorkomen, Jenny.'

'Dit zijn geen goeie tekens. Heeft ze iemand?'

'Nee. Niet dat ik weet.'

'Dat is een dubbelzinnig antwoord. Ja of nee?'

'Nee.'

'En jij?'

'Nee.' Maar straks of morgen misschien wel, dacht hij. 'Hoe is 't met Tamar?'

'Hetzelfde. De advocaten maken overuren.'

'En Tom?'

'Ik hoop dat ie in de goot ligt. Heb jij 'm nog gesproken?'

'Nee,' loog hij. 'Ik had 't druk.'

'Wat is er mis met jullie, Sol?'

'Ons, schoonzonen, bedoel je?'

'Jij en Naomi.'

'Die *in vitro's* zijn geen grapje, Jenny. Het heeft ons niet echt dichter bij elkaar gebracht.'

'Seks?'

Ze was niet wat je noemt discreet.

'Dat lijdt er ook onder, ja.'

'Jullie moeten hulp van een therapeut hebben, anders gaat het mis. Als er geen seks meer is houdt alles op. Jullie zijn daar te jong voor. Je bent er altijd te jong voor. Als ze terug is gaan jullie naar Helen Ramirez. Zij is echt de beste wanneer je counseling zoekt. Beloof je dat?'

'Ja. We zoeken hulp. Maar eerst moeten Naomi en ik praten.'

Hij zou haar zeggen dat er een ander in zijn leven was gekomen. Een ongelovige serveerster die alles van de oerknal begreep. Die de wiskundige berekeningen van de Melkweg kende. Naomi zou niet begrijpen wat hem opeens bezielde, en hij hoopte dat zij opgelucht de vrijheid greep om met een ander (een bankier die 's winters in Aspen de pistes afdaalde, een industrieel die bij de Bahama's van zijn zeewaardig jacht dook) een verwend nest aan de zorgen van een *nanny* toe te vertrouwen.

Ze zou erop vooruitgaan, hield Sol zichzelf voor, want ze zou niet meer de ellende van zijn beklagenswaardig innerlijk leven hoeven te verdragen. Maar hij was bang dat zij anders zou reageren. Dat zij voor hun huwelijk zou vechten. Ze genoten het vermogen van haar voorvaderen, maar Naomi was ook in staat om met hem in een studio in Little Italy te bivakkeren en elke dag van hun gezamenlijke zorgen te genieten. Hij hoopte dat zij in Frankrijk zonder zijn liederlijke bekentenis tot de conclusie kwam dat hun verbintenis een mislukking was. Het mooiste zou natuurlijk zijn dat ze verliefd werd, net als hij.

Hij ging naar kantoor en deed zijn werk, telefoneerde met mensen die op zijn stem wachtten, schreef brieven, lunchte met docenten van de joodse school, en bereidde zich voor op de preek van komende zaterdag.

Voordat hij op weg ging om een aantal zieken te bezoeken belde hij Joels school en legde de directeur uit dat hij een brief voor Emma had. Haar familienaam was Gross. Het was noodzakelijk om toestemming van haar ouders te vragen.

Emma's moeder was voorzichtig.

'Ik moet er met m'n man over praten. Wat staat erin?'

'Ik weet 't niet. Ik mag de brief niet lezen. Het is alleen voor uw dochter bedoeld.'

'Ze heeft het vanmorgen gehoord en een uur geleden vertelde ze het. Ze is er erg van overstuur en ik weet niet of het wel goed is om haar nu ook met zoiets te belasten. Begrijpt u dat?'

'Natuurlijk.'

'Wat zeggen Joels ouders ervan?'

'Die weten dit niet.'

'O. Vindt u niet dat ze hiervan op de hoogte moeten zijn?'

'Joel heeft me uitdrukkelijk om vertrouwelijkheid gevraagd. Dit was zo ongeveer zijn laatste wens.'

'Emma moet nog een leven lang mee. Ik zal 't er met mijn therapeut over hebben. Belt u me morgen terug?'

'Zeker.'

Zijn huisbezoeken brachten hem naar Eve Hausmann (een weduwe van drieënnegentig die hem elke maand een bord soep voorzette), naar Felix Pollock (een verlamde advocaat), naar Esther King (twee dagen oud en dochter van Pam en Raymond), naar Polly Braun (drie maanden getrouwd en sinds een week weduwe), naar Stan Weiss (zevenenveertig jaar getrouwd en sinds een jaar weduwnaar), naar Jessie Hanover (acht jaar en ziek), naar Cathy (zwanger) en Simon Gibson (drager van Tay-Sachs, een erfelijke ziekte die alleen onder Oosteuropese joden woedde en de levensverwachting van kinderen tot vier à vijf jaar beperkte).

Om zes uur 's avonds keerde hij terug naar huis. Geen bericht van Naomi.

Rabbijn Kohn had een fax gestuurd. Het was een versie van de persverklaring die morgen zou worden verstuurd en hij vroeg in een begeleidend briefje of Sol nog een opmerking had voordat het werd verspreid. Sol las de tien regels.

*De dagelijkse leiding van de tempel heeft kennisgenomen van het artikel van rabbijn S. Mayer en betreurt het dat het jodendom op deze manier,* et cetera.

De hele verklaring was onzinnig en het was verkeerd om er met correcties of veranderingen deel aan te hebben. In plaats van stilte creëerden ze ruis. De algemene pers kon dit natuurlijk niet laten passeren en het was misschien het beste om zijn advocaat op de hoogte te stellen en eventueel een publicist in te huren die zijn reacties kon begeleiden.

Sol kleedde zich zoals vroeger: spijkerbroek, T-shirt, los colbert. Hij nam de subway naar China Town en stapte bij Canal Street uit.

Walmen van donkerbruin gebraden biggen en eenden dreven uit de eethuizen. Bakken met imitatie-Rolexen, nep-Longines, fake-Pateks, beheersten de trottoirs. Loom bekeken leden van minderheden, aangevuld met welvarende toeristen, de goedkope waren, onaangedaan door het lawaai van het verkeer, de radio's, de hoge Chinese stemmen die de troep aanprezen. Sol verliet het trottoir en liep langs goten vol afval naar The Freak.

Het was er stil. *On the move* had de bühne nog niet betreden en de lege tafels, onberispelijk gedekt, wachtten op voedsel, flessen, vlekken. Dianne was vanavond vrij.

Over West-Broadway liep hij terug naar Canal en vervolgens wandelde hij in de richting van de ondergaande zon boven New Jersey. De wegen naar de Holland Tunnel waren verstopt met dikke rijen trucks, bestelwagens, personenauto's, die wolken roet en uitlaatgassen braakten. Tussen de stilstaande auto's slalomde hij naar de overkant van de straat en hij voelde hoe hij bij het naderen van haar huis werd bevangen door onweerstaanbare vreugde.

Het benzinestation voor het huis waar ze woonde was in bedrijf en hier vermengde de stank van de uitlaatgassen zich met de geur van verse benzine. Sol bleef staan en bekeek de gevels. De bebouwing die hier op een eilandje tussen twee drukke straten stond, een rijtje dat met het benzinestation een soort driehoek vormde, leed zo hevig aan achterstallig onderhoud dat zware balken de gevels moesten stutten. Scheuren zigzagden naar de daken, kozijnen hingen verveloos in ontzette sponningen, graffiti en plakwerk kleefden als een lambrizering aan de verweerde bakstenen.

Was zij hier gelukkig? Of zou ze hem dankbaar zijn als hij haar van deze plek verloste, boven woedende automobilisten die dagelijks strandden op weg naar de overkant van de rivier, naast duizenden liters vluchtige brandstof, in een instortend huis?

Hij zocht haar naam op de vele stickers, bordjes, plaatjes die op de zware deur bevestigd waren. *D. Hogart.* Hij drukte op de bel naast het handgeschreven, met punaises vastgeprikte kaartje, en keek naar het rooster van de intercom.

'Wie is daar?' vroeg zij met een metalen stem.

'De rabbijn,' antwoordde hij.

Drie seconden duurde de ruisende stilte die op zijn identificatie volgde.

'Ik kom wel even naar beneden.'

Sol draaide zich om en keek naar het pleintje met het benzinestation, de honderden voertuigen, de grauwe gebouwen aan de overkant. De postmoderne dynamiek van

Soho zinderde een paar honderd meter verder, maar hier was die slechts een vaag idee, een denkbeeldig toevluchtsoord voor de stinkende werkelijkheid.

Opeens stelde hij vast hoe zenuwachtig hij was. Rookte hij nog maar.

De deur draaide open en Sol keerde zich naar haar toe.

Blote voeten, een korte sportbroek, een T-shirt met zweetvlekken, de haren in een paardestaart. Druppels op haar voorhoofd. Geen make-up. Geen sieraden. Betoverend.

Hij glimlachte, maar zij bleef strak naar hem kijken. De armen over elkaar.

'Wat wil je Sol?'

'Ik begrijp het niet,' zei hij.

'Wat niet?'

'De oerknal.'

'Ik kan je wel een paar boekjes aanraden. Voor de leek.'

'Precies.'

'Ik kom net op adem, Sol.'

'Je was oefeningen aan het doen?'

'Ik heb net iets achter de rug. Een man. Ik ben er net overheen. Begrijp je, Sol?'

'Ik heb net een huwelijk achter de rug.'

'Ik wil nu es heel verstandig zijn. Eventjes niks.'

'Maar dat sluit toch niet uit dat je moet eten? Eerst eten en dan eventjes niks.'

'Ik heb net boodschappen gedaan.'

'Handig voor morgen.'

Met een zucht schudde ze haar hoofd en sloeg haar ogen neer. 'Ben je altijd zo?'

'Alleen als ik weet wat ik wil. En tot gisteravond wist ik dat niet: wat ik wil.'

Ze liet die ene vraag in de lucht hangen (*Wat wil je dan?*)

en keek hem van onderaf aan, met onrustige ogen, en boog toen haar hoofd en staarde naar haar tenen.

'Ik heb net een getrouwde man meegemaakt. Ik voel me nou net vier maanden rustig en… tevreden.'

Ze richtte zich op met een vermoeid lachje. Slapeloze nachten, volle asbakken, pijnlijke oorschelpen na uren van telefoneren. Het was duidelijk.

'Laten we dat vieren,' zei hij.

Nu grinnikte ze. 'Je had autoverkoper moeten worden.'

'Dacht je dat ik dat niet geprobeerd heb? Ik ben ober geweest, restauranthouder, ik heb een reisbureau gehad, ik heb zelfs ooit een blootblaadje opgezet, ik heb toeristen geld uit hun zak geklopt. En nu…'

'… ben je een man van God,' vulde ze aan.

'Een kind van de kosmos,' zei hij.

Met haar blik probeerde ze hem te ontleden, zijn oprechtheid te meten, zijn onschuld vast te stellen.

Sol zei: 'Ik heb begrepen dat tien tot de min drieënveertigste seconde na de oerknal de zwaartekracht zich van de andere kracht afscheidde, dat is zoiets als een miljardste van een miljardste van een miljardste seconde, en dat even later, tien tot de min vijfendertigste seconde, de sterke kernkracht autonoom werd. En na tweemaal tien tot de dertiende seconde ontstonden de atomen. Klopt dat?'

Met een geamuseerde glimlach leunde ze tegen de deurpost en knikte: 'Ja. In theorie.'

'Dus toen werden wij geboren? Tweemaal tien tot de dertiende seconde na de oerknal? Vijftien miljard jaar geleden?'

'Je bedoelt: toen ontstonden onze bouwstenen? Ja, dat is zo.'

'Wij staan hier dus als systemen van vijftien miljard jaar oude onderdelen?'

'Ja.'
'En jij doet moeilijk over de twee uur die het kost om met mij naar de Chinees te gaan?'

## 17

Het restaurant was een ruime, witbetegelde hal met vele tientallen tafels, de meeste bezet, waar een doorlopende show het eten begeleidde. Dianne was er vaak langsgelopen maar ze had tot nu toe de voorkeur gegeven aan een van de goedkope Chinezen die het grootste deel van de straat beheersten. Uit Canal Street hadden de mensen zich inmiddels teruggetrokken, bij de Chinezen zou het tot diep in de nacht druk blijven.

Bij een ober die ze met moeite verstonden wezen ze op de menukaart een dozijn onbekende gerechten aan. Op het toneel wervelde een exotische voorstelling met zangers, zangeressen, variétéartiesten, allen aangekondigd als grote sterren uit Hong Kong.

Sol legde uit hoe de joodse spijswetten luidden, en met opgetrokken schouders, steunend op haar onderarmen die ze plat op de formica tafel had gelegd, luisterde ze naar zijn woorden. Ze registreerde elke beweging van zijn lippen, elke trilling van zijn wimpers.

Zij vroeg: 'Had het te maken met hygiëne? Ziektes?'

'Dat heeft een rol gespeeld. Maar belangrijker was het mystieke aspect, het gevoel van heiligheid, dat het indelen van voedsel teweegbracht. Sommige dingen wel eten, andere niet. Dat was vermoedelijk een regel die de priesterkaste volgde. En die legde het in de loop van de tijd aan het hele volk op. Het volk Israël moest een volk van priesters worden. Israël moest anders zijn dan de omringende volkeren.'

'En jij als rabbijn moet die regels natuurlijk naleven?'

'Ik zit bij de hervormden. Wij hebben de regels aangepast. Maar het is moeilijk om sommige dingen naast je neer te leggen. Ik ben opgegroeid in een koosjere huishouding. Varkensvlees raak ik niet aan, schelpdieren als ik er zin in heb.'

'En was er een doel, of kun je zoiets niet vragen over een religie?'

'Orde.'

'Orde.' Ze ging rechtop zitten en lachte. 'Dat is een mooi woord. In mijn vak is de orde van de natuur het grootste mysterie. Soms is die er, dan weer niet.'

'Begrijp ik goed dat er op het kleinste niveau chaos heerst?'

'Hoe bedoel je?' Ze wist nu al dat hij van zijn gezond niet afwist. Hij ging door.

'Heisenberg? Het onzekerheidsprincipe?'

'De klok en de klepel.'

'Ik ben een leek, ik pretendeer niets.'

'Zie jij hier een Chinees die spontaan vervalt? Het bijzondere is toch dat de enorme structuren van moleculen waaruit wij bestaan zo sterk en constant zijn?'

'We sterven.' De dood was zijn afdeling. Hij had doorgestudeerd voor doodkenner.

'Niet op atomair niveau. Onze bouwstenen gaan andere verbindingen aan. Zoals jij daar nu zit, alles wat jij nu bent zal langer bestaan dan ons zonnestelsel. Tot het einde der tijden, misschien.'

'Bestaat zoiets voor jou?'

'Als gevoel, net als voor jou. En wetenschappelijk gezien als wiskundig idee. Joden doen aan het einde der tijden?'

'Absoluut. Aan het einde der tijden verschijnt de Masjiach, de verlosser. Hij bevrijdt ons van onrecht, dood, alles wat wij met pijn en verdriet in verband brengen.'

'En jullie oerknal? Dat is toch Genesis? Zes dagen?'

'Ja.'

'Voor de oerknalgelovigen duurt het wat langer voordat er min of meer stabiele sterrenstelsels ontstonden.'

'En het einde?'

'Als er een begin was dan betekent dat nog niet dat er een einde moet komen. Zal ik je de drie opties uitleggen?' Er verscheen iets uitdagends in haar gezicht. Zij wilde hem onderwijzen. Zij was de baas.

'Ja.'

Haar jurk was wijd uitgesneden en liet haar sleutelbeenderen en de aanzet tot haar borsten vrij. Ze had kleine oren, die hem in het vliegtuig al waren opgevallen, en hij zag de fijne haartjes op haar slapen.

'Eén: het heelal is open. Bij de oerknal kwam er zoveel stuwkracht vrij dat de uitdijing van het heelal eeuwig zal voortduren. Oneindig in tijd en ruimte.'

Sol dacht: *Als een lelie tussen de distelen zo is mijn liefste onder de jonge meisjes.*

'Twee: het heelal is gesloten. Aleksandr Friedman, een Rus, toonde in 1922 al aan dat volgens de algemene relativiteitstheorie – hoor je wat ik zeg, Sol, *theorie* – het heelal eindig is. Het kent geen grenzen maar het is wel eindig. Je kunt je zoiets niet voorstellen, maar het valt allemaal wel wiskundig te berekenen. Er zou zoveel materie in het heelal zijn dat de uitdijing op een gegeven moment wordt gestopt en terugvalt. We weten ook precies hoeveel materie daarvoor nodig is, voor het hele heelal bij elkaar: drie waterstofatomen per kubieke meter ruimte. Alles zou weer krimpen tot die ene punt waarmee het begon: een punt van oneindige dichtheid en oneindige hitte.'

*Zie, gij zijt schoon, mijn liefste, o, gij zijt schoon; uw ogen*

*zijn als duiven, door uw sluier heen, uw haar is als een kudde
geiten die neergolven van Gileads gebergte.*

'En nummer drie: misschien is het heelal precies in balans. De kosmische massadichtheid is precies voldoende
om in balans te komen met de stuwkracht van de uitdijing. Gravitationeel en kinetisch zou er na een oneindig
lange tijd een volkomen evenwicht heersen.'

*De welvingen van uw heupen zijn als sieraden, werk van
meesterhanden. Uw navel is een welgerond bekken, waaraan
geen gemengde wijn ontbreke; uw schoot is een tarwehoop
omzoomd met leliën.*

Hij vermande zich en vroeg: 'Wat denk jij?'

'Ik weet 't niet. En ik ben juist aan mijn studie begonnen
omdat ik dacht dat ik daar een wereld kon aantreffen die
op alle niveaus orde en ratio zou onthullen. Er bestaat een
eigenaardige orde in ons deel van het heelal, maar voor de
krankzinnigheden daarbuiten hebben we geen definitieve
verklaring gevonden.'

'Heb je hoop dat die gevonden wordt?' Hij dacht: *Gij be-
woonster der hoven, naar uw stem luisteren de makkers, laat
ze mij horen.*

'Kurt Gödel liet in de jaren dertig al zien dat de geldig-
heid van een systeem niet vanuit het systeem zelf kan worden bewezen. Wij kunnen niet voorbij een biljoenste seconde na de eventuele oerknal kijken want de deeltjesversnellers die we hebben – dat zijn machines waarmee we
subatomair onderzoek doen en die de omstandigheden
van vlak na de knal kunnen nabootsen, het zijn de grootste
machines op aarde, wist je dat…?'

Sol schudde zijn hoofd. Hij ontdekte dat de haartjes op
haar bovenlip een fractie donkerder waren dan die op haar
slapen. Ze had bruine wenkbrauwen en hij dacht aan de
kleur van haar schaamhaar. *Wie is zij, die opgaat als de da-*

*geraad, schoon als de blanke maan, stralend als de gloeiende*
*zon, geducht als krijgsscharen?*

'… die deeltjesversnellers kunnen nooit, absoluut nooit zo groot zijn dat we binnen laboratoriumomstandigheden de knal kunnen nadoen. Zo'n machine zou net zo groot moeten zijn als ons Melkwegstelsel! We kunnen dus nooit zekerheid krijgen over het ontstaan van wat er is.'

'Hoe leef je als je vak de eeuwigheid is?'

'Geldt die vraag niet ook voor jou?'

Hij lachte. Hij wilde met haar naar bed. Wat moest hij daarvoor doen, wat moest hij bewijzen? Hij zou het Hooglied declameren. Zij zou hem haar liefde schenken.

Ze vroeg naar de indeling van zijn werkweek en hij legde uit dat zijn dagen vooral met sociale verplichtingen waren gevuld.

Ze praatten luid vanwege de snerpende Chinese liederen, die door hoge stemmen werden gezongen. Terwijl ze met stokjes het voedsel uit de bakjes plukten (een garnaal tussen haar lippen, een boontje op haar tong, een rijstkorrel in haar mondhoek), vertelde hij over de huisbezoeken van afgelopen middag. Hij nodigde haar uit om zaterdag naar de synagoge te komen. Ze kende het gebouw van Yaakov maar ze had het nooit van binnen gezien.

Hij vroeg: 'Je zocht in je studie orde en ratio. Heb je die gevonden?'

Ze schudde haar hoofd: 'De raadsels zijn alleen maar groter geworden.'

'Was je jeugd dan zo verwarrend?'

'Behoorlijk ja, de gekte van de tijd. Sixties. Ouders die niet met hun kinderen bezig waren onder het mom dat alles moest kunnen.'

'Heb je broers, zusters?'

'Twee zussen. Jij?'

'De enige thuis.'

'En je ouders leven nog?'

'Nee. Allebei gestorven.' De stompzinnige rouw zou zijn leven aanhouden. Sol de doodkenner.

'Sorry,' zei ze.

'Geniet van je ouders,' zei hij, zich afvragend of hij recht had op het woordvoerderschap voor de club van liefhebbende kinderen.

Ze antwoordde vlak: 'Ik zie m'n vader niet meer.'

'Ik ken hem alleen van korte interviews op tv en zo, van berichten in de krant. Hij komt niet over als een klootzak.'

'Dat is hij ook niet. Alleen: hij had geen kinderen moeten maken. Hij is volstrekt op zichzelf gericht, op zijn ideeën over de wereld, de sociale inrichting van de samenleving en zo, maar kinderen spelen geen rol in zijn bestaan. Best. Schrappen dan.'

'Klinkt radicaal.'

Ze nam gedachteloos een hap. 'Toch is het zo.'

'En je moeder?'

'Die blinkt niet uit in ordelijk leven. Verwaarloosde ons op haar weg naar emancipatie en onafhankelijkheid. Ze is nog steeds verliefd op m'n vader, maar hij is al een paar vrouwen verder.'

'Ben je bitter?'

'Nee. Absoluut niet. Klink ik zo?'

'Beetje, ja.'

'O. Ik dacht dat ik het nogal zakelijk beschreef. Ik wil helemaal niet bitter klinken.'

Ze sloeg haar ogen neer en roerde met haar stokjes in de bakjes, pakte telkens een stukje vlees, een stronkje broccoli of een worteltje, legde dat weer terug en zocht in een volgend schaaltje naar iets dat haar nerveuze aandacht kon vasthouden.

Ze vroeg: 'Waarom heb je je ring afgedaan?'
'Omdat die me herinnert aan een vergissing.'
'Hoe lang ben je getrouwd?'
'Acht jaar.'
'En opeens werd het een vergissing?'
'Nee. Dat werd het een jaar geleden.'
'Waarom?'
'Weet ik niet.'
'Nee? Je weet toch wel wat er fout ging tussen jullie?' Ze geloofde hem niet, bespotte hem.

'Natuurlijk wel. Maar je weet dat dat met kleine stapjes gaat. Je kunt om de een of andere reden iets heel belangrijks, of juist iets dat nauwelijks van belang is, niet meer uiten. Je houdt het voor je. Je schermt je gedachtenwereld af. Met kleine stenen bouw je na verloop van tijd een eigen bunker waarin je je schuilhoudt.'

'Tragisch,' mompelde ze. Hij kon haar nauwelijks verstaan door het refrein van een Hong Kong hit. Hij boog zich naar haar toe.

'Niet als je allebei geleerd hebt van de gemeenschappelijke jaren.'

'En dat heb je?'
'Ja. Ik geloof het wel.'

Zat hij nu te ouwehoeren? Hij klonk als een edel en evenwichtig mens, en hij wilde niets liever dan haar onrust bezweren, maar wat hij hier te berde bracht waren gedachten die nauwelijks tot rijping waren gekomen en zuur en onvolwassen smaakten. Blaaskaak.

Hij vroeg: 'Heb jij geleerd van je getrouwde man?'
'Ja.'
'Wat?'
'Dat ik nooit meer in zo'n situatie terecht wil komen. Hij was een klassieke twijfelaar en het gekke is dat ik er

215

toch ingetrapt ben. Tientallen verhalen over soortgelijke kerels ken ik, ik heb vriendinnen die hetzelfde hebben meegemaakt, en ook al wist ik dat hun minnaars nooit bij hun echtgenotes weggingen, ik geloofde z'n smoesjes, z'n uitvluchten, z'n hele arsenaal van leugens.' Ze zette een lage stem op: 'Ik kan haar geen pijn doen, ik wil haar er volgende week mee confronteren, wat jammer dat we dit niet kunnen combineren.' En met haar eigen stem voegde ze eraan toe: 'Enzovoorts.'

'En zijn vrouw? Hoe leefde die daarmee?'

'Die hoefde niet met mij te leven. Hij heeft haar nooit over mij verteld.'

'Zo…' Sol moest het Naomi wel vertellen. Luister, liefste, ik heb gegeten met een zangeres die serveerster is maar eigenlijk voor astrofysica heeft doorgeleerd en ik wilde de hele tijd haar tepels kussen en mijn vingers tussen haar dijen laten glijden maar verder is er niets gebeurd. Alleen beelden in mijn kop.

'Hoe lang ben je met hem geweest?'

'Een half jaar.'

'En waar zag je hem?'

'In een flatje dat hij hier heeft. Ze wonen in Jersey. In het weekend was hij bij zijn vrouw en met mij sprak hij in de flat af. West Fiftysixth.'

'Waarom liet je je dat aanleunen?'

Ze zocht naar woorden terwijl ze met de chopsticks speelde: 'Hij beloofde… duidelijkheid, steun, regelmaat, normaliteit. Werkt bij Fidelity. Leidt daar een investeringsfonds. Mooie kostuums, elke dag twee of drie schone overhemden. Feilloos gevouwen bij een Italiaanse strijkerij…'

Glimlachend keek ze op, verbaasd door de herinnering aan het detail, haar eigen naïviteit: 'Een collectie schitterende manchetknopen. Die verzamelt hij.'

Ze pakte zijn hand en bekeek de pols.

'Jij hebt ook handen voor manchetknopen. Mediterrane pootjes. Ben je sterk of ben je ook zo'n lafaard als Bill?'

'Als ik echt iets moet verdedigen. Anders ben ik liever laf.' Een goed antwoord, dacht Sol, ook al wist hij niet of het waar was. Hij wilde dat het zo was. Hij wilde er zijn best voor doen om iemand te zijn die zoiets zonder voorbehoud kon zeggen.

Ze liet zijn pols los en vroeg: 'Waar heb je die tien tot de min drieënveertigste seconde opeens opgedoken?'

'Vanochtend opgezocht in de Britannica.'

'Ter voorbereiding op een bezoekje aan mij?'

'Ja.'

'Ik had je gisteravond gezegd dat je geen moeite moest doen.'

'Ik was geen tien tot de min drieënveertigste seconde van plan om me daaraan te houden.'

Een halfuur later bracht Sol haar terug naar haar woning.

Canal Street was nu een duistere goot tussen verlaten panden, waar auto's met hoge snelheid doorheen raasden.

Ze naderden de huizenrij achter het benzinestation en zij vroeg: 'Als dit allemaal voortkomt uit Gods geest, waarom deed Hij het?'

'Voor ons,' antwoordde Sol.

'Het heeft miljarden jaren geduurd voordat wij ontstonden en de kans is minimaal dat er elders nog wezens zijn zoals wij. Ik bedoel: organismen met bewustzijn van hun oorsprong en hun omgeving.'

'Je bedoelt: als dit het werk van God is geweest dan is Hij een Goddelijke Gokker?'

'Hoe moet ik dan naar Hem kijken?'

'Met je ziel.'

Met weerzin hoorde hij zichzelf als een tweederangs dominee zeveren. Zijn ziel?

'Geloof je dat echt?'

'Ik probeer het. Vergeet wat ik net heb gezegd. Ik weet niets van de ziel.'

'En ik niets van de oerknal.'

'Je liegt,' zei Sol. 'Herinner je je nog hoe je als kind naar de sterren keek?'

'Ik was bang.'

'En daarom ben je ze gaan onderzoeken?'

'Nee. Ik wilde me verdiepen in een wereld die klopte, die rationeel was, die tijdloze regels volgde.'

'Was je zo bang als kind?'

Voor haar voordeur zei ze, sneller dan nodig: 'Toen ik elf was durfde ik een jaar lang de straat niet op.'

Hij hoorde dat het een bekentenis was. Een test, voor hem.

'Een jaar? Waarom?'

'Ik was bang dat alles verdwenen zou zijn wanneer ik naar school zou gaan, wanneer ik het zicht op het huis van m'n moeder kwijtraakte. Ik was zo bang dat ik niet naar buiten durfde. Panisch.'

Ze sloeg haar armen over elkaar en keek verrast naar hem, alsof Sol het verhaal had verteld en niet zij.

'En je moeder liet dat toe?'

'Ze liet toe dat ik thuisbleef. Alles kon, wat haar betrof. Als ik me zo voelde, moest het mogelijk zijn dat ik eraan toegaf. Ook al was ik elf.'

'En je school? Hield je dat bij?'

'Niet echt. Ik verloor het contact met m'n klasgenoten.'

'En hoe kreeg je er greep op, zonder hulp?'

'Door te denken.'

'Waarover?'

'Algebra en rekenen.'

'En die manier om jezelf te redden, had je daar aanleg voor?'

'Colin Thorpe, de wiskundige die in Los Alamos meegewerkt heeft aan de ontwikkeling van de atoombom, dat was mijn grootvader, de vader van m'n moeder. Genetisch, blijkbaar.'

'Ik heb van 'm gehoord.'

'Ik vraag je niet binnen,' zei ze.

'Ik dring niet aan.'

'Laat je me even met rust?'

'Ja.'

Ze zei: 'Ik vond het leuk. Echt.'

Met een koele vinger streek ze over zijn wang en verdween achter de deur.

Besluiteloos keek hij naar het lege pleintje. Hij had geen zin om naar huis te gaan, maar het was nutteloos om hier te blijven wachten. Ze zou zich niet bedenken.

Was hij gelukkiger geweest wanneer zij hem had uitgenodigd? Misschien was het toch alleen banale geilheid die hem dreef, het verlangen naar de opwinding wanneer ze elkaar voor het eerst zouden omhelzen, wanneer ze elkaar uit hun kleren hielpen, elkaar zouden strelen.

Hij liep door Canal naar de drukte van West-Broadway. Misschien zou zij zijn brave vertrek als een teken van desinteresse ervaren. Terwijl hij juist meer wilde. Vermoedelijk was dit beter. Hij moest de gekte in zijn kop houden.

Hij hield een taxi aan en keerde terug naar huis. Niet alleen in de cafés in Soho maar ook thuis in de koelkast wachtte wodka. Eén glas, nam hij zich voor.

## 18

Toen Sol afrekende, trok Tom de deur van de taxi open.

'Sol, ik sta hier al de hele avond te wachten, waar was je?'

'Ik krijg m'n wisselgeld nog terug. Even rustig.'

Tom beheerste zijn ongeduld en bleef schoudertrekkend naast de taxi staan. Sol had hem dat niet eerder zien doen. Was het drank, dope, speed? Voor de toegang tot 210 wachtte een van de mannen van de nachtploeg, die Sols aankomst in het oog hield.

Toen hij uitstapte, sloot Tom als een bediende het portier achter hem. De doorman, een nieuwe Puertoricaan, schoot Sol te hulp.

'Het is goed, Michael, dit is m'n zwager.'

'Okay, meneer, sorry.'

De doorman verwijderde zich en Sol wierp een blik op Tom. Glad geschoren, een goed kostuum, een schoon wit overhemd en een zorgvuldig gestrikte stropdas. Hij ging erop vooruit.

Sol zei: 'Tom, ik wil niet vervelend doen maar je kunt me altijd overdag bereiken. Niet 's avonds laat. En niet op deze plek. We kunnen gezien worden.'

'Door wie? Door de privé-politie van Tamar en Jenny? *Fuck them*, Sol, ik laat me niet meer op m'n kop zitten door ze.'

'Ik ben moe, ik heb nu geen zin. Bel me morgen op kantoor.'

'Nee, *nu*, ze wachten op antwoord. Morgenochtend.'

'Tom, ik ben pas morgenochtend voor jou bereikbaar.'

Hij liep naar de glazen deur waar Michael klaarstond, maar Tom hield hem vast.

'Sol, Sol, dit kun je niet maken. Luister nou even naar me. Een minuut, wat is nou een minuut?'

Sol wierp een blik op zijn horloge. 'Eén minuut,' zei hij.

'Sol, misschien ben je 't vergeten maar ik ben nog steeds lid van jouw sjoeltje. Jij bent m'n herder en ik ben een verloren schaapje en het is je plicht om mij bij te staan. Tenminste, zolang de aanmaning voor de volgende bijdrage nog niet verstuurd is.'

'Is dit een soort afpersing of zo?'

'Dat is het laatste wat ik zou willen! Nee, nee! Ik vraag je alleen om bijstand omdat ik in nood verkeer!'

'Laten we ergens gaan zitten.'

Ze liepen naar Columbus Circle. Glanzende huurlimo's wachtten voor de appartementengebouwen. Hun chauffeurs stonden in groepjes bij elkaar. Sol had dat werk ook gedaan. Ze bluften nu over de vrouwen die ze op de achterbank hadden genaaid, rijke wijven die er pap van lustten en na de rit behalve verfrommelde tissues een fooi van honderd of tweehonderd dollar hadden achtergelaten. De werkelijkheid was simpeler. Nadat de chauffeurs waren opgegeild, hadden ze zichzelf achterin afgerukt.

'Ik stond al vanaf acht uur te wachten. Ik heb een paar keer gebeld maar niemand nam op. Manuela is vrij?'

'Die gaat bijna elke avond naar huis.'

'Alles goed met Naomi?'

'Perfect.'

'En m'n lieve vrouw?'

'Ik heb haar niet meer gesproken.'

Tom had een tic ontwikkeld. Om de drie seconden trok hij zijn schouders met een ruk op, kneep vlak daarop zijn ogen dicht en schudde licht met zijn hoofd. Hij leek er zich niet van bewust te zijn.

'M'n advocaat wel.'

'Carl Gould?'

'Nee. Die klootzak wilde de helft van wat ie zou binnen-halen. Ik ben naar een ander gegaan.'

'Dat is onverstandig, Tom! Laat 'm de helft pakken want hij haalt ook meer binnen!'

'Het is niet eerlijk. Zo simpel is dat. De helft is niet eer-lijk. Dan houdt het op. Het moet wel redelijk blijven.'

'Slaap je goed?'

'Moet jij es zien hoe je slaapt onder deze omstandighe-den. Te gek. En jij? Je ziet er goed uit, weet je dat. Elke keer als ik je zie ben je er weer een stukje op vooruitgegaan. Straks vragen ze je nog voor een rol in een *romantic come-dy*. *Pretty woman nummer acht* met rabbijn Sol Mayer in de hoofdrol. Met Julia Roberts aan de haal. Wat vind je van Julia Roberts? Mooie vrouw toch? Zou die ook zo'n moe-der als Jenny hebben? Nee, toch? En Tamar is geen Julia Roberts, Sol, echt niet, met Julia Roberts zou ik geen mo-ment aan een snijblok denken. Samen met haar, ja, maar niet met een ander. Trouwens, Maria heeft wel iets van haar. Dat haar, een beetje ook het figuur, maar dan net wat ronder, begrijp je?'

'Zie je haar nog?'

'Ik weet dat het onverstandig was maar ik heb haar ge-beld, ja, en weet je wat er gebeurde?'

Tom schudde nu in een hogere frequentie.

'Ze kwam langs, we neukten de ruiten uit de sponningen en toen zei ze: ik wil je niet meer zien. Dit was de laatste keer. De allerlaatste keer. Ze wilde een gewoon leven. Met ie-mand van haar eigen leeftijd en haar eigen etnische groep. Wat is dat tegenwoordig toch, Sol, etniciteit? Het maakt mij geen zak uit dat zij een Jamaicaanse of zoiets is en als ik aan m'n toekomst denk dan is het niet zo dat ik denk: een rijke joodse vrouw, ik wil binnen m'n eigen etnische groep neuken, echt niet, ik wil gewoon rust aan m'n kop en de kleur van wat ik neuk maakt me geen zak uit, echt niet.'

'Heb je iets geslikt? Tom? Wees eerlijk, je hebt iets geslikt.'

'Beetje speed. Heel klein beetje. Ik had te veel downers genomen en ik voelde me een lijk. Het is stom, ik weet 't, maar ik moet functioneren. Het is tijdelijk, maak je geen zorgen.'

Sol nam hem mee naar een bar op Eighth, een pijpenla die aan een Amsterdamse bruine kroeg deed denken. Hij kon niet verhinderen dat Tom alcohol bestelde, want dat deed hij zelf ook. Voor allebei wodka, dubbel, zonder ijs.

'Mag ik nou, Sol?'

'Vertel maar.'

'Ik kan een zaak beginnen. Te gekke zaak. Met een kleine investering sta ik weer op m'n poten en kan ik m'n eigen leven leiden. Want ik ben niet gek, Sol. Dit loopt fout af. Tamar gaat m'n botten breken en ik heb niks om op terug te vallen. En jij begrijpt me, jongen, ik weet nu wie m'n vrienden zijn. Weet je wie, Sol? *Jij. jij!* En de rest, al die klootzakken van de Athletic? M'n zeilvriendjes? M'n drinkbroeders? Weg! Foetsie! *Verschwunden!* De enige die niet op de loop gaat ben jij. En waren we nou echt goeie vrienden, Sol, voordat deze kermis begon? Niet echt, toch? En nu? *Jij* bent m'n redder, Sol! Zonder jou was ik allang de Brooklyn Bridge afgesprongen!'

'Je overdrijft zoals je alles overdrijft, zoals je ook die affaire met Maria te ver hebt laten komen en nu in je ellende te ver doorslaat. Wees redelijk, Tom. Dat is alles. Redelijkheid.'

'Vertel mij wat. Daarom heb ik die Gould juist een trap onder z'n reet verkocht.'

'Wàt heb je?'

'Bij wijze van spreken! Niet echt. Hij was onredelijk.'

'Carl Gould is de enige advocaat in deze stad die er iets uit had kunnen slepen voor jou.'

'Ik maak me geen illusies.'

'Goed, dat is tenminste iets.'

'Kun je me wat geld lenen, Sol?'

Sol kende deze momenten. Ze waren gênant.

Sol schudde zijn hoofd: 'Tom, je moet voor jezelf zorgen.'

'Zonder geld?'

'Zoek een baan.'

'Ik kan in een restaurant gaan afwassen. Daar ben ik niet geschikt voor, Sol, ook al weet ik dat mijn vrouw zoiets graag zou zien. Weet je waar zij de hele dag mee bezig is? *Wraak!* Ik moet op m'n knieën, wat zeg ik, ik moet op m'n tandvlees! Zonder geld kom ik nergens, Sol, dat weet je.'

'Als iedereen van de tempel me geld zou vragen zou ik uit bedelen moeten.'

'Bedelen doe je al.'

'Yaakov kan niet bestaan zonder bijdragen van haar leden.'

'Bijdragen, bedelen, een semantische kwestie. Ik vraag een lening. Zwart op wit, Sol. Met rente.'

'Ik ben geen bank.'

'Je bent de enige vriend die ik heb.' Hij greep Sols hand en kneep er krachtig in.

'Zonder jou ga ik eraan, Sol. Denk je dat ik deze dingen voor m'n lol zeg? Leen me wat geld en dan zul je zien dat ik kan werken.'

Toms schouders schokten nu met een hogere regelmaat, één keer per seconde. Het was een soort emotiemeter die de intensiteit van zijn woede of treurnis aangaf. Met grote, vochtige ogen wachtte hij op Sols reactie. Zonder twijfel had Sol zich vroeger net zo aangesteld en achteraf bewonderde hij het geduld van zijn vader, die zijn urenlange oraties had verdragen zonder hem het huis uit te gooien. Beminnelijk, beleefd, geduldig had hij zijn zoon aangehoord en zonder stemverheffing zijn positie verdedigd: Sol moest werken voor zijn brood, hij was oud en wijs genoeg om zijn eigen weg te gaan, hij had ervoor gekozen om met zijn studie te stoppen en de rest was nu zijn eigen verantwoordelijkheid. Sol hoorde hem zeggen: 'Ik heb je geholpen met die mafioos, ik heb daar geen spijt van, maar nu sta je er zelf voor, Sallie. Ik heb m'n handen van je afgetrokken.'

'Hoe lang gebruik je die speed al?'

'Ach, dat is niks. Ik ben er al weer mee gestopt.'

'Je hebt denk ik al drie, vier dagen niet geslapen, hè?'

'Sinds wanneer interesseer jij je voor mijn nachtrust?'

'Sinds je eruitziet als iemand die op instorten staat.'

'Dit is een mooi gesneden pak, Sol, een behoorlijk hemd, ik kan me overal vertonen.'

'Waar heb je dat geld voor nodig?'

Toms ogen lichtten op: 'Ik kan meedoen aan een zaak.'

'Wat voor zaak?'

'Ik ben een paar jongens tegengekomen met een fantastisch idee. Ik vertrouw ze want ik weet waar ze 't over hebben.'

'Wat is 't?'

Sol herkende de vertwijfelde bezetenheid, die in elke strohalm gouden korrels ontdekte.

'Je hebt een computer?' vroeg Tom.

'Ja.'

'Ooit zelf gekocht?'

'Nee. De tempel heeft een netwerkje en ik heb thuis een PC.'

'Ken je de verhalen van mensen die een computer kopen?'

'Nee.'

'Je bent niet van deze tijd, Sol, je komt van een andere planeet.'

Sol was in opleiding voor planetenkenner en hij schudde zijn hoofd. 'Vertel maar. Ik luister.'

Tom zat nu continu te trillen. Als dit zo doorging zou hij de controle over zijn lichaam verliezen. Misschien had hij te veel geslikt.

'Okay, luister dan. Ik ben een groep jongens tegengekomen. Ervaren jongens die bij Radio Shack hebben gewerkt. Zij hebben een idee. Als je ooit een computer hebt aangeschaft weet je dat ze je altijd een mooi praatje verkopen. Ze helpen je en zijn aardig tot je de zaak verlaten hebt. Thuis zit je te rommelen met handleidingen en boeken die veel te ingewikkeld zijn. De gewone huis-tuin-en-keuken gebruikers zoals jij en ik willen maar één ding: stekker in het stopcontact en aan de slag. *Plug-n-play*. Gebeurt nooit! Je gaat terug, je belt op, je vraagt om uitleg, altijd kut, ze hebben geen tijd voor je of het zijn freaks en hun uitleg lijkt op Swahili. Dus: een servicenet! Winkels waar de leek echte hulp krijgt, waar hij een nieuw programmaatje kan laten installeren, waar ze z'n modempie aansluiten en hem stap voor stap uitleggen waar hij aan toe is!'

Sol knikte. Het had hem ook moeite gekost om de computer onder de knie te krijgen. Hij had een paar keer een programma gekocht maar hij was er nooit in geslaagd dat zonder hulp van de computerdeskundige bij Yaakov te installeren.

'Hebben ze een businessplan?'

'Alles. De hele mikmak. Goed doordacht.'

'En jouw rol?'

'Ik word commercieel directeur.'

'Heb je daar ervaring in?'

'Daar ben ik voor geboren, Sol!'

Tom leek onder stroom te staan. Sol kon het niet meer verdragen.

'Waarom schok je zo, Tom? Heb je te veel geslikt?'

''t Is niks, echt niet.'

'Je zit helemaal te schudden, je kunt nauwelijks je glas vasthouden, maar 't is niks?'

'Ach, dat heb ik altijd met speed, het gaat wel weer over.'

'*Altijd?*'

'Wanneer ik een beetje gebruik. Met mate, niet veel.'

'Hoe lang gebruik je al?'

'Niet lang. En ik hou ermee op.'

'Ik ga geen geld lenen aan een gebruiker.'

'Ik ben geen gebruiker! Echt niet!'

'Je komt maar terug wanneer je clean bent. Dit gaat me te ver, Tom. Ik wil je best helpen, maar dan moet je een heldere kop hebben en je hand zo kunnen beheersen dat je een handtekening kunt zetten, begrijp je?'

Hij legde geld op tafel om hun drankjes te betalen en stond op.

'Met wie zat je vanavond bij de Chinees, Sol? Ook een arm schaap van de congregatie?'

Sol liet zich weer op de bank zakken.

'Je was zo verliefd als een konijn. Zij ook. Leuk ding wel. Niet echt veel zitvlees zo te zien, maar een mooi mokkel. Jong, zeker?'

'Wat wil je? Me chanteren? 't Spijt me, ik heb niks met haar. Dit heeft geen zin.'

'Dus Naomi mag dit best weten?'

'Geen probleem. En die lening kun je vergeten, Tom.'

Hij stond weer op.

'Jullie liepen een stukje hand in hand. Daarna lieten jullie mekaar los. Bang dat je gezien zou worden?'

'Je bent een zak, Tom.'

'En jij bent geen haar beter dan ik. Als je me morgen het geld niet geeft dan weet ik de juiste oren voor mijn verhaaltje.'

'Een ongelooflijke hufter ben je.' Wat moest hij doen? Weglopen? Weer gaan zitten?

'Ik had in Soho met m'n zakenpartners afgesproken. Ik had me weer netjes in het pak gestoken, goed gesprek gehad, ik loop naar Canal om daar de subway te nemen en, oef!, daar komt rabbijn Mayer aan met een eersteklas mokkel. Geluk zit in een klein hoekje, Sol. Ik denk, zo, de rabbijn maakt overuren vanavond, kijken waar hij het schaapje gaat voederen. In The Palace! Lekker exotisch, goed eten, veel drukte en lawaai, eersteklas plek voor een opvrijavondje. Zie je haar vaak? Paar keer per week?'

'Wat ga je daaraan doen, Sherlock Holmes?'

'Niets. Als ik wat van je kan lenen. *Le-nen*! Geen gift, een lening.'

'Je begrijpt er niks van, man.'

'Waarom doe je dan zo opgewonden, Sol, dat is niks voor jou. Het moet erg vervelend zijn dat ik je betrapt heb.'

'Je hebt me niet betrapt. Er was niks.'

Tom schudde nu zo erg dat de tafel meeresoneerde. Hij had de aandacht van de serveerster al getrokken, maar Sol had haar kalmerend toegeknikt.

'Goed. Er was niks. Ik heb niks gezien. Je liep daar niet als de meest verliefde puber die ik ooit heb aanschouwd – en ik heb de ergste gezien want die was ik zelf in m'n jonge jaren, verliefd op alles wat een rok droeg – en ik was geen getuige van een intiem dineetje. Niks. Leen me het geld nou maar. Twintig mille. Dan ben ik van m'n sores verlost.'

Tom veegde zijn voorhoofd af, dat glansde van het zweet, en viel toen voorover op tafel. Binnen twee minuten schoten de rode en blauwe lampen van de ambulance over het plafond en de muren van de bar. *Eldorado.*

## 19

Sol werd wakker gebeld door Jenny.

'Wat betekent dat stuk in de *Times*?'

Gisteravond had een journalist hem op zijn antwoord-apparaat om commentaar gevraagd, maar Sol had een drukke avond op school doorgebracht. Toen hij het bericht hoorde en de *Times* belde, was het stuk over de distantiëring van de tempel al door. Met de toevoeging dat rabbijn Mayer niet voor commentaar bereikbaar was.

'Ze denken dat ze op die manier de rust kunnen bewaren.'

'Wat was dat voor een artikel van jou? Wat is *Shalom*? Wat ze in de *Times* citeren is niet echt subtiel van je.'

'Ik wilde ook niet subtiel zijn, Jenny. Ik heb beschreven hoe rigide vasthouden aan een verouderde traditie kan leiden tot misdaden. Die Finkelstajn is een geval voor psychiaters.'

'Kohn is toch geen impulsieve kwast. Hij denkt zijn strategieën altijd heel goed door.'

Kohns begrippenarsenaal had ook haar bereikt.

'Nu is ie een stapje te ver gegaan.'

'Je weet wat je aan me hebt, Sol.'

'Dat hoopte ik, Jenny.'

'Iets van Naomi gehoord?'

'Nee.' Hij had aan haar gedacht, aan de manier waarop hij straks het onvermijdelijke moest bekennen. 'Jij wel?'

'Ja. Ze is naar de Méditerranée gegaan. Heeft 't erg naar haar zin. Maar ik weet niet of ze nog lang wegblijft. Ze mist je, Sol.'

'Ik haar ook.'

Hij wilde dat ze daar bleef. Het was slecht om bij hem te blijven. Een zondaar met dralende zaadjes.

Hij douchte en belde zijn advocaat, Robby Schwartz, een zilverharige miljonair uit de kring rond Jenny. Robby had carrière kunnen maken als chirurg in een soap en liet weinig kansen liggen om zijn zestigjarige schlong te benutten. Hij liet zich nu van zijn zesde vrouw scheiden en deelde het bed met een zesentwintigjarig model met opgevulde lippen. Toen Sol op een van Robby's borrels met haar in gesprek raakte vroeg zij om zijn oordeel over de ingreep, die de laatste trend scheen te zijn. Ze had grote, bijna negroïde lippen waarmee ze de indruk wekte dat haar rijke gedachtenleven tot één obsessie was verschrompeld. Sol zei dat haar mond hem meteen was opgevallen. 'Injecties,' zei ze stralend.

Robby zou zijn contract met de tempel doornemen.

'Ik denk erover om een woordvoerder in te huren. Wat vind je daarvan?'

'Altijd doen,' zei Robby, 'je moet hulp hebben als je je in de openbaarheid begeeft. Wordt dit een groot conflict met de tempel?'

'Als het aan mij ligt niet,' antwoordde Sol. 'Ik heb 't daar naar m'n zin en ik denk dat ze zichzelf voorbijhollen met deze onzin.'

'Ik zal zien waar hun grenzen liggen. Misschien mogen ze zoiets contractueel helemaal niet doen, zich in 't openbaar van een van hun rabbijnen distantiëren. Dan *suen* we ze stuk.'

'Heb je iemand voor me?'

'Ik ken een fantastische PR-vrouw, Gabi Müller. Werkt al jaren met de pers.'

'Duitse?'

'Ja. Betrouwbaar als een Mercedes.'

'Duitsers blinken niet altijd uit in hun PR.'

'Dat komt omdat Gabi daar weg is gegaan.'

Sol maakte voor later op de dag een afspraak met haar en kleedde zich in een van zijn begrafenispakken.

Joel werd op Long Island ter aarde besteld. Sol reed in een van de volgwagens mee naar de begraafplaats, een glooiend terrein dat als een vakantiedorp aan de kust lag.

In een kapel zei Sol de gebeden. Daarna namen elf klasgenoten ('elf omdat Joel elf jaar is geworden, bijna twaalf') afscheid met gedichten en liedjes. De speech van Ed werd uitgesproken door een van zijn broers. Rose liep druk heen en weer en had zich op de organisatie van de begrafenis gestort. Zij had geen tijd voor verdriet.

Professionele dragers brachten het kistje naar het open graf, waar Sol de slotwoorden sprak.

Hij vertelde over de uren die hij met Joel had doorgebracht en over de parasja die ze samen voor zijn barmitswa hadden uitgezocht, Exodus hoofdstuk zeventien, vers twee. In de strijd met de Amalekieten hief Mozes zijn handen ten hemel om Gods bijstand af te smeken. Mozes had het volk geen geheime wapens, geen spionnen, geen nieuwe tactieken te bieden, Mozes beschikte slechts over smekende handen. En wat hij uitstraalde gaf de Israëlieten de kracht de ongelijke strijd te winnen.

Sols woorden werden door luidsprekers over de heuvels verspreid, meegenomen door de zilte wind, en hij bad dat Joel hem ergens, op de een of andere manier, kon verstaan.

'Wat wordt er van ons, mensen met zwaktes en twijfels en onzekerheden, verwacht? De Talmoed zegt dat God aan Mozes zeshonderddertien opdrachten heeft gegeven: driehonderdvijfenzestig verboden, tweehonderdachtenveertig geboden. Koning David reduceerde al deze regels tot elf principes. Jesaja verminderde ze tot zes principes, Micah tot drie, Jesaja, nog een keer, tot twee, en ten slotte Habakuk tot één. Eén principe waarin alle regels, alle voorschriften besloten liggen! En hoe klonk dat ene, laatste houvast? De rechtschapene zal naar zijn geloof leven!'

Sol keek naar de ernstige kindergezichten rond Joels kale kist, naar Ed en Rose, die het hout verloren vasthielden, naar de familieleden, naar God in de kosmos (gevuld met een hoeveelheid van tien tot de tachtigste protonen).

'Vertrouwen!' riep Sol. 'Dat is wat de rabbijnen van de Talmoed ons leren! We kunnen alle regels volgen, we kunnen vroom doen en elke ochtend de gebedsriemen leggen, maar waar het op aankomt is zoiets schokkend eenvoudigs als: vertrouwen.'

Hij wist niet of zijn emoties hem uit vals redenaarstalent of uit oprechte genegenheid voor Joel overvielen. Hij slikte de prop in zijn keel weg en ging met zachte stem verder.

'Joel had vertrouwen. Joel geloofde zoals de heiligen zich het geloof hebben voorgesteld. Joel had een zuivere ziel. Als *wij* vertrouwen mogen hebben in Gods rechtvaardigheid, en zonder dat vertrouwen zouden wij in een kale wereld leven, in een zinloze ruimte gevuld met zinloze sterren en planeten, als we dat vertrouwen laten zegevieren dan mogen we hier straks Joel achterlaten zonder woede, zonder het gevoel dat God ons in de steek heeft gelaten. Ook *Hij* heeft Joels vertrouwen opgemerkt! Ook *Hij* heeft in Joels ogen gekeken!'

Sol begon te huilen. Hij huilde voor alle doden. Hij huilde omdat hij niet zeker wist of Joel door God was gezien.

'Lieve Joel, je was een van de nuchterste zieken die ik ooit heb ontmoet. Rust zacht, lieve jongen.'

Met Ed zei hij kaddisj. Daarna tilden zes kraaien de kist op en lieten hem aan touwen in het vers gedolven graf zakken. Toen Sol om zich heen keek, merkte hij dat iedereen huilde. Hij had niet het gevoel dat hij zich ergens voor hoefde te schamen. Hij huilde uit woede. De drie scheppen zand die hij in de kuil gooide, vielen dof dreunend op de kist.

Hij liet zich Emma aanwijzen. Een ontluikend meisje met vlechten, een beugel en stoere basketbalschoenen. Ze legde een roos op het dichtgegooide graf en Sol zag het briefje, dichtgebonden met een rood lintje, dat aan de stengel hing. Haar ouders hadden hem laten weten dat zij Emma niet wilden belasten met zoiets emotioneels als een laatste brief.

Ook Mordechai was een bevlogen redenaar, maar hij had nooit in het openbaar tranen geplengd. Sol deed het er niet om. Het ging vanzelf. Als hij aan de doden dacht, werd hij opstandig. Hun afwezigheid en de onvoltooide zaken die hij als achterblijver met zich meezeulde hielden een onvrede in stand waarop hij geen greep had. Kwaadheid leidde tot tranen. En zien huilen doet huilen, had hij een acteur eens horen zeggen. Hij had geen seconde geveinsd wat hij voor Joel voelde. De weerzinwekkende dood van Joel was de maat der dingen.

Op kantoor vertrouwde Ruth hem toe dat de telefoon roodgloeiend stond. In de loop van de ochtend hadden vele tientallen congregatieleden gebeld en hun steun voor Sol uitgesproken. 'Tegen de honderd, nu al,' fluisterde ze enthousiast. Een aantal kranten had gebeld en om zijn reactie gevraagd. Ook Uri Werner, de hoofdredacteur van *Shalom*. Sol bekeek de lijst met bellers. Geen Dianne Hogart.

In de lobby van The Pierre, vlakbij op Fifth, ontmoette hij Gabi Müller, een korte, brede vrouw met weelderig roodbruin haar en een ondergebit als een balkon.

'Ik heb de stukken vanochtend gelezen.'

'*Shalom* ook?'

'Ja. Ik kende het blad niet. Is niet overal verkrijgbaar.'

'Het gaat om een storm in een glas water.'

'Niet meer sinds het in de *Times* heeft gestaan. Wat kan ik voor u doen?'

'Ik wil niet dat dit uit de hand loopt. Ik heb een artikel geschreven voor een bepaald soort lezers en door de onhandige opstelling van mijn collega's dreigt het te veel ophef te veroorzaken. Misschien kunt u me hierbij helpen.'

'Dat kan ik, ja.'

'Heeft u eerder dit soort situaties meegemaakt?'

'Ja. U bent niet de eerste. Maar u moet me eerst vertellen waarom uw collega's zich van u moesten distantiëren.'

Sol legde de verhoudingen binnen de geestelijke leiding van de tempel uit en bracht de rol van Harvey Pressman ter sprake.

'U heeft dus een echte vijand onder uw collega's?'

'Dit is een actie van Harvey geweest en ik denk dat hij ook niet had voorzien dat Kohn en de anderen met zijn voorstel zouden instemmen. Hij wilde, denk ik, alleen de steun van Kohn. Harvey manoeuvreert zich in de beste positie voor Kohns opvolging. Hij wilde een punt scoren, maar alleen *for the record*. Ik kan me niet voorstellen dat m'n collega's dit echt hebben gewild. Niemand wint er wat bij.'

'Dat klopt. Alleen: u bent de enige die kan verliezen.'

'Kunt u me helpen om dat te voorkomen?'

'Ja.'

'Heeft u veel tijd nodig om de situatie te bekijken?'

'Nee.'

'Nee? Het is duidelijk voor u?'

'Zeker.'

'Kunt u me uw conclusie al geven?'

'U geeft me nu officieel de opdracht? Tweehonderd dollar per uur, vanmorgen heb ik er drie uur aan besteed.'

Sol kon niet weigeren. Overrompeld zei hij: 'Natuurlijk. Goed.'

'U verklaart dat uw artikel in een te vroeg stadium gepubliceerd is en jammerlijk ongenuanceerd is overgekomen. U biedt uw verontschuldigingen aan en u verklaart dat u niemand heeft willen kwetsen.'

'Wat schiet ik daarmee op? Ik verlies m'n geloofwaardigheid!'

'U bent een rijzende ster bij de tempel. Mensen vergeten snel. Over een paar maanden zullen alleen nog een paar querulanten zich het voorval herinneren.'

'Ik zie niet in waarom ik me zou moeten verontschuldigen.'

'Om uw positie te beschermen.'

'Mijn schoonmoeder is een belangrijke donateur van de tempel.'

'Dat heb ik gehoord, ja. Maar ze kan niet in haar eentje Kohn op het matje roepen. Naar wat ik nu weet wordt rabbijn Kohn alom gewaardeerd. Zij zal hem niet aanvallen.'

Sol gaf toe: 'Niet in het openbaar, nee.'

'Mijn advies luidt: maak een kleine knieval en ga door met wat u werkelijk bezighoudt.'

'En als ik geen knieval wil maken?'

'Dan moet u mij de richting aangeven die onze persbenadering moet nemen. Wij begeleiden u, wat u ook mocht besluiten.'

'Daar moet ik over nadenken.'

'Natuurlijk.'

'Hoeveel zal dit gaan kosten?'

'In de regel berekenen wij niet meer dan vijftig uur voor één zaak. Maar het hangt natuurlijk van de duur van de affaire af.'

'Dat is veel geld.'

'U bespaart veel meer.'

'Ik hoop het.'

'Als de pers u benadert dan verwijst u naar mij. U zegt niets. Geen commentaar. Geen opmerkingen. Geen zucht.'

Ze spraken af dat Sol na het weekend een persbericht zou uitvaardigen. Voor maandagochtend zou hij zijn standpunt bepalen.

In zijn jeugd had hij meer dan eens zijn eigenbelang geschaad door onbezonnen te reageren op uitlatingen die hij als beledigend ervoer. Toen hij als reisleider de Newyorkse attracties aan toeristen liet zien, had zijn chef hem gevraagd om spraakles te nemen. Sol vond dat hij perfect Engels sprak. De ruzie leidde tot zijn ontslag. Ooit had hij met Jeff diCarlo gevochten toen deze hem in een bar had meegedeeld dat Sol niet aan een handel in gestolen auto's kon deelnemen wegens zijn 'weke karakter'.

'Ik week?'

'Ja,' had Jeff stellig gezegd. 'Als het spannend wordt ben jij weg. Zo is dat.'

'Ik ben voorzichtig.'

'Dat zegt elke lafaard.'

'O, nu ben ik ook nog een lafaard?'

'Ik wil alleen maar zeggen: we hebben besloten om het zonder jou te doen. Jij bent week. Laten we het daarbij houden, okay?'

Dat was niet genoeg voor Sol. Toen Jeff wilde weglopen had Sol hem bij een mouw vastgegrepen. 'Dus ik ben laf, hè?' had Sol, inmiddels misselijk van schaamte, geroepen. Jeff wilde zich lostrekken en Sol bleef hem vasthouden. De mouw scheurde en Jeff haalde uit. Ze rolden over de vloer en probeerden elkaars ogen uit de kassen te drukken. Sol greep een stoel en sloeg die op Jeffs arm in tweeën. Jeff knipte een stiletto open en stak op Sol in. Over zijn linkerdij liep een litteken van tien centimeter lengte, een herinnering aan de slagaderlijke bloeding die hem bijna het leven had gekost. Een verpleger die de bar bezocht had de ader afgeklemd en hem gered. Sol had de politie Jeffs naam en signalement verzwegen. Hij had hem nooit meer gezien.

Hij kleedde zich om en telefoneerde met Uri Werner.

'We zijn uitverkocht, Sol. De eerste keer dat *Shalom* moet bijdrukken. Dank zij jouw tempel.'

'Fijn dat je er zo over denkt. Krijg ik een percentage van je extra omzet?'

'Ik weet dat het je daar niet om te doen is. Maar wij hebben het nodig, Sol, het genuanceerde jodendom dat wij voorstaan kan best een beetje publiciteit gebruiken. Het meeste dat je over joden leest is negatief van aard. Een gek die in Hebron om zich heen gaat schieten. De joodse lobby. Israëlische wapenhandelaren die aan iedereen leveren die geld laat zien. Het wordt tijd dat ze *Shalom* lezen. Als je hulp nodig hebt dan laat je het me weten, hè?'

Sol belde Ruth. Nog meer telefoontjes waren binnengekomen, journalisten, steunbetuigers, zijn schoonmoeder. Hij belde haar terug. Haar inzet was onmisbaar.

'Heb je nog reacties gehad?' vroeg ze.

'Talloze. Goeie.'

'Maak je geen zorgen. Ik ben ook gaan bellen. Het is allemaal niet zo erg als het lijkt. Als je naar buiten kijkt en je afvraagt of iedereen nou verontwaardigd rondloopt dan is de conclusie snel getrokken: niemand is hiermee bezig, Sol, echt niet.'

'Ken je Gabi Müller?'

'Is dat geen PR-dame?'

'Die heb ik ingehuurd. Je weet maar nooit.'

'Verstandig. En als Naomi belt, moet ik er dan iets over zeggen?'

'Nee. Dan maakt ze zich zorgen. Ze heeft nu wel iets anders aan haar hoofd. Zeg er maar niets over.'

'Misschien heb je gelijk. Zullen we vanavond eten?'

'Ja, graag.'

'Leuk. Ik reserveer bij The Four Seasons, goed?'

Toen Sol naar beneden wilde gaan, rinkelde de huistelefoon.

'Rabbijn? Dit is Donnie beneden.'

'Ja?'

'Er staan hier mensen voor de deur, rabbijn. Een soort demonstratie of zoiets.'

'Hoe bedoel je?'

'Ja, een bus vol, rabbijn.'

'Wacht.'

Sol liep naar het raam van de woonkamer, trok de schuifdeur open en stapte het terras op.

Beneden, aan de kant van het park, stond een van de oude gele schoolbussen die de chassieden hadden gekocht voor het vervoer van hun mensen uit Williamsburg op Brooklyn naar de winkels en kantoren op Manhattan. Er waren chassieden die het aandurfden om het openbaar vervoer te gebruiken – nog altijd werden ze beledigd of lastiggevallen – maar de meesten schenen zich per georganiseerd transport te verplaatsen. Gescheiden naar geslacht.

En vlak onder zich zag Sol enkele tientallen zwarte hoeden. Op de stoep voor de oprijlaan van het gebouw – de oprijlaan was eigendom van de coöp – had zich een groep joodse fundamentalisten verzameld teneinde de wereld attent te maken op de grove onrechtvaardigheid waarmee zij door Sol Mayer waren bejegend. De protestborden hadden allemaal dezelfde vorm. Dit was een zorgvuldig geplande actie.

Hij ging terug naar de huistelefoon.

'Zijn ze lastig, Donnie?'

'Ze stonden net op ons terrein. Toen ik dreigde dat ik ze zou laten verwijderen zijn ze op de stoep gaan staan.'

'Heel goed.'

'Dat zijn toch geen mensen van u, rabbijn?'

'Nee. Nou ja, ik kom naar beneden.'

'U kunt ook de achteruitgang nemen.'

'Nee. Ik neem de voordeur.'

'U heeft gelijk, rabbijn. Ik stuur de lift naar boven.'

Sol verdomde het om stil weg te sluipen. Via de voordeur wilde hij de straat betreden. Hij verwachtte niet dat het buiten tot een schermutseling zou komen, maar uitsluiten kon je niets met gekrenkte chassieden. Zelfs dat moest hij riskeren. Een hervormde rabbijn ging niet op de loop voor een stel verblinde middeleeuwers.

Alfredo bediende de lift. Vierkant gebouwd. Deed aan gewichtheffen.

'Kun jij zo meteen een stukje met mij meelopen, Alfredo? Naar m'n kantoor?'

Hij gaf hem een briefje van twintig.

'Geen probleem rabbijn.'

'Fijn.'

'Ze lijken me niet echt gespierd, rabbijn.'

Dat klopt maar ten dele, dacht Sol, ze ontlenen hun spierkracht aan God.

Beneden in de hal hielden Donnie en Michael de wacht bij de glazen deur. Buiten bezette een muur van zwarte jassen het trottoir. Passanten, zich verbazend over de toeloop, benutten de oprijlaan van de coöp.

'Ze zijn met achtentwintig man,' verklaarde Donnie. 'Ik heb ze geteld.'

'Wij met vier,' rekende Alfredo uit.

Michael voegde toe: 'Elk van ons tegen acht van hen.'

'Zo ver laten we het niet komen, heren. Zij mogen protesteren. Ik mag gaan waar ik wil.'

Sols aanwezigheid achter de glazen wand werd opgemerkt en er steeg een geloei op uit de baarden.

Hij las de teksten op de borden: *Mayer Zelfhater, Finkelstajn is geen zondaar, Mayer Bedrieger, Thora is de Weg, Masjiach Komt!* De zwarte mannen schudden wild met de borden en brulden onverstaanbare kreten.

'We gaan,' zei Sol. Hij kon niet verdragen dat hij door medejoden in zijn vrijheid belemmerd werd.

Donnie opende de deur en Alfredo stapte naar buiten, gevolgd door Sol. Vuisten verschenen en de geschreven beledigingen op de protestborden werden hem nu ook mondeling toegevoegd. Op de rijweg vormde zich een file van automobilisten die tot hun verrassing merkten dat ze een Poolse sjtetl waren binnengereden.

Sol volgde Alfredo naar de plek die de schreeuwende chassieden voor andere voetgangers hadden vrijgelaten, maar bij hun nadering sloot de opgewonden rij vol felle ogen, zwaaiende peijes en beschuldigende vingers de gelederen.

Een kleine chassied met een grauwe baard bewoog wild met een van de *Masjiach komt*-borden.

'Kunt u opzij gaan?' riep Alfredo door het tumult.

'Gaat u zelf maar opzij,' siste de chassied, trillend van

emotie, met een hoge stem. Hij zette het bord op de grond en leek niet van plan zich te verroeren.

'Dit is de stoep! Wij willen erdoor!' legde Alfredo uit.

'Ik wil hier staan!'

'Ik heb er recht op om hier te lopen!' dreigde Alfredo.

'En ik heb er recht op om hier te staan!' antwoordde de chassied.

'Laat maar,' zei Sol. Hij kende het redeneervermogen van geschoolde joden en stapte langs Alfredo.

'Ik moet naar een lewaaje. Ik moet daar kaddisj zeggen,' loog hij.

Het was een ernstige leugen, Joel was al begraven, maar hij wist dat de chassieden een jood die zijn verplichtingen ging vervullen geen strobreed in de weg mochten leggen. Hij wilde voorkomen dat Alfredo op hen in zou slaan. Deze belachelijke demonstratie was al erg genoeg.

De chassied, gehuld in een versleten zwart kostuum, bekeek hem met ogen vol verachting, zich bewust van de impasse die Sol gecreëerd had, en riep: 'Je moet je buurman corrigeren!'

Sol knikte. De chassied citeerde Wajikra, Leviticus, hoofdstuk 19, vers 17. Daarmee wilde hij Sols verklaring neutraliseren.

Sol riep: 'Corrigeer een wijze man en hij zal van je houden!'

Dat was Spreuken 9:8, Misjelee in het Hebreeuws, en Sol verwachtte dat de chassied dat zou weten. Het was een ironisch citaat want Sol omschreef er zichzelf mee als een wijze.

De chassied riep terug: 'Misjelee 15:10: Hij die niet gecorrigeerd wil worden zal sterven!'

Het drong tot de andere chassieden door dat Sol met een van hen in gesprek was geraakt en ze staakten hun woedende gekrijs en stelden zich achter hun woordvoerder op.

Sol antwoordde: 'Je mag je broeder niet haten in je hart maar je moet hem corrigeren! Ook Wajikra 19:17!'

De chassied knipperde met zijn ogen en zocht naar een antwoord. Hij klopte op zijn borst: 'Laat me niet bij de slechten horen die in vrede over hun buren spreken maar het slechte in hun hart dragen!'

Daarmee bedoelde hij dat hij van zijn hart geen moord-kuil hoefde te maken. Psalmen 28:3.

Sol had zijn antwoord klaar, ook uit Leviticus: 'Je moet je buurman corrigeren maar bega geen zonde door hem!'

Dit was een sterke, die de positie van de chassieden streng beperkte.

'Hij die de oprechten ertoe brengt een slechte weg te begaan, zal zelf in zijn eigen val lopen!' riep de chassied.

Hiermee opende hij een nieuwe ronde, maar Sol zag de nieuwsgierige menigte voor het gebouw groeien en hoor-de de ongeduldige claxons van het verstopte verkeer. De chassieden bekeken hem met grote, vrome ogen, sommi-gen met medelijden, anderen met weerzin of nieuwsgie-righeid, alsof ze een uitzonderlijke krokodil in de Zoo be-zochten.

'Hosea 4:17! Efraim heeft zichzelf tot afgoden gewend, laat hem gaan!'

Sol wist dat hij hiermee een einde aan het opstootje maakte. Efraim, een hopeloze afvallige die slechts betrek-kelijk schadelijk was, kon niemand anders dan Sol zijn, en ze maakten schoorvoetend ruimte.

Ook de chassied met wie Sol in discussie was geweest stapte opzij en Sol zag vanuit een ooghoek hoe de klodder speeksel de lippen van de chassied verliet. In zijn nek.

Sol hief zijn arm om Alfredo tegen te houden, maar de-ze was sneller dan Sol en sloeg de man razendsnel met de vlakke hand in het gezicht, waardoor zijn hoed, inclusief het keppeltje dat hij eronder droeg, van zijn schedel vloog.

Meteen kwamen de chassieden in actie. Ze grepen Alfredo vast, ook al maaide hij met betonnen armen om zich heen, en leken van plan hem te vierendelen. Onder de toeschouwers klonk gegil. De kakofonie van de claxons werd oorverdovend.

Sol brulde uit de diepte van zijn longen: 'Sjema Jisreaal. Adonai ellohenoe! Adonai Egad!'

Het was het hart van de joodse liturgie. *Hoor, o Israël, de Heer is onze God, de Heer is Een!*

Geschrokken draaiden de chassieden zich naar Sol om. Ze verstarden in hun bewegingen en wachtten hijgend op een moment van helderheid.

Sol hield Alfredo vast, niet gerust op zijn zelfbeheersing, en zag met angst dat Donnie en Michael te hulp schoten, beiden gewapend met een honkbalknuppel.

Een van de chassieden, een grote man met een rode baard, herhaalde vervolgens mompelend het Sjema. Aarzelend vielen de anderen hem bij, alsof ze uit een roes ontwaakten.

'We gaan terug!' riep de rode.

Stilte daalde over het toekijkende publiek. Ook in de file kalmeerden de claxons. De chassieden, onzeker in hun bewegingen, verward door de uitbarsting van woede, verzamelden hun borden, verlieten het trottoir en liepen tussen de auto's door naar hun schoolbus aan de overkant van de rijweg.

Enkele minuten later, toen Sol de politieagenten ervan verzekerde dat hij geen aanklacht indiende, was het verkeer op gang gekomen en werd de stoep van 210 CPS opnieuw gebruikt door joggers, hondenuitlaters en haastige kantoorbedienden, zoals op elke zonnige donderdagmiddag.

## 20

Onder de kop *Heilige Oorlog* had de foto een halve binnen-
pagina van de *Post* ingenomen. Sol wist niet wie hem had
genomen, maar hij was op het meest onhandige moment
belicht: het begin van het handgemeen met Alfredo, en Sol
stond duidelijk herkenbaar in het centrum van de foto
toen hij machteloos poogde Alfredo in bescherming te nemen. Het bericht eronder was mateloos overtrokken. Er
zou een vechtpartij zijn ontstaan en Sol was door 'uitzin-
nige chassieden' bijna gelyncht. Hij had Kohn verzekerd
dat de werkelijkheid minder grotesk was geweest, en om
verdere geruchten te voorkomen hadden ze besloten om
Sols preekbeurt gewoon doorgang te laten vinden.

In een druk bezochte tempel, vol als op een feestdag,
sprak hij over Mozes, Exodus, en de berg Sinaï. Uitdagend
opende hij zijn preek met Norman Gottwalds stelling dat
de bewoners van Judea nooit zelf de Exodus hadden beleefd. Volgens Gottwald leefden buiten de toenmalige steden, waar de heersende groepen met repressie en uitbuiting de orde handhaafden, de stammen in relatieve vrijheid in de heuvels van Judea. Tot uit de Sinaï-woestijn een
nomadenstam verscheen. De stam van Levi. Deze nomaden vertelden verhalen over een figuur als Mozes, en zij
slaagden erin de stammen van Judea te verenigen in hun
strijd tegen de steden. Hun verhalen werden de verhalen
van alle stammen van Judea.

'Dit is bijbelwetenschap,' zei Sol. 'Maar neemt deze verklaring iets weg van de magie van wat de joden elkaar al

duizenden jaren doorgeven? Die nomaden hadden een inzicht verworven. Zij hebben een figuur als Mozes onder zich gehad, of niet. Zij hebben zich een Mozes-figuur gedroomd, of zij hebben in de woestijn over een leider als Mozes van andere stammen gehoord, andere nomaden die daar door de leegte van hun wereld trokken, of, wie weet, deze Mozes heeft hen wel degelijk naar Judea geleid en is daar aan de grens gestorven. De bijbelwetenschap geeft geen uitsluitsel. Maar één ding weten we wel zeker: de essentie van hun boodschap. Het is het verhaal over het einde van slavernij. Mozes hoort een Stem, die hem opdraagt de slaven te bevrijden. Nadat het lijden, de martelingen, de willekeur, over het land Egypte zijn gekomen, trekken de slaven weg en worden hun gebrek aan zelfrespect, hun onvermogen om als vrije mensen te leven, hun zelfbeklag en hun minderwaardigheidscomplex daar beneden aan de voet van de berg Sinaï huiveringwekkend duidelijk. Hun slavenmentaliteit moeten ze zien te overwinnen als ze ooit recht willen doen gelden op vrijheid in een eigen land. En wat doet Mozes? Hij tart de slaven, stelt hun geduld op de proef, laat ze wachten en in gevecht gaan met hun angsten en twijfels.'

Hij kreeg na afloop applaus, wat ongebruikelijk was, en het duurde drie kwartier voordat hij de laatste handdruk had beantwoord. Met Jenny en Tamar, die speciaal hiervoor uit haar buitenhuis in East-Hampton was gekomen, maakte hij voor de volgende dag een brunchafspraak.

Toen hij naar buiten ging, stond zij daar. Dianne oogde als een van zijn congregatieleden, gekleed in een eenvoudig zwart mantelpakje en zwarte panties. Zij droeg halfhoge rode pumps en oorbellen met robijnen stenen. Haar opgestoken haar liet haar gezicht en hals volkomen vrij, en zij glimlachte toen zij zijn verwarring zag.

Hij dacht: Ik heb God lief want Hij heeft mijn stem gehoord en mijn smeekbede, want Hij luisterde op de dag dat ik riep.

Hij gaf haar een hand: 'Kom ik je hier toevallig tegen of heb je...'

'Ik heb de dienst gevolgd.'

Ze bleef zijn hand vasthouden.

'Dat je dat durft, zoveel mensen toespreken.'

'Je had me es moeten zien toen ik begon.'

De oorbellen zwaaiden onder haar prachtige oren en hij vroeg zich af of hij haar vingers tegen zijn lippen mocht drukken.

'Heb je honger?' vroeg zij.

Even zag hij de punt van haar tong, een tand met een veegje lipstick. Ze kneep in zijn hand en hij kon niets anders dan haar nadoen.

'Ja. Ik denk het wel.'

Ze lachte opeens breed zonder dat er een aanleiding was.

Vervolgens loste haar glimlach op en zij slikte. Hij slikte ook, zijn mond liep opeens vol met water. Haar ogen bekeken zijn voorhoofd, zijn haar, zijn wenkbrauwen, en hij wachtte.

'Jij ook?' vroeg hij. 'Honger?'

Zij knikte en ondanks het drukke zaterdagverkeer dat achter haar rug over Fifth schoot hoorde hij haar ademhaling. Opnieuw slikte zij, keek intens naar zijn lippen en bewoog zich met halfgeopende mond naar hem toe.

Ze staarden elkaar aan, maar vlak voordat hij zich naar haar toe boog om haar lippen te gaan likken, drong tot hem door waar ze zich bevonden.

'Ergens anders,' zei hij tegen haar nabije ogen.

Ze knikte.

Hij trok haar mee naar Madison, langs de tempelmuur, en hij verwachtte dat hij nu elk moment kon worden betrapt als overspelige, want na dertig meter zouden ze de deur passeren die toegang gaf tot de kantoren achter de tempel en Kohn of Pressman of Wolf of een ander die iets met de congregatie uitstaande had zou naar buiten komen en hem hand in hand met een onbekende sjikse aantreffen. Zijn nichtje, zijn zus, zou hij later verklaren. Maar niemand verscheen en Sol vroeg zich af of hij onder de blikken van zijn collega's haar hand zou hebben vastgehouden. Ja. Ja. Wat hij met haar deelde was krachtiger, fataler, bedwelmender, dan zijn angst.

Terwijl ze naar de hoek van Sixtyfifth en Madison liepen, ontweken ze elkaars ogen. Hij voelde de vastbeslotenheid van haar greep en hij zag hoe een koppel duiven boven de daken hun de richting wees.

Hij kneep in haar vingers, ze keek naar hem om en hij gaf met zijn ogen de vogels aan.

'Het lijkt wel of ze ons begeleiden,' zei hij schor.

Dianne hief haar hoofd en keek ook naar de cirkelende duiven.

'Ja,' zei ze, 'zo wil ik ook naar de wereld kijken.'

En achter hen? Klonk daar niet vanuit het park het juichende getetter van de zeeleeuwen? Het bewonderende gebrul van de ijsberen? Het triomfantelijke gefluister van de tropische vissen? Hij hoorde de bijval van alles wat woordeloos leefde.

In een hotel op Madison, vlak om de hoek in de schaduw van de tempel, nam hij een kamer op naam van Tom Wirtschafter. Hij betaalde cash.

In de lift op weg naar de zesde verdieping omhelsden ze elkaar.

## 21

Later op de dag, na het plunderen van de minibar, nog steeds in bed achter de zware gordijnen die het kabaal van Manhattan tot een zacht geruis reduceerden, bij het gele licht van de kleine bedlampjes aan weerszijden van het hotelledikant, begonnen ze te praten.

En voor het eerst vertelde hij aan iemand over de dag waarop hij besloot om in de voetsporen van zijn vader te treden. Hij vertelde over het wonder.

Mordechai was op verzoek van de joden in Suriname naar Paramaribo afgereisd om te bemiddelen bij een geschil tussen de Asjkenasische en Sefardische gemeenschappen. Er bestonden twee tradities die met elkaar verzoend moesten worden (tot in het begin van de negentiende eeuw waren gemengde huwelijken tussen de twee joodse groeperingen verboden), en aangezien Mordechai – van Nederlandse afkomst – op de hoogte was van de traditionele verschillen had men een beroep gedaan op zijn wijsheid. Dat Mordechai met schaamte overladen uit Amsterdam was gevlucht speelde in Paramaribo geen rol van betekenis. Men was aan de noordoostkust van het Zuidamerikaanse continent minder onder de indruk van erotische avontuurtjes dan aan de calvinistische grachten. Niet alleen de voormalige slaven en contractarbeiders maar ook de joden van Suriname wisten dat in de broeierige tropen geilheid en wijsheid niet per definitie op gespannen voet met elkaar staan. Waar mango's en bananen groeien, daar heersen andere zeden.

Een jaar na de dood van zijn moeder had Sol de geruchten opgevangen. Zijn vader was betrapt met iets. Iets met seks. Zelf was hij zestien en rukte zich soms vijf keer per dag af. Onhandig probeerde hij zijn volwassen wordend lichaam te beteugelen terwijl achter zijn rug over de potentie van zijn vader werd gefluisterd. In de wc's, in de kleedkamer van het gymlokaal. Zijn vaders ding was een meter lang. Met zijn reuzentong had zijn vader onbeschrijflijke dingen bij mevrouw Vischjager teweeggebracht. Zijn eigen vader werden de kwaliteiten van een sater toegedicht.

Joop Vischjager, secretaris van de joden van Amsterdam, moest naar Rotterdam. Maar vlak voor zijn vertrek kreeg hij bericht dat zijn bezoek door een ziektegeval ongelegen kwam. Vischjager ging terug naar kantoor, het gebouw van de joodse gemeente. Het was lunchtijd, iedereen was weg. Hij groette de conciërge en liep door naar de kamer van Sols vader, hij dacht dat ook de rabbijn uithuizig was. Zonder te kloppen trok Vischjager de deur open.

Zijn vrouw lag met ontbloot onderlijf op het notehouten bureau van de rabbijn en had schaamteloos haar benen gespreid. Want daar zat de rabbijn tussen, op zijn knieën naast zijn slordig neergegooide broek. Hij likte haar. Mevrouw Vischjager ontdekte wie er op bezoek kwam. Gillend richtte zij zich op en duwde panisch de rabbijn opzij. Verrast door haar gedrag verloor hij zijn evenwicht en viel met zijn gezicht tegen een bureaupoot.

De conciërge van het gebouw was Vischjager naar boven gevolgd om hem te vertellen dat de rabbijn pas later op de dag beschikbaar was, en hij was de primaire bron van het gerucht dat binnen een etmaal de joodse gemeenschap in beroering bracht. De gebroken neus van zijn vader moest in het Centraal Israëlitisch Ziekenhuis worden gezet maar bleef scheef staan, een eeuwig teken van zijn losbandigheid.

Een half jaar lang zweeg Sol. Hij ontliep zijn vader, ontweek zijn blikken, onthield zich van masturbatie. Somber en eenzaam vervloekte hij het leven, ontdaan van mysterie door zijn van seks bezeten vader. De woede zakte, de zorg over een mislukkend schooljaar kreeg de overhand, en zijn eerste seksuele ervaring (zenuwachtig, onhandig, kortstondig, beschamend, verlossend, bracht hij met Josine van Dalen, een klasgenote, in zijn kamer aan de Herengracht een rudimentaire vorm van geslachtsgemeenschap tot stand) leidde een periode van min of meer normale betrekkingen met zijn vader in. De rabbijn werd op non-actief gesteld en verbleef in Israël. Het was duidelijk dat hij door geen enkele joodse gemeente in Nederland zou worden aangetrokken, en hij begon in het buitenland naar een betrekking te zoeken.

Sol had er recht op om met weerzin aan zijn vader te denken. En zijn vader had het recht om hem daarvan met een wonder te genezen.

Het was de periode waarin zijn restaurant zijn laatste weken beleefde. Hij zat op de West Side en profiteerde van de grote yuppificatie die de wijk had omgetoverd tot een paradijs voor beginnende ondernemers. Sol had al een fors verleden als zelfstandige maar hij begon aan elk nieuw project met de geestdrift van een onbeschreven dilettant. Het restaurant, door drie andere bedrijven gescheiden van Zabar's, serveerde coquillage, Hollandse haring, Amsterdams zuur. Zijn zaak had hij The Fresh Company genoemd (wat een Nederlandse supermarktketen, zo hoorde hij later, zo goed vond klinken dat die er een paar dure filialen mee tooide).

Sol woonde toen in The Ansonia, het Belle Epoque monster op de hoek van Broadway en Seventythird, dat in die jaren een verwaarloosd blok was dat op roem en renovatie wachtte. Zijn appartement telde twee kamers en had een *southwest exposure* dat hem een weids uitzicht over Broadway schonk. Later maakte de film *Single White Female* The Ansonia tot een gewild adres, maar toen had Sol zijn koffers al naar een tiental andere studio's geschljept.

Elke avond zat The Fresh Company vol en elke avond verloor hij geld. Zijn accountant zei dat hij veel te duur werkte, maar wat Sol ook aan bezuinigingen doorvoerde (mindere kwaliteit vis inkopen, de wijnen iets hoger prijzen, een kleine toeslag per couvert invoeren, een goedkopere wasserij het linnengoed laten verwerken), niets droeg bij aan de sanering van zijn zaak. Vervolgens huurde hij een privé-detective die gespecialiseerd was in horeca-affaires.

Na een week kon deze hem vertellen dat zo ongeveer het voltallige personeel geld verduisterde. De kas klopte, de afrekeningen en de bestellingen waren met elkaar in balans, maar er werd meer geserveerd en afgerekend dan de bonnen konden vertellen. En zijn partner, die hem tot het grijze inkoopsysteem had verleid, deed daar lustig aan mee.

Pierre Delacroix, een Fransman die een glorieuze carrière als bedrijfsleider had doorlopen (Algonquin, Rainbow Room), had hem de kneepjes van het dubbele inslaan geleerd: koop gewoon wit in, zorg ervoor dat alles geregistreerd staat en draag voor je personeel premies af, en daarnaast ga je voor een deel van je behoeften pikzwart te werk. Een dubbele boekhouding. Sol verloor het overzicht en leunde steeds meer op het inzicht van Pierre. Ze losten elkaar 's avonds af en Pierre, drager van een ringbaardje, accentvol en charmant, maakte zich net zo geliefd bij de clientèle als de initiatiefnemer. Alles zou goed komen, ze hadden een aanlooptijd van minstens een halfjaar nodig, verklaarde Pierre, maar Sol rekende zich suf en dreigde failliet te gaan.

Sol ontsloeg het voltallige personeel, hield de zaak drie dagen dicht en huurde een nieuwe keukenbezetting, serveersters, zelfs afwassers, en probeerde het verlies te compenseren. Maar de chef die hij met Pierre had weggestuurd – indertijd door Pierre binnengehaald – bleek een meester te zijn die door weinig andere koks kon worden vervangen. De geliefde yuppen bleven weg en Sol kon de lasten niet meer opbrengen. De bank sloot de kraan.

Zijn vader kon hem bijstaan. Maar Mordechai, die zich herinnerde hoe Sol twee jaar eerder geroepen had: een restaurant! op Broadway in het hart van de West Side!, bleef resoluut in zijn weigering om zijn zoon bij te springen. De leveranciers hadden zich soepel opgesteld, op een visgroothandel na, een Griek die hij van antisemitische sentimenten verdacht, hoewel Sol hem niet op een onverholen racistische uitdrukking kon betrappen. Drieduizend dollar wilde de Griek. Sols toekomst hing aan een draadje van slechts drieduizend dollar. Zijn vader haalde er zijn schouders over op. 'Jouw leven, jouw sores,' had hij gezegd.

Een week na diens vertrek naar het onafhankelijke landje, waar een paar jaar eerder een staatsgreep had plaatsgevonden, werd The Fresh Company op last van de rechter gesloten en ging Sol op de fles. De conciërges van The Ansonia zetten een ander slot op zijn deur en Sol sjouwde zijn koffers naar een pension. Na het bezoek van de deurwaarders dreef hij dronken door de nacht en 's ochtends besloot hij om in het huis van zijn vader naar een aantal verkoopbare spullen te zoeken. Hij bezat toen het precieze bedrag van zeven dollar en drieënveertig cent. Het besef dat hij daarmee het einde van de week niet zou bereiken was zo urgent dat hij besloot tot een investering in een treinkaartje naar New Haven alsmede tot een onderzoek naar voorwerpen die bij afwezigheid van zijn vader mogelijkerwijs verpand of verkocht konden worden.

Sol wilde niks stelen. Hij wilde lenen en later terugbetalen. Met vergoeding, vanzelfsprekend.

Hij liep het hele roteind naar het witte huis, de sleutel koesterend die zijn vader hem ooit had toevertrouwd. Toen hij de voordeur openduwde, zag hij Camilla, de huishoudster, op een stoel naast de trap zitten. Ze droeg een jas en hoed en keek op uit een boek. *The holy bible*, las Sol. Shit.

Ze stond met moeite op. Een middelbare vrouw met versleten benen en dikke vingers.

'Ik hoopte dat u zou komen, meneer,' zei ze. 'Ik wist niet waar u woonde. Niet meer op het adres dat uw vader heeft opgeschreven.'

'Ik ben verhuisd.'

Hij had koppijn en stonk naar alcohol. Hij ging zitten op de stoel die zij verlaten had.

Camilla verborg het boek in haar handtas: 'Ik heb slecht nieuws voor u.'

Het was duidelijk wat het was. De oude was dood. God had zijn vervloekingen verhoord en zijn vader met een bliksemstraal gedood.

'Wat is er?'

Sol stak een sigaret op. Na seks en bij slecht nieuws.

'Uw vader is verdwenen. Ze belden op. Ik was hier om de post uit de bus te halen.' Ze wees naar de tafel in de hal, waarop tientallen enveloppen lagen. Zijn vader ontving veel post. Sol alleen wanneer hij failliet ging. 'Uit Suriname. Parabaribo.'

'Para*m*aribo,' verbeterde Sol.

'Hij is verdwenen.'

'Hoe dan? Wat is er gebeurd?'

'Hij ging de rivier op. Hij is niet teruggekomen. Ik bid voor hem.'

Sol begreep niet waarover zij sprak. Zonder acht op haar te slaan vond hij de weg naar de drankkast en zette de Remy Martin aan zijn mond.

'Hier,' zei Camilla.

Zij gaf hem een glas aan. Sol gehoorzaamde en schonk het glas tot de rand toe vol. Voorzichtig liet hij zich op de bank zakken.

'Is hij verdronken?' Hij nipte aan de cognac.

'Nee. Ze weten niets. Hij is niet teruggekomen.'

'Wat deed ie op de rivier?'

'Weet ik niet. Zwemmen.'

'Mijn vader zwemt nooit.'

'Van de boot gevallen, misschien,' zei Camilla. Met rechte rug ging zij op de armleuning van zijn vaders fauteuil zitten en hield met beide handen haar handtas vast. Zij droeg een lichtblauw hoedje met een gerimpelde rand. Zij had droeve, vochtige ogen. Het oogwit was gelig van kleur.

'Wat moest hij op een boot doen?'

'De Heer weet het,' antwoordde Camilla.

'Wat weet je wel?'

'De meneer zei dat uw vader niet gevonden is.'

Zij had het telefoonnummer genoteerd en Sol zette het glas op tafel. Hij belde met Gideon Rodrigez en sprak zijn moedertaal.

'Meneer Rodrigez, u heeft met de huishoudster van mijn vader gesproken.'

'Inderdaad, ja. Uw vader vertelde dat hij een zoon had. Ik dacht dat het wel noodzakelijk was om u in te lichten, ja.' De man sprak met een vreemd accent, Nederlands op een exotische melodie. De verbinding was slecht.

255

'Hij is verdwenen?'

'Inderdaad, ja.'

'Hoe? Kunt u me vertellen wat er gebeurd is?'

'Hij maakte een boottochtje. Met een kano. Alleen, zonder hulp, de rivier op. Wij wisten niet dat hij dat ging doen want dan hadden wij gezegd: nee, rabbijn, dat is niet verstandig. Zonder ervaring moet je niet de rivier op. Hij is gegaan. Alleen. Niemand wist het. De eigenaar wachtte op zijn kano. Uw vader keerde 's avonds niet terug. 's Nachts niet. Wij zijn 's ochtends meteen gaan zoeken, meneer, met iedereen die boten heeft zijn wij op de rivier gaan zoeken. Wij hebben gezocht in de monding, voor de kust, wij hebben gezocht stroomopwaarts, maar wij hebben uw vader niet gevonden. Uw vader is niet teruggekeerd, meneer.'

'Hoe lang geleden is dat?'

'Nu drie dagen, meneer.'

'Wat denkt u?'

'Wat bedoelt u, meneer?'

'Denkt u dat ie... denkt u dat hij nog leeft?'

'Kodisj Borger weet 't, meneer. Was uw vader een goed kanovaarder, meneer?'

'Hij heeft nooit in een kano gezeten. Nooit.'

'Dat is slecht nieuws, meneer.'

'Ja.'

'We blijven zoeken, meneer.'

'Ja. Blijft u zoeken.'

Halverwege de fles Remy Martin begon Sol te huilen. Hij huilde zich in slaap en werd de volgende ochtend wakker gebeld. Hij lag op de bank in de woonkamer en merkte dat een deken hem had warmgehouden. Camilla had hem de afgelopen nacht toegedekt. Ze had haar hoedje afgezet en een schort voorgebonden. Zij beantwoordde de telefoon.

'Voor u,' zei ze met afgewend hoofd, vol weerzin voor de slappeling die de bank van de rabbijn misbruikte voor het uitslapen van zijn roes.

'Ja.'

Zijn strot deed pijn. De cognac en het pakje sigaretten hadden in zijn lijf processen op gang gebracht die ook in vuilnisemmers voorkwamen: hij rotte van binnen.

Het was een stem van US Mail. Ze hadden een telegram voor Salomon Mayer.

'Dat ben ik,' zei hij met de stem van een rochelend nijlpaard.

'Moet ik de tekst voorlezen, meneer?'

'Ja.'

'Resten van kano gevonden. Geen hoop. Uw vader officieel als vermist opgegeven. Einde bericht.'

Sol hing op.

Met gevouwen handen en grote gele ogen die geen vertrouwen in de jeugd hadden keek Camilla hem aan, wachtend op zijn oordeel.

Sol nam de fles bij de hals vast.

'Hij is dood,' zei hij.

Enkele minuten later, nadat hij in recordtijd een kwart van de fles had geledigd, begon hij opnieuw te grienen.

Hij werd verscheurd. Het klopte. Schuldgevoel maakte kapot. Het sneed je borstkas open en martelde je hart. Het laatste dat zijn vader uit zijn mond had gehoord was een litanie van ellende. Scheldwoorden uit een zielige bek. Zijn vader was dood. Verdronken in de diepten van een tropische rivier. Uiteengereten door de kaken van krokodillen, of van piranha's, terwijl zijn longen zich met lauw water vulden en zijn ogen de blikken van de wilde beesten zagen.

Sol kon slechts op één manier uit dit oerwoud van smart vluchten: in gebed, in navolging van Camilla. Met dronken ogen ging hij op zoek naar zijn vaders siddoer, maar het drong tot hem door dat zijn vader dat boek in zijn bagage had toen hij hem op JFK had stijfgescholden. Hij leegde de fles Remy Martin. Begon aan Johnny Walker. Het telegram werd afgegeven en met dolle blik bekeek Sol de wazige tekst. Hij zoop tot de nacht de houten wanden van het huis liet zuchten. Kroop ziek over de vloeren, over zijn eigen kots, en kwam ergens, na uren die niet meer te tellen waren, in het licht van de dag bij bewustzijn.

Bidden, dacht hij met een verre stem, kaddisj voor zijn vader. *Jitkadal wejitkadasj sjemee rabba...* zelfs die woorden was hij kwijt.

Hij sleurde zich op zijn knieën maar hij had geen kracht om zich op te richten en te gaan staan. Op handen en voeten trok hij zichzelf naar Mordechai's werkkamer. Papa is dood, dacht hij, en ik heb hem nooit gezegd dat ik van hem hield. Ik hield van hem. Ondanks alles. Hij heeft nooit goed naar me gekeken. De zak is nu dood. God, de hufter is nu dood. *Jouw leven, jouw sores.*

Hij duwde de deur open en probeerde zich aan de deurpost op te trekken.

Zijn vader stond voor zijn bureau. Hij was net zo gekleed als bij hun afscheid op JFK. Levend en sterk als altijd. Hij bekeek zijn zoon kalm en liefdevol. In zijn hand hield hij zijn siddoer.

'Papa!' schreeuwde Sol.

Hij kneep zijn ogen dicht en liet zich op de vloer vallen, kromp trillend van vrees in elkaar en riep: 'Papa! Papa! Papa!'

Hij was bang, ten diepste bang, tot in zijn vezels bang, nooit eerder in zijn leven zo bang.

'O, papa,' kreunde hij, 'o, papa, je bent terug, papa, je bent terug...'

Toen hij wakker werd lag de siddoer naast zijn hoofd. Het boek was warm en vochtig van het water. Geurend, tropisch rivierwater.

# Zuid-Amerika
## een jaar later

## 1

*En zo gebeurde het dat Sol Mayer, zoon van Mordechai, een
obiaman ontmoette:*

Hotel Torarica bood de bezoeker een curieuze mengeling
van Zuidamerikaanse losbandigheid, Caribisch comfort
en Nederlands provincialisme. Op het terras van het hotel
strekten de liefjes van de militairen en politici zich onder
de verzengende zon, atletische vrouwen met lange benen
en gladde buiken, de droom van elke nachtclubeigenaar.

Het land was failliet, het volk had nauwelijks te eten, de
militairen vormden een aparte klasse die het alleenrecht
op smokkel en drugsdoorvoer had opgeëist, de politici
waren corrupt of dienden hun eigen *clan*, de door de Ne-
derlanders opgezette infrastructuur voor onderwijs, ge-
zondheidszorg, landbouw, belastinginning, voor in feite
alles wat met het functioneren van een beschaafde natie
verband hield, was ronkend ineengestort, en Sol poogde er
's zaterdags uit de Thora te lezen.

Inmiddels kende hij de hoeren, de vertegenwoordigers
van Nederlandse bedrijven, de journalisten, wapenhandelaren en avonturiers, de piloten van drugsvliegtuigen en
de ontwikkelingswerkers die regelmatig over de drempel
van het hotel stapten, en inmiddels had hij zich op elk item
van Stanley's cocktailaanbod bewusteloos gezopen.

Na een carrière bij de grote hotels van de Bahama's stelde de beroemde barmixer Stanley Treurniet de klanten
van de Saramacca Bar zijn rijke ervaringen ter beschik-

king, en daarvoor dienden zich drinkers aan die beweerden dat ze speciaal voor Stanley uit Georgetown in Guyana, ten westen van Suriname, waren afgereisd. Ten oosten van Suriname, in de jungle van Frans Guyana, stonden de lanceerinstallaties voor Franse en pan-Europese raketprojecten, en de technici van de Arianes beschikten er over comfortabele hotels en goede restaurants, maar ook zij ontbeerden een eigen Stanley, zo had Sol begrepen. De aandacht voor de barman had hem overdreven geleken tot hij het vakmanschap van Stanley aan den lijve ervoer. Stanley had weelderige aanbiedingen afgeslagen en zou tot opluchting van de Surinaamse politieke, militaire en criminele elite in Torarica blijven werken tot hij voldoende had verdiend om zijn huis op Curaçao af te bouwen.

Stanley hield van rum. Sol had geen ervaring met rum, maar Stanley wees hem de weg. Sol liet zich elke avond vollopen en sliep in de ruis van de airco naar het volgende etmaal dat hem dichter bij het einde van zijn contractperiode bracht.

Na zijn aankomst was Sol door Stanley over de weg naar Afobaka en de brug bij Carolina naar de zeventiende-eeuwse nederzetting Jodensavanne geleid, aangelegd door joodse vluchtelingen uit de Latijnse gebieden van Zuid-Amerika. Een kleine zestig kilometer ten zuiden van Paramaribo hadden de joden een synagoge in het oerwoud gebouwd waarvan de muren onder de eeuwenlange aanvallen van de bush waren bezweken. Stanley had hem met dunne vingers op de resten van de bakkerij, het slachthuis, de rituele baden en de begraafplaats gewezen, het resultaat van de restauratiewerkzaamheden aan het einde van de jaren zestig. Maar de natuur had de ruïnes al lang weer met een dikke groene deken toegedekt.

Sol berichtte Simon Pereira, de voorzitter van de joodse

gemeenschap, importeur van frisdranken, conserven en auto-onderdelen, dat hij de wederopbouw van de nederzetting diende te financieren. Met het frisse Amsterdam nog in zijn botten beschikte Sol over een hoeveelheid energie die in dit deel van de wereld op de lachstuipen werkte. Geamuseerd door zijn bevlogenheid had Pereira zijn verzoek dan ook naast zich neergelegd.

'Eerst de opbouw van ons land, rabbijn,' had Pereira geantwoord, 'dan het verleden.'

'Zonder verleden geen heden, meneer Pereira.'

'Die ruïnes lopen niet weg. Zodra ons land weer meetelt in de vaart der volkeren, kunnen we ons over ze buigen.'

'Het zou een prachtige attractie voor de toeristen kunnen zijn,' opperde Sol. 'Denk aan al die Amerikanen die hier hun dollars komen spenderen.'

'Die blijven weg. Wat moeten die in Suriname doen?'

Sol had verder niet aangedrongen en het plan opgegeven.

Waarom had de aanblik van de graven hem zo aangegrepen? Hij liep achter Stanley's gespierde lijf over de begraafplaats en rook de rivier die langs de verdwenen nederzetting stroomde. Namen van oude doden. Tijdens hun leven hadden ze deze plek tot bloei gebracht, plantages beheerd, tot de Heer gebeden, en nu werden hun botten – wat kon daarvan in deze vochtige warmte resteren? – door verweerde, bemoste, vergruisde stukken steen bedekt. Vergeefs, vergeefs, dacht Sol terwijl de transpiratie uit zijn oksels droop, over zijn rug meanderde, in zijn liezen broeide. Misschien waren Sols emoties zo hoog opgelaaid omdat zijn vader in dit land gestorven was.

'In 1832 is alles verbrand,' vertelde Stanley met een donkere, zingende stem. 'Brandstichting. Misschien de Indianen. Of de bosnegers. Daarna was er alleen nog de kerk van de joden. Maar na 1860 gaven de joden alles terug aan de *boesi*.'

Stanley bleef staan en keek glimlachend naar Sols bezwete gezicht. Stanley glom ook, maar hij had een blauwzwarte huid die beter bestand was tegen de hitte. Aan het begin van de tocht had hij zijn kunstgebit uitgedaan, waardoor zijn naar binnen vallende lippen de rest van zijn gelaat meetrokken en hij de indruk wekte dat hij zijn gezicht aan het opeten was. Hij had een mager, schonkig lichaam, dat verrassend soepel door de boesi bewoog. Hij was vergeten hoe oud hij was. Hij wees op een graf. De gelooide huid hing los om zijn armen.

'De oudste,' zei hij, '1667.'

5427, ontcijferde Sol de Hebreeuwse tekens, het joodse jaar dat overeenkwam met 1667.

'Toen de jodenhaters in Holland regeerden, zaten hier de NSB'ers,' vertelde Stanley. 'Die moesten de graven schoonmaken. Als straf.'

Sol was verbaasd: 'NSB'ers? Waren er in Suriname NSB'ers?'

'Kwamen uit Indië. Daarna kwam de boesi weer terug.'

Sol had kaddisj gezegd en had zich na terugkeer in het Torarica voor de eerste keer sinds zijn aankomst bezopen.

Het was dus niet zo dat hij meteen in een dagelijks terugkerende zuippartij was losgebarsten – nee, hij had er zich langzaam naar toe gewerkt, als een motor die haperend aanslaat en moet warmdraaien. Hij had niets te doen en zou ook niets te doen krijgen. Als hij zich bedronk hoefde hij niet bang te zijn dat hij zijn taken verwaarloosde want hij kon zijn weektaken binnen één werkdag af: een paar brieven, huisbezoeken, voorbereiding van de preek, de begeleiding van de barmitswa-jongens. Ook de joodse Surinamers waren vóór het fatale jaar 1975 de onafhankelijkheid ontvlucht. De huidige gemeente telde slechts tweehonderdvijftig leden maar het kostte moeite om op zaterdagochtend tien mannen bij elkaar te krijgen. Pereira had zijn vader op diens sterfbed beloofd om de eredienst in de synagoge aan de Keizerstraat na een onderbreking van zes jaar weer wekelijks te laten uitvoeren. Sols salaris en verblijfskosten drukten op hem als een 'eendeveertje op een wit kostuum', zoals een van Sols geloofsgenoten na afloop van een dienst had opgemerkt. Nadat de komst van de rabbijn tot een opleving in het sjoelbezoek had geleid, was een week of zes later het nieuwtje van zijn aanwezigheid gesleten en viel de gemeente terug in de onverschilligheid waarmee de joodse traditie in Suriname werd beleden.

Sol was niet de enige die zich afvroeg welke zegeningen de onafhankelijkheid had gebracht. Suriname ging steeds meer lijken op een gewoon Zuidamerikaans ontwikkelingsland. Maar niemand durfde hardop te herhalen wat Sol aan de bar of onder een parasol bij de beroemde niervormige *pool* van Torarica 'onder mekaar' en 'in vertrouwen' hoorde: zaten die verdomde *patata's* nog maar in het paleis aan de Gravenstraat. Sol had geen keus en moest hier wachten op het aflopen van zijn contract. Hij wist niet wat hij daarna zou gaan doen.

Hij verbaasde zich over de hevigheid van zijn afkeer: hij haatte de verzameling houten bouwvallen die voor de hoofdstad doorging, hij haatte de hitte (het was altijd te warm voor een wandeling – op de vroege ochtend na, maar dan heersten Stanley's cocktails nog over zijn bewustzijn), hij haatte de rottende vruchten, de weggezakte straten, de afgebladderde gevels die machteloos werden weggevreten door de tropische regens en moordende zon, de stinkende bioscopen waar alleen de ergste Hong Kongactie bijval vond, de kale winkeletalages met koopwaar die grotendeels uit in de VS en Europa afgekeurde B-kwaliteit bestond, het vale drukwerk, de lethargische mannen op alle straathoeken, de illusie van de loterijen, de zwoegende vrouwen, het bijgeloof, de achterlijkheid, de naïeve opgewektheid waarmee iedereen de ellende wegwuifde. Niets of niemand kon op zijn mededogen rekenen; hij had al zijn mededogen voor zichzelf nodig.

Toch schreef hij over solidariteit en loyaliteit. Hier vond hij de tijd om aan zijn bundel essays te werken, een project dat in New York op verwerkelijking had gewacht en pas in Paramaribo kon worden uitgevoerd. Elke dag besteedde hij enkele uren aan het ordenen van zijn gedachten over Gods falen in deze wereld.

Het motto van zijn boek had hij twee maanden geleden op de zware maar onfeilbare Underwood getikt. Met letterhamertjes die als kogels uit hun bedje schoten sloeg hij de anekdote over de twaalf rabbijnen in het zachte papier: na een bloedige pogrom hadden twaalf rabbijnen een rechtbank gevormd en God aangeklaagd. Ze hadden Hem aan Zijn beloften herinnerd, Zijn daden gewogen, Zijn berouw gemeten, en ten slotte het *schuldig* uitgesproken: God droeg de verantwoordelijkheid voor wat hem werd verweten, God had de mensheid in de steek gelaten.

Wat Nietzsche over de dood van God, over Zijn moordenaars – wij allen, in niet-christelijke zin – had geschreven, was niet juist, zo meende Sol. God was onsterfelijk, anders zou Hij niet de Enige Naam zijn. Zijn afwezigheid kwam niet voort uit Zijn dood maar uit Zijn vertrek. Hij had zich teruggetrokken toen de wereld tijdens de Verlichting haar glans verloor. In het menselijke lichaam kon sinds de precieze analyse van zijn bestanddelen geen onweegbare ziel meer huizen, en zonder religieuze zingeving kon er evenmin sprake zijn van existentiële troost. God had zich teruggetrokken in de uithoeken van het heelal en hij had de mens alleen gelaten met Zijn revolutionaire ideeën: de wereld is te vervolmaken, het paradijs is een puzzel die op voltooiing wacht. De Verlichting had die utopieën losgesneden van de Onkenbare Schepper en had daarmee bij de mens de illusie gekweekt dat hij zonder metafysica het leven naar de dood kon leiden. De volmaakte mens ging op jacht naar de volmaakte wereld.

Sol had met behulp van de boeken die hij bij zijn vertrek uit Amsterdam had meegenomen ruim dertig bladzijden geschreven (de ruimte die hij voor zijn schrijfwerk zou krijgen was een leuk extraatje geweest bij de aanvaarding van deze baan) en hij stelde zich nog tweehonderd andere bladzijden voor.

Op de dag dat Sol voor het eerst over een *obiaman* hoorde, dreven grijze wolken boven de palmen. De vochtige lucht lag zwaar op de grond, alsof Paramaribo als een sauna werd opgestookt, elke beweging veroordelend tot moeizame inspanning. Sol hield zich stil op een Drentse stretcher, een lome hand naast zich op het bamboe tafeltje, tegen zijn vingertoppen het lege glas dat nog koel aanvoelde na het gulzige slurpen.

Hij wilde wachten met de vierde marguerita tot Sandra was gearriveerd. Hij had een recent exemplaar van de *Herald Tribune* te pakken gekregen en wilde dat lezen. In Paramaribo bestond de rest van de wereld niet. De eenwording van Europa, de Bosnische oorlog, het gevecht tussen Clinton en Gingrich, de teloorgang van Rusland – vanuit Suriname was de wereldpolitiek net zo ver als sterrencluster M81, een heldere spiraal die vele malen groter was dan de Melkweg. Uit de geluidsboxen schalde een lied dat verdronk in het geroezemoes van de terraszitters. Kinderstemmen kaatsten op het spattende water van de *pool.*

De alcohol hield alles op afstand. Met gesloten ogen luisterde hij naar de zwoele geluiden van het *happy hour* van Torarica. Sol had zich voorgenomen om vandaag het probleem van Gods vertrek op te lossen.

Waarom was God voor de Verlichting op de vlucht geslagen? Zijn Macht werd blijkbaar beperkt door de daden van de mensheid. De Natuur was door Hem op gang gebracht en de blinde willekeur die daar heerste bewees dat Hij zich niet voor haar interesseerde: de natuur toonde aan dat Zijn schepping chaotisch van karakter was. Sol had gelezen dat het onderzoek naar elementaire deeltjes in toenemende mate zogenaamde chaos-theorieën voortbracht. Op fundamenteel niveau heerste het noodlot, het toeval, zinledigheid. Daarentegen vulde de mens zijn kosmos met ratio, doelgerichtheid, verantwoordelijkheidsbesef, en de kracht die die eigenschappen een min of meer noodzakelijke oorsprong verleende was Hasjem. Zonder Hem werd alles futiel. Als hij niet bestond, moest de mens Hem uitvinden.

Sandra maakte hem wakker. Een nep Ray-Ban met een spierwit montuur op haar dikke, ontkroesde haar. Grote lippen die nog groter leken door het overdadig gebruik van felrode lipstick. Een bescheiden neus die Javaanse invloeden verraadde. Amandelvormige ogen en gracieuze vingers, alsof ze ook nog Balinees bloed had. Ze gaf les op een lyceum en hield hem een paar keer per week gezelschap, met trillende onderlip en kleine adertjes bij haar ooghoeken die bij haar hoogtepunt even opzwollen.

Ze boog zich over hem heen en kuste hem vol op zijn mond. 'Sliep je?'

Ook zij sprak het wonderlijke nasale en melodieuze Nederlands dat Sol voor het eerst had gehoord tijdens het telefoongesprek met Gideon Rodrigez, advocaat en medewerker van Pereira. Rodrigez had hem de dood van zijn vader meegedeeld. Voor zijn emigratie naar Amerika had hij nooit een Surinamer gesproken. Hij kende de Hollandse accenten een beetje, maar die van de voormalige koloniën waren hem vreemd.

Sol dacht nog steeds in het Nederlands. Misschien was dat ook een van de redenen waarom hij New York had verlaten. Hij had zich daar dieper moeten aarden, zich tot Amerikaan moeten transformeren. Maar hij was een Hollander in Amerika gebleven. Hier was dat anders. Hij sprak de taal van de vroegere *masra*, de baas.

'Ja. Paar minuten misschien. Werk af?'

Hij herinnerde zich dat hij over de uitvinding van Hem had nagedacht voordat hij in slaap was gevallen. Hij moest het opschrijven voordat het idee door de marguerita's uit zijn geheugen was gewist.

Sandra had de afgelopen uren huiswerk nagekeken opdat ze de avond zorgeloos met hem kon doorbrengen.

Ze knikte. 'Word ik nooit vrolijk van. Ze doen hun best niet. Je zou denken dat armoe een stimulans is, dat ze zich willen ontwikkelen om hier weg te komen, maar niets is minder het geval. Het interesseert ze niet.'

'Ik weet niet of dat ergens anders beter is. De jeugd wil niks, weet je.'

'Ik wilde wel wat toen ik zo oud was. Ik wilde alles.'

Ze liet zich op de stretcher naast de zijne zakken. Een korte wijde rok met bloemmotieven. Toen ze zich daarnet voorover had gebogen om hem te kussen, had ze het hele terras haar kont getoond. Dat wist ze en ze deed het met opzet. Ter meerdere eer en glorie van de beheerder van die billen, rabbijn Sol.

'De jeugd wil alleen vertier en vermaak.'

'Dat blijkt ja.'

Freddy, een van de terrasobers, wilde weten wat zij dronk.

'Wat drink jij?' vroeg ze.

'Marguerita.'

'Ik niet. Cola.'

Freddy knikte en probeerde zo lang mogelijk te genieten van de aanblik van haar opgekropen rok. Sandra droeg bijna altijd witte tangaslipjes die door de dunne stof van rok of broek schemerden.

'Heb je veel gedronken?'

'Nee.'

'*Léman.*' Leugenaar.

'Drie marguerita's. Dat is niet zoveel.'

'Genoeg om een kaiman in een todo te veranderen.'

'Wat is todo?'

'Kikvors.'

'Zo'n zuiplap ben ik niet.'

'Dat ben je wel. Na deze bestelling hou je op.'

'Als je zo blijft dan had je beter niet kunnen komen.'

Ze droeg een bloes zonder mouwen en hij zag het bandje van haar witte beha. Het maakte eigenlijk niet uit wat ze tegen hem zei. Als ze straks maar lachend en heupwiegend op hem kroop.

'Ik zeg wat ik te zeggen heb. Of je dat nou leuk vindt of niet, *droenkoeman.*' Dronkelap.

'Een paar marguerita's, dat is alles.'

'Je maakt problemen, Sol. Maar je hebt verantwoordelijkheden, begrijp je? De mensen willen jou respecteren, maar jij maakt het ze moeilijk.'

'Wat is er, Sandra? Had je een rotdag?'

'Ja. Een rotdag, ja.'

'Dat is niet mijn schuld. Klaag bij de ouders van je leerlingen. Bij je collega's.'

'De rotdag kwam door jou, *dofoeman*.' Dove.

'Wat heb ik dan gedaan?'

'Je was *droenkoe* in de kerk. De mensen praten. Ook op school. Je maakt jezelf te schande.'

Ze lachte opeens en zwaaide uitbundig naar een vrouw aan de andere kant van het zwembad. Voelde of haar witte oorbellen goed hingen.

'De mensen zeggen maar wat.'

'Ik heb toch ook ogen? Je hebt een probleem, geef toe.'

'Je moet niet overdrijven. Ik ben het gewoon niet gewend om in deze warmte te drinken. Alcohol werkt hier anders dan in een noordelijker klimaat.'

'Onzin.'

'Laten we geen ruzie maken, Sandra. We gaan straks lekker eten, misschien nog een beetje spelen in het casino en dan…'

'Als je zo doordrinkt dan gaat jouw ding in staking, weet je.'

'Bij jouw aanwezigheid gaat niets in staking, schat.'

Haar glimlach brak door haar ernst. Ze was verzot op complimenten, flirts, baccarat, roulette.

Sol vroeg: 'Wie heb je gesproken?'

'Henkie Polak. Zijn kleinzoon zit bij mij op school. Henkie kwam praten omdat Brammetje niet meekomt. En hij vertelde over jou. Hij weet van ons en hij wilde jou waarschuwen.'

'Waarom?'

'Misschien gaan ze jou ontslaan.'

'Ik heb een contract.'

'Toch gaan ze jou ontslaan. Henkie zei dat jij in slaap was gevallen toen de gebeden werden gezegd.'

Freddy plaatste de drankjes op het bamboetafelblad tussen hen in. Toen hij zich verwijderd had, vroeg zij: 'Wat is er met je, Sol? Dit kan zo niet doorgaan. Je maakt jezelf onmogelijk hier.'

'Sandra, het valt wel mee.' Maar hij dacht: ze heeft gelijk, ik moet oppassen. Hij had gezopen voordat hij naar sjoel was gegaan. Rum als ontbijt.

'Weet je wat Teun heeft gedaan?'

Teun was haar neef. Luitenant in het corrupte leger. Sol schudde zijn hoofd.

'Teun is naar een *obiaman* gegaan. De *obiaman* heeft hem genezen.'

'Is dat een medicijnman?'

'Dat is een laatdunkend woord. De versimpeling van een patata.'

'Ik geloof niet in een obiaman.'

'Dat is dan dom. Wat de patata niet kent dat vreet hij niet.'

'Je vraagt me om iets van jouw cultuur over te nemen dat me vreemd is. Een wereld van geesten en demonen.'

'En jouw cultuur? Zonder geesten en demonen?'

'Nee. Maar anders. Abstracter.'

Ze zoog aan het rietje en hij zag het niveau van de donkerbruine cola zakken. Nog steeds een kaaskop, bezeten van waterhoogten. Met haar vingers ving ze een ijsblokje en duwde dat tussen haar glanzende lippen.

'Hoe was je vroeger? Ook zo? Ben je daarom uit New York weggegaan?'

Hij had haar verteld dat hij genoeg had gesnoept van de suikerwaren van New York en aan zijn tanden moest denken. Het was de zoveelste leugen die hij het afgelopen jaar had uitgebazuind.

Sol nam een slok van de marguerita. Sandra was niet eerder zo direct geweest. De voorzichtige, omtrekkende, ontwijkende benadering was deel van haar cultuur. Geen gezichtsverlies. Voorkom schaamte. Hij had niets anders dan schaamte.

'Je vraagt: ben ik daar weggejaagd? Wil je dat weten?'

'Zo bedoel ik het niet,' verzachtte Sandra haar aanval.

'Ik ben hier uit vrije wil heen gegaan, schat. Weet je een andere reden om naar Suriname te komen?'

Holle retoriek. Hij was wel degelijk gevlucht.

'Niemand verlaat New York uit vrije wil,' zei Sandra beslist.

'Ik wel.'

'Ik begrijp je niet. Ik zou gebleven zijn.'

'Dat lijkt me een academische kwestie.'

Ze draaide haar lenige lichaam op de stretcher naar hem toe: 'Wees eerlijk, Sol: er moet daar iets gebeurd zijn. Niemand komt alleen uit positieve motieven naar dit gat.'

'Als je in zin voor avontuur iets negatiefs ziet dan heb je gelijk. En nou hebben we hier genoeg over geluld.'

'Wat doe je ruw.'

Gekwetst wendde ze zich van hem af: 'Toch drink je te veel.'

'Je overdrijft.'

Zonder hem aan te kijken zei ze: 'Henkie zei dat er al over vergaderd was. Achter je rug. Je bent hier nou een half jaar en nu al heb je vijanden gemaakt.'

'Vijanden?'

'Wie wil er een priester die bij de rituelen staat te lallen?'

'Je overdrijft nog steeds.'

'Laat mij maar overdrijven. De gevolgen zijn voor jou. En dan? Waar ga je heen? Een priester die niet goed genoeg is voor Suriname is nergens goed genoeg voor. En het vreemde is, droenkoeman, dat ik dat aan jou moet uitleggen.'

'Je bent echt in oorlogstenue hierheen gekomen, hè?'

'Nee. Niet waar,' zei ze. Zonder haar toon kwijt te raken

zwaaide ze opnieuw naar iemand, breed glimlachend alsof ze een hartsvriendin vanuit de verte begroette: 'Ik wil dat het goed met je gaat. Dat het goed met ons samen gaat.'

'Als je zo goed geïnformeerd bent: wat vinden ze ervan dat wij samen…?'

'Pereira heeft drie buitenvrouwen, van Henkie Polak weet ik het niet, maar ik weet wel dat ze bijna allemaal de huwelijkstrouw niet strikt belijden.'

'Jij bent geen jodin. Als je wilt dat ik het goede voorbeeld geef dan moet je uit mijn buurt blijven, schat.'

'Je probeert nu een ander hoofdstuk te beginnen, Sol. Maar daar trap ik niet in. We hebben het niet over jou en mij, maar over jou en de fles. Als je zo doorgaat eindig je als een *wakaman*.' Zwerver.

'Ik heb een contract met Pereira.'

Sandra lachte. Met opgetrokken wenkbrauwen dronk ze haar glas leeg en liet vervolgens de ijsblokjes in het glas draaien. Ze slurpte een blokje naar binnen en hij hoorde hoe haar kiezen het ijs versplinterden.

'Sol…' zuchtte ze, op het ijs kauwend, 'waar denk je dat je bent? Wat denk je dat je kunt doen wanneer Pereira jou een brief laat brengen waarin staat dat jouw aanwezigheid in de tempel…'

'Synagoge…' verbeterde hij.

'… In de synagoge niet meer op prijs wordt gesteld? Wat ga jij dan doen?'

'Ik doe 'm een proces aan. Contract is contract.'

Meewarig schudde Sandra haar hoofd, spottend snuivend.

'Sol, Sol, je bent niet alleen een droenkoeman en een léman maar ook een *stonboeriki*. En dat betekent, letterlijk vertaald, dom-kop.'

'Sandra, geloof me, als dit zo doorgaat dan kun je beter

naar huis gaan. Als ik alles ben wat jij beweert dan ben jij nog erger dan een stonboeriki?'

'Ik ben *breni* omdat ik van jou hou.' Blind.

'Waarom ben ik een stonboeriki?'

'Omdat je nog steeds niet begrijpt hoe het hier toegaat. Als Pereira jou weg wil hebben dan gebeurt dat. En als jij denkt dat je daar iets tegen doen kunt dan vergis je je jammerlijk.'

'Het recht functioneert hier naar Nederlands voorbeeld.'

'Nee. Het recht óógt als Nederlands recht. Maar het is in wezen Zuidamerikaans recht. Pereira is rijk. Pereira heeft *mati's*, vrindjes, Pereira heeft familie. Jij hebt geen schijn van kans om bij een conflict van Pereira te winnen. Als hij met z'n vingers knipt dan vlieg jij de laan uit. En het gekke is, patata, dat ik dat niet leuk zou vinden.'

Ze keek hem bij die woorden niet aan. Ze liet haar blik achteloos over de gasten rond het zwembad gaan en ze reageerde niet toen hij haar hand greep.

'Sandra, zonder jou…'

'Ja, ja, die praatjes ken ik. Ik zou wel eens wat hardere taal willen horen.'

Ze schudde zijn hand weg.

'Daarvoor moet je naar m'n kamer komen.'

Nadat hij de rekening geparafeerd had, liepen ze naar zijn dubbele kamer aan de overkant van het gazon dat aan het zwembad grensde. Ze kleedde hem uit, zat op de tafelrand, op zijn gezicht, en bijtend op haar onderlip gromde ze als een poema toen ze op de vloer klaarkwam en hij zijn knieën openschuurde aan de ruwe vloerbedekking. Heuga tegels.

Sandra lag met haar rug naar hem toe gekeerd. Zweet in

haar bilspleet. Amerikanen hadden een term voor het soort vrouw als Sandra. *Petite*. En dat was iets anders dan klein alleen. Fel, sierlijk, katachtig.

De airco loeide, maar deze lucht was nauwelijks te koelen. Met een arm onder zijn hoofd lag Sol op het laken, de bodem van een flesje lauwe coke op zijn buik.

Sandra vroeg: 'Vond je niet dat ik laat was?'

'Laat?'

'Ik was een halfuur te laat.'

'Ik had 't niet gemerkt.'

'Omdat je je in slaap gedronken had.'

'Begin je weer?'

'Nee. Wil je niet weten waarom ik te laat was?'

'Je auto was stuk.'

'Ik was naar de dokter gegaan.'

Ze draaide zich om, bekeek hem afwachtend en kroelde met een wijsvinger door zijn borstvacht, die hier en daar de eerste grijze haar vertoonde. Haar borsten, met kleine bruinzwarte tepels, lagen overvloedig tussen haar armen.

Met een schok besefte Sol wat zij ging zeggen, ook al had ze de woorden nog niet uitgesproken.

'Waarom? Ik wist niet dat je iets had.'

Ze kwam nog dichter naar hem toe. Drukte haar zwetende onderlijf tegen zijn heup.

'Ik... ik ben altijd heel regelmatig, weet je. Maar niet nu. Drie weken te laat ben ik, weet je.'

Plotseling had Sol een droge keel: 'En? Wat zei de dokter?'

Sandra slikte. Bewoog haar hoofd tot naast het zijne. Ze fluisterde: 'We krijgen een *pikin*, Sol. Een *pikin*.'

Zonder vertaling begreep hij wat dat was. Hij, Sol Mayer, rabbijn en producent van lui zaad, had een vrouw bevrucht.

## 2

Sol hield een preek over het verlangen van Mozes om de Heer te zien.

Nadat Mozes op de berg Sinaï naar de instructies van de Heer had geluisterd en bij terugkeer het Gouden Kalf had aangetroffen, had hij woedend de Stenen Tafelen kapotgesmeten. Als een doorgewinterde advocaat smeekte Mozes de Heer om vergiffenis (*Vergeet niet dat deze natie Uw volk is! Als U behagen in mij vindt leer mij dan Uw wegen opdat ik U leer kennen en voort kan gaan in Uw welbehagen.*) en vervolgens vroeg Mozes, in een moment van zwakte: *Mag ik Uw glorie zien?*

'Het gezicht van de Heer wilde Mozes zien!' riep Sol naar de zeven mannen, allen gekleed in gesteven hemden met korte mouwen. Glazig staarden ze naar hem, hardhorende gepensioneerden die ondanks Sols aanwezigheid de gewoonte van de zaterdagse wandeling naar de synagoge niet hadden opgegeven.

'Nadat de Heer hem heeft verteld dat Hij een zwak voor hem heeft, kan Mozes, gek van verlangen, die wens niet meer voor zich houden. Hij wil de Heer zien! En wat antwoordt de Heer? Je kunt Mijn gezicht niet zien want niemand mag Mij zien en leven!'

Ze leken weinig op de Asjkenazische of Sefardische joden van Noord-Amerika: Jaap was goudgeel en had minstens één Chinese grootouder, Jules oogde als een Hindoestaan, Cornelius als een Javaan, Eddy als een bosneger. Als ze al belangstelling voor hem hadden, slaagden ze er goed in om die te verbergen. Wat maakte het uit.

'Toch wil de Heer Mozes niet alles onthouden. Hij zegt waar Mozes moet gaan staan en wat Hij zal doen als Hij Zijn glorie laat passeren. Hij zal Mozes met Zijn hand beschermen totdat Hij voorbij is en alleen Zijn rug zichtbaar is. *"Dan zal Ik Mijn hand terugnemen en jij zal Mijn rug zien; maar Mijn gezicht mag niet gezien worden."'*

Opnieuw pauzeerde Sol en keek naar zijn toehoorders. Slechts Henkie Polak, een rossige jood uit Rotterdam die als kokshulp in '39 met een Argentijnse kustvaarder in Suriname was gestrand, leek met aandacht te luisteren. Henkie had fortuin gemaakt in oliën en vetten.

'De Heer wil alleen Zijn rug laten zien! Zijn gezicht mag niet door een levend mens worden gezien, maar wel Zijn rug! Maar wat is kwetsbaarder dan een rug? Je draait je rug niet naar je vijand, je draait je rug alleen naar je vriend, naar iemand bij wie je je veilig voelt! De Heer weigert Mozes de aanblik van Zijn glorie en in plaats daarvan geeft Hij hem de kans om Zijn kwetsbaarheid te aanschouwen!'

Sol had geen beeld van de rug van de Heer, hij had slechts de tekst van Exodus 33:23. Hij identificeerde zich met het verstikkende verlangen van Mozes om in de glorie van God te branden. Het wonder van zijn vaders siddoer had hem, zondaar en onverbeterlijke, naar de rijkdom van de Thora geleid, en in momenten van diepste twijfel vond hij slechts de zekerheid dat hij geloofde in woorden. Soms had hij het gevoel dat dat voldoende was, zoals nu. Misschien bezat hij in het geheel geen Godsbegrip en was hij niet meer dan een verdwaasde taalminnaar. *De rug van God. Laat mij Uw glorie zien.*

'Kan God kwetsbaar zijn? Ja. Kwetsbaar is Hij omdat Hij van Zijn volk houdt. En wie iets liefheeft, is kwetsbaar.'

Hij hoorde dat zijn stem begon te trillen. Hij wilde brullen van ellende en de zeven dove en blinde sjabbesgangers zouden niet eens weten dat Sol tranen met tuiten stond te janken. Beheerst zocht hij naar het ritme van zijn ademhaling. Tijdens zijn opleiding had hij dat geleerd. De kunst van het ademhalen.

'De Heer sloot een verbond met Mozes. En Hij zei: *"Schrijf deze woorden neer, want in overeenstemming met deze woorden heb Ik een verbond met jou en met Israël gesloten."* En de Thora zegt dan, ik citeer: *"Mozes was daar met de Heer veertig dagen en veertig nachten zonder brood te eten of water te drinken. En hij schreef op de tafels de woorden van het verbond – de tien geboden."'*

Sol liet zijn borstkas tot bedaren komen, starend naar het papier waarop hij zijn preek had geschreven. Het rook naar de rum die hij erop gemorst had.

'Hebben we de zekerheid dat Mozes daar al die weken echt naar de Heer heeft geluisterd? Hebben we de zekerheid dat Mozes die tien geboden niet zelf heeft bedacht? Het enige wat we zeker hebben is een tekst. Deze tekst spreekt van de rug van God. En van Mozes' verlangen naar de aanblik van Zijn gezicht. Deze tekst roept in feite: als God niet bestaat, dan moeten wij Hem uitvinden.'

Hij daalde de gedraaide trap van de kansel af en zette het slotgezang in. Krakende oudemannenstemmen volgden hem. Meer had hij niet te bieden. Twijfel en rum. De uitvinding van de Heer. Blasfemie.

Doordat er minder dan tien mannen waren, was Sol niet gerechtigd om de Thora en een aantal gebeden te lezen. Hij stond in Ne Ve Shalom, een van de mooiste synagogen ter wereld (gebouwd in de jaren dertig van de vorige eeuw en bezocht door verschillende leden van het Huis van Oranje – net als de Nederlandse joden waren ook die van Suriname sterk oranjegezind), met zijn schoenzolen op de beroemde vloer van wit savannezand die de woestijn moest symboliseren, tussen Dorische zuilen bij de mannenafdeling en Ionische bij de vrouwen op de bovengalerij, te midden van handgesneden ornamenten van glanzend mahonie (Jenny zou hier *high* geworden zijn van zoveel ambachtelijk handwerk) maar slechts zeven oude mannen hadden de warmte van deze zaterdag getrotseerd en de weg naar de Keizerstraat gevonden.

Ook als de broertjes Wijnkoop hun belofte om te verschijnen waren nagekomen was er geen *minje* geweest. Op verzoek van hun moeder, een vaste bezoekster van de zaterdagse dienst die geen lid van de gemeente was en die zich er bij Sol over had beklaagd dat zij niet als volwaardig lid werd beschouwd, had Sol hun antecedenten nagetrokken en uit de losse pols geconcludeerd dat de twee diepzwarte jongens van veertien en zestien enkele generaties terug een joodse voorouder moesten hebben. Hij had hen samen met hun moeder officieel tot jood verklaard. Drie maanden geleden had een chirurg de besnijdenis uitgevoerd en de broertjes hadden elk honderd dollar van Simon Pereira ontvangen. Sols onderzoek voldeed volstrekt niet aan de regels die normaal bij een dergelijke joodverklaring, een *gioer*, werden toegepast, maar hij wilde elke zaterdag minje – tien joden in huis – en dus een gewone dienst hebben. Ron en Michael Wijnkoop, die net als andere jonge Surinamers minder interesse voor hun school dan voor nieuwe Nikes en Levi's toonden, werden voor hun komst betaald. Misschien hadden ze een ander baantje gevonden.

De mannen bleven na voor de kiddoesj, de informele afsluiting van de ochtenddienst met cake, koffie, cola, een slokje rum, en een uur later verliet Sol de synagoge en wandelde door de zware lucht in de richting van de rivier. De rum perste zich door zijn poriën naar buiten en hij sleepte zijn benen over de stoffige, gebroken straten van Paramaribo. Waarom was God op de vlucht geslagen? Tijdens de Verlichting was de magie uit de wereld verdwenen. God had de slippen van zijn mantel over de hemel geworpen en had de mensheid overgeleverd aan haar eigen ijdelheid. De wereld, en dus ook de mens, kon net zo goed zonder Zijn participatie vervolmaakt worden. De utopisten sneden de metafysica weg en hooghartige systemen ter verbetering van de mens, gegrondvest op ideeën over efficiëntie, techniek, functionaliteit, werden de leidraad voor wereldverbeteraars en massamoordenaars. Wat was Hitler meer dan een ontaarde gelovige in de Verlichting die veronderstelde dat de samenleving in haar totaliteit *maakbaar* was? Wat maakbaar was kon worden aangepast en gekneed, en wat binnen Hitlers utopie van het zuivere ras geen plaats had, kon worden vernietigd. Zolang God heerste, werd de utopie binnen de veilige marges van de metafysica gehouden. Of binnen het tijdperk van de Masjiach, zoals de joden geloofden – en zoals ook Sol hoorde te geloven.

Ergens in de achttiende eeuw had Hasjem de aarde verlaten en sindsdien had de Europese mens de ontwikkeling van stoommachine naar ruimtevaartuig beleefd en kosmische werelden en existentiële eenzaamheid ontdekt. Sol vroeg zich af: was God wel almachtig? Of was hij als een acteur die erop rekent dat het publiek zijn pruik en snor al snel vergeet? Hasjem kon zich slechts tonen in een wereld die zich via rituelen, waaronder die van de verkleedpartij, met Hem in verbinding stelde, en het menselijke ontzag voor Hem, het essentieel onkenbare, had plaatsgemaakt voor het ontzag voor het Ding, dat essentieel maakbaar was. De rituelen van de massaconsumptie hadden die van de stilte aan stukken gescheurd. Sol had daar in zijn jeugd hartstochtelijk aan bijgedragen.

'Sol!'

Hij draaide zich om. Sandra zwaaide naar hem. Hij bleef staan tot zij zich bij hem had gevoegd. Ze droeg een witte jurk die zedig tot haar knieën reikte, en meisjesachtige witte sokjes.

'Wat is er?' vroeg ze. 'Waarom ben je zo vroeg?'

'Geen minje.'

'Nee? Wat vervelend.'

'Ja.'

'Ga je naar huis?'

'Ja.'

'Verder drinken?'

'Ja.'

'De mensen blijven weg omdat ze bang van je zijn, Sol.'

'Nee. Ze blijven weg omdat ze geen interesse hebben.'

'Jij moet die interesse kweken.'

'Ik geef wat ik heb.'

'Ze zijn bang. Ze weten niet waarom jij zoveel moet drinken. Dit gaat niet goed, Sol. Dit gaat verkeerd aflopen, en dan? Wat moet er met ons pikin gebeuren?'

Sol had gezwegen. Zijn *té* kon geen pikin veroorzaken. Hij wist niet wie de echte vader was. Sandra had geen verplichtingen ten aanzien van hem. En hij niet ten aanzien van haar.

'Ik heb een contract voor een jaar.'

'Ze gaan je wegsturen. Ik ben bang. Ik wil hier niet achterblijven met een kindje dat zijn vader niet kent.'

'Het hele land wordt bevolkt door kinderen die hun vaders niet kennen.'

'Heb je vooroordelen gekregen?'

'Wat heeft dat met vooroordelen te maken? De praktijk is dat veel vrouwen hier kinderen hebben van drie, vier mannen. Het huwelijk bestaat hier niet.'

'Wij zijn ook niet getrouwd.'

'Nee. Dat klopt.'

Zweet gutste over zijn slapen. Op zijn nek lag een olie-achtige laag, een dikke afscheiding die met de hitte en zijn drankgebruik verband hield. Ze stonden onder de volle zon op de hoek van de Mirandastraat, in de stinkende uitlaatgassen van oude auto's die met slooponderdelen op de weg werden gehouden. Claxons en ghettoblasters verscheurden de lucht. De kakofonie van de rottende junglestad dreunde door zijn schedel.

'Wat kwam je doen?'

'Ik was in het hotel. Ik zag de fles. Ik dacht: je moet genezen. Ik hoopte dat het kindje je zou veranderen.'

'Je kan me niet helpen. Ga naar huis. Ik zie je vanavond wel.'

'Ga naar een obiaman, Sol. Ik smeek je.'

'Schat, ik ben zelf een soort obiaman. Ik grossier toch ook in bovennatuurlijke kunstjes?'

'Je begrijpt 't nog steeds niet. Een obiaman is geen priester. Hij is een soort dokter.'

'Een dokter kan me niet helpen.'

'Wie dan wel? Kan ik helpen? Zeg me wat ik moet doen.'

'Je kan niks doen.'

'Je maakt jezelf kapot, Sol. Wil je dat? Als dat zo is dan zal ik zwijgen. Wil je kapot?'

'Ja.'

Ze keek hem met radeloze ogen aan. Misschien hield ze van hem, ook al had dat geen belemmering gevormd voor een bevruchting door een ander.

Sols contract zou over een half jaar verstrijken en als het

meezat zou hij het land ruim voor haar bevalling als een dief in de nacht hebben verlaten. Hij was van plan om naar Nederland terug te keren en aan een van de Amsterdamse grachten een restaurant te beginnen. Hij keek uit naar de regensluiers die op het grachtenwater dansten.

'Ik geloof je niet. Ik geloof niet dat iemand kapot wil.'

Zij had gelijk. Maar Sol weigerde om haar nu zijn wonden te tonen. Of zijn kwetsbare rug.

'Ik heb een afspraak gemaakt.'

'Een afspraak? Je doet maar.'

Hij wilde weglopen, maar zij hield hem vast.

'Doe 't voor mij, Sol. Niet voor jou. Voor mij. Voor David.'

'David?'

'Onze zoon.'

'Schat… hoe weet je…'

'Ik voel 't. Het wordt een jongen.'

'Zoiets kun je niet voelen. Je hebt een echo nodig om zoiets vast te stellen.'

'Mijn gevoel is net zo goed als een echo.'

'Goed. Je doet maar. David.'

'Een mooie naam toch? Een naam van jouw volk.'

'Vind je niet dat we samen een naam moeten verzinnen?'

'Ik dacht dat jij 't ook mooi zou vinden.'

'Ik weet niet wat mooi of lelijk is.'

'Ontmoet hem nou,' smeekte Sandra. 'Het kost je een halfuur. Ga met hem praten en dan kun je nog altijd zien wat je doet.'

## 3

De obiaman had sierlijke vingers en hagelwit kroeshaar. Hij droeg een korte broek met rafelige randen, liep op eenvoudige plastic sandalen en rookte met overgave een gekromde pijp, waarvan het stukgebeten mondstuk een hoek van zijn gebit had afgeslepen. Hij zat naast Sol op een klapstoel en staarde naar het langskomende verkeer. Hij woonde aan de doorgaande weg naar Zanderij.

'Het toestel naar Willemstad,' zei hij zonder opkijken toen het geluid van een vliegtuig de dreun van het verkeer overstemde. Enkele seconden later werd het toestel zichtbaar en flitste er een schaduw over de hut.

'Ik lust ook wel een glaasje op z'n tijd.'

'Precies,' zei Sol.

'Het gaat om de hoeveelheden, natuurlijk. Als je zoveel zuipt als u dan is er een probleem, toch?'

'Vermoedelijk wel, ja.'

'Lichamelijk alles okay?'

'Ik geloof 't wel, ja.'

'Geen kwaaltjes?'

'Nee.'

'Maar u slaapt niet goed?'

'Dat klopt.'

'Tsja…'

De obiaman zoog diep aan de pijp en een pruttelend geluid klonk uit de walmende kop.

'Te veel vocht,' klaagde hij. 'Rookt u?'

'Nee.'

'Wat nog niet is kan komen.'

Veertig meter verder passeerden bestelwagens en kleine vrachtwagens die de luchthaven en gehuchten en nederzettingen langs de weg bevoorraadden. De weg lag in een smalle strook die als een geul uit het groen was gehakt. Aan weerszijden stelde het onstuitbare oerwoud zich met wanden van palmen, varens, bananebomen, broodvruchtbomen, wilde kapok, tegen de weg teweer. Het asfalt was overal gescheurd en gebroken; het woud nam terug wat het ontnomen was.

Het ritme van een slepende Caribische song dreunde uit de ghettoblaster bij een meloenverkoper verderop langs de berm. Met een marguerita erbij zou het hier goed uit te houden zijn.

'U bent alcoholicus,' zei de obiaman. 'Sinds wanneer?'

'Sinds een klein jaar.'

'Dan is er hoop. Als u al een paar jaar aan de fles was dan zou ik zeggen, zoek een ander, want alcoholisme is niet mijn stiel.'

'Wat is wel uw stiel?'

'Huwelijksproblemen. Faalangst. Examenvrees. Duiveluitdrijving. Hoogtevrees. Sodomie.'

'Sodomie?'

'In dit klimaat komt alles voor, rabbijn. Wilt u dat ik u help?'

'Kunt u dat dan?'

'Bent u familie van de rabbijn die hier jaren geleden…?'

'Mijn vader.'

De obiaman keek verrast naar hem om. 'Zo. De Heer heeft rare verrassingen voor ons.'

'Kende u mijn vader?'

'Over hem gehoord. Dat is alles. Wilt u dat ik u help?'

'Als dat mogelijk is.'

'Ja of nee?'

'Bent u competent? Heeft u gestudeerd?'

'De mensen zeggen dat ik mijn krachten ontleen aan de geesten van de doden. Interpreteer dat zoals u wilt.'

Sol knikte.

''t Gebed helpt niet?'

'Nee,' bekende Sol.

'Ik heb een voorstel. U komt één keer per week bij mij op bezoek. Dan komt u hier op de stoel zitten en dan praat u vijftig minuten over alles wat u bezighoudt. Als dat goed gaat dan komt u vaker. Over het tarief kunnen we praten. Wat vindt u daarvan?' vroeg de obiaman.

## 4

Om twaalf uur werd Sol bij Torarica opgehaald en per taxi over de smalle, drukke weg naar Zanderij vervoerd. Handkarren, voetgangers, geiten, zwerfhonden, muilezels, alles wat tot ongelukken aanleiding gaf leek zich bij voorkeur over het verwaarloosde asfalt te bewegen. Bij elke tocht zag Sol in de berm het karkas van een of ander rottend beest, geplet, verscheurd, en bijna elke dag las hij in de lokale kranten over noodlottige aanrijdingen.

Onder het afdak voor zijn golfplaten hut zat de obiaman met ontbloot bovenlijf te roken, starend naar de hoge muur van het oerwoud aan de overkant van de weg, en toonde bij wijze van groet de blanke binnenkant van zijn vingers terwijl zijn keurende blik even over Sols gezicht gleed. Dan wees de obiaman op de schuin achter hem geplaatste klapstoel en liet Sol zich op het vuilwitte linnen zakken.

Bij hun gesprekken bleef de obiaman voor zich uit kijken. Sol zag weinig meer dan het profiel van zijn aristocratische gezicht, de uitgerekte schelp van zijn oor en een enorme fluwelen lel. Zijn grijze kroeshaar lag dicht op zijn schedel en vertoonde geen spoor van kaling. Op zijn haarloze nek en schouders, diepbruin van kleur en overdekt met kleine littekens, parelden fijne zweetdruppels. Zijn benen lagen gestrekt voor hem en zo nu en dan speelden zijn lange tenen met zijn sandalen, plastic zolen die met een simpel bandje aan de grote teen werden geschoven en los onder de dikke grijze eeltlaag van zijn voeten hingen.

Sols dagelijkse routine werd nauwelijks beïnvloed door zijn gesprekken met de obiaman. Alleen het tijdstip waarop hij zijn eerste glas alcohol nam was verschoven. Hij dronk weliswaar op de terugweg van de sessie achter in de taxi een pilsje om de ergste dorst te lessen (en bij een van de vele kramen langs de weg dronk hij soms een halve liter water), maar meestal nam hij nu pas na half vijf alcohol tot zich. Het vreemde was dat hij naar de gesprekken ging uitzien. Zwetend als een otter lag hij op de platgeklapte stoel, staarde naar de roestende golfplaten van het afdak en naar de tropische hemel en voelde de analyserende aanwezigheid van de obiaman, wiens oor en schouder hij nodig had. Psychotherapie was blijkbaar een traditioneel Afrikaans gebruik.

Na drie maandagse afspraken verhoogden ze de frequentie tot drie per week.


'Naomi reisde door Frankrijk. In Menton aan de Côte d'Azur huurde ze een appartement en had het naar haar zin. Ik weet niet wat ze daar deed. Misschien had ze een verhouding met iemand, geen idee.'

'Waarom doet u zo onverschillig?'

'Ik ben niet onverschillig.'

'*Geen idee*, zegt u.'

'Dat betekent niet dat ik me niet afvroeg wat ze daar deed. Alleen: ik ging het niet uitzoeken, ik vroeg er niet naar.'

'Sprak u haar?' De obiaman was nu bijna onverstaanbaar met de pijp in zijn mond.

'We belden.'

'Had ze een vermoeden?' Het klonk als: assenevermoede?

'Nee.'

'Loog u?'

'Ze stelde geen vragen over een eventuele minnares. Ik werd er niet toe verleid om te liegen.'

'Zou u gelogen hebben?'

'Ik had al eerder gelogen over zogenaamde afspraken zodat ik Dianne kon zoeken. Maar Naomi vroeg niets want mijn overspel bestond nog niet voor haar.'

De obiaman ging rechtop zitten en nam zijn pijp in de hand. Hij strekte zijn benen en keek naar zijn tenen, die hij elk afzonderlijk beheerst kon bewegen. Hij vroeg: 'Welke toekomst zag u voor zich? Wilde u in het geheim een relatie met die nieuwe vrouw en tegelijk uw huwelijk in stand houden?'

'Ik wilde scheiden en opnieuw beginnen.'

'Was u daar duidelijk over?'

'Niet tegenover Naomi, niet echt, nee. Ik was haar dankbaar. Voor alle kansen die ze me gegeven had. Het kolossale appartement, haar rust en gratie. Maar ons huwelijk was kapot.'

'Hoe liep het af? Want Naomi ontdekte dat u overspel pleegde.'

'Nee. Als ze iets had ontdekt, hadden we dat nog op de een of andere manier kunnen beheersen. Want zij was op haar manier in dezelfde maalstroom terechtgekomen die mij had meegesleurd. Ook zij twijfelde aan de mogelijkheid om ons huwelijk te redden. Wij waren zo geobsedeerd door de gedachte dat we nakomelingen moesten kweken dat we elkaar, alles, ons bestaan, opofferden aan de technieken in de klinieken. Voor Naomi was het krijgen van kinderen een levensvervulling. Voor mij was dat veel minder het geval.'

'Wat is uw levensvervulling?'

'Het vieren van het wonder.'

'U bedoelt: het wonder van de vondst van het gebeden-boek van uw vader?'

'Mijn leven valt in twee delen uiteen. Voor en na het wonder van de siddoer.'

'En voor en na uw huwelijk?'

'Die stormen zullen gaan liggen. Daar ben ik van overtuigd.' Sol sprak die woorden om hun beslistheid in zich op te zuigen. 'Je zou verwachten dat Naomi of Jenny ontdekte dat ik geheime afspraakjes had. Verliefd was op een andere vrouw. Maar zo ging het niet. Mijn artikel over Finkelstajn leidde tot alle ellende.'

'Spijt dat u het geschreven heeft?'

'Het was een goed stuk. Ik was kwaad en dat las je ook, maar er stond niets in dat ik niet op een nuchtere ochtend kon rechtvaardigen. En toch, achteraf... als ik geweten had waartoe het zou leiden, had ik het vermoedelijk niet geschreven. Maar ik wist het niet. Dat artikel was niet zoveel gedoe, zoveel schande waard. En dat allemaal omdat ik een groep joden tegen de haren in gestreken heb! De fanatici regeren deze wereld.'

Sol legde uit dat de sekte van Finkelstajn een detectivebureau had ingehuurd. Als zij erin zouden slagen om in het privé-leven van de aanklager van de criminele chassied ongerechtigheden te ontdekken, zouden zij de aandacht van Finkelstajn afleiden en op Sols ondergang een dansje uitvoeren. Er was niet veel voor nodig om in de natie van de dubbele moraal, verzot op naaktclubs, pornobioscopen, *Baywatch*, Kim Basinger, de openbare mening te mobiliseren.

'Dat legertje privé-detectives – ik overdrijf niet, de chassieden hadden er een dozijn gehuurd – ontdekte dat ik Dianne ontmoette. Bijna elke dag zagen we elkaar in een hotelkamer op Madison. Die had ik voor dat doel perma-

nent gehuurd. Soms belde ze op en zei alleen maar: *nu.*
Dan holde ik naar het hotel en als ik binnenkwam lag ze al
in bed en dan…'

Sol maakte zijn zin niet af en wachtte tot hij zijn ademhaling weer onder controle had.

'Die privé-jongens bouwden ergens een cameraatje in
en toen…'

'Foto's?'

'Een videocamera.'

Hoffelijk hadden de vromen hem een kopie gestuurd.
Elkaar aankijkend bevredigden Dianne en hij zichzelf. Sol
herinnerde zich de opwinding die hen daarbij had gegrepen, maar vanuit het perspectief van de hotelplafonnière
zag het er op het televisiescherm weerzinwekkend por-
nofilmachtig uit. De passie van dat moment kende blijkbaar alleen een binnenkant. De sensatie zat in hun hoofd
en had geen uiterlijke schoonheid.

'Wie kregen die kopieën?'

'M'n schoonmoeder. M'n collega's. De boulevardbladen.'

'Zo…'

De pijp van de obiaman pruttelde en hij ging rechtop
zitten om de tabak te verversen.

'Let maar niet op mij, gaat u verder.'

Sol sprak verder, gevangen in de beelden die hem het afgelopen jaar bijna dagelijks hadden gemarteld. Drie weken
na het begin van zijn verhouding met Dianne – langer had
het niet geduurd, een zucht – overhandigde de doorman
hem de videocassette die een uur eerder door een fietskoe-
rier was afgeleverd. Op kantoor schakelde hij de videore-
corder in en aanschouwde het tafereel van zijn zelfbevlekking. In paniek belde hij zijn advocaat.

'Wat *doe* je dan op die video?' wilde Robby Schwartz weten.

'Ik masturbeer.'

'Dat is een normale Jiddische afwijking, schijnt ook bij niet-joodse mannen voor te komen. *So what?* Geen journalist zal daar aandacht aan besteden.'

'Er is een vrouw bij.'

'Shit.'

'Ja...'

'En die vrouw is niet Naomi?'

'Nee.'

'Wie dan wel?'

'Dat hoef je niet te weten.'

'Ik ben je advocaat!'

'Dianne Hogart. Dochter van de senator.'

'Jezus... Sol, doe niks, praat met niemand, ik kom er-aan.'

Maar Sol moest Dianne op de hoogte stellen. Ook haar intimiteit werd door de chassieden publiekelijk tentoon-gesteld.

'Wat is er te zien?' vroeg ze.

'Wij. Ons. Jij en ik. Op bed.'

'En... doen we 't?'

'Zoiets, ja.'

'Wanneer is 't gefilmd?'

'Vorige week woensdag. We hadden toen...'

'Ik weet 't,' zei ze. Ze hadden elkaar blind lief, maar tege-lijkertijd bleven ze preuts, alsof woorden de lichamelijke sensaties zouden banaliseren.

'Waarom?' vroeg ze.

'Vijanden.'

'Je weet wie?'

'Ja.'

'Wat willen ze dan?'

'Mijn ongeluk.' Sol kon het niet nalaten en zei: 'Ik hou van je.'

Dianne grinnikte: 'Nu kan iedereen zien hoeveel wij van elkaar houden.'

Aan de obiaman vertelde Sol: 'Toen Robby de tape in de recorder duwde ben ik de straat opgevlucht. Ik stond op de hoek van Fifth en keek naar het park en de torens van Midtown en ik wist dat deze hele prachtige stad me straks zou uitkotsen. Een minuut later stond Dianne weer naast me. "Die eerste seconden zijn duidelijk," zei ze, "meer hoef ik niet te zien. Sol, er is geen reden om ons hiervoor te schamen. We houden van elkaar. Dat is het enige wat telt." Huilend stonden we op straat.

Toen we weer binnen waren vroeg Robby of ik wist wie de tape had gestuurd. Op de envelop stond *Masjiach komt*, dus het was duidelijk wie mij wilde vernietigen.'

'Masjiach?'

'Messias. Masjiach is het Hebreeuwse woord. Slogan van de chassieden. Zij leven in de verwachting dat de Messias zich spoedig zal openbaren. Zij dachten lange tijd dat Schneerson, de leider van de Lubavitchers, de Messias was, maar hij is kort geleden gestorven zonder dat hij iets van zijn messiaanse gaven heeft kunnen demonstreren. Nog voordat m'n advocaat in actie was gekomen kreeg ik een telefoontje van de hoofdrabbijn van mijn gemeente. Of ik even bij hem wilde komen. Op zijn tafel lag een videocassette. Hij eiste van me dat ik direct, op datzelfde moment, ontslag nam.

Er waren nu twee banden bekend, er zouden er wel meer zijn. Binnen twee uur was ik een paria. Jenny had er ook een ontvangen en liet me via haar advocaat weten dat ik vóór twaalf uur mijn huis moest verlaten. De boulevardbladen hadden ze gekregen en op Central Park South wachtten fotografen, reporters. Het lukte me om weg te komen en die nacht bleef ik met Dianne bij een vriendin van haar.

Die nacht, allebei bang, panisch bijna… Vreemd, dokter – obiaman, bedoel ik.'

'Noem me zoals u wilt. Wat was vreemd?'

'Die nacht. Onze liefde. Elke aanraking was… alsof we in brand stonden.'

'Positief of negatief?'

'Allebei. We leken wel gek van geilheid. Vreemd, vindt u niet?'

'Ik vind niks. Ik ben een oor.' De obiaman wuifde een vlieg weg die over zijn blote schouder wandelde.

'We wilden in Canada onderduiken. 's Ochtends ging Dianne naar huis om haar koffers te pakken. Voordat ik haar terugzag, op het kantoor van Robby, had ze contact met Naomi. Ik weet nog steeds niet hoe dat tot stand is gekomen. Ik denk dat Dianne door Jenny is opgespoord. Toen zij die paar uur thuis was heeft Naomi uit Menton gebeld.

Naomi ontkende alles wat ik aan Dianne over ons huwelijk had verteld. Ze beweerde dat ons huwelijk nog steeds in volle glorie geconsummeerd werd, dat zij weet had van andere uitstapjes van mij, dat ik een notoire versierder was en in elke stad een liefje neukte. En Dianne geloofde haar.

Je zou denken: als ze echt van me had gehouden, had ze meer vertrouwen in mij gehad dan in Naomi. Maar dat had ze niet.

Waarom kon ik Naomi's leugens niet ontkrachten? Ik was machteloos toen Dianne me na Naomi's telefoontje bij Robby belde. Ik ontkende alles wat Naomi haar op de mouw had gespeld, maar mijn woorden maakten geen indruk. Toen zij op het afgesproken tijdstip niet verscheen, draaide ik haar nummer en kreeg ik iemand aan de lijn die beweerde dat hij voor haar vader werkte en me verzekerde dat Dianne mij nooit meer wilde zien.

Later hoorde ik dat ze haar naar een privé-eilandje in de Cariben hadden gebracht. Relaties van haar vader.

De foto's kwamen in de publiciteit, met van die mooie zwarte balkjes over de geslachtsdelen, en het was definitief bekeken toen een dag later de serieuze pers melding maakte van de zaak. Wilt u de kop in de *New York Post* horen? *De Rukker van Manhattan.*'

Maanden later vertelde zijn advocaat dat ze naar Europa was gegaan, net als Naomi, waar het lokale Newyorkse schandaal nauwelijks aandacht in de roddelpers had gekregen. Op een dag, toen hij de Leibowitz Foundation leidde, lag er bij de post in New Haven een briefje van haar. Blijkbaar wist zij dat hij na zijn deconfiture in het voormalige huis van zijn vader een schuilplaats had gevonden. Ze stuurde een schrale Nederlandse tekst die ze met behulp van een woordenboek had samengesteld: *schoonheid, smerigheid, schaamte, spijt, Dianne.*

'Waar ging u wonen?'

'Het huis in Connecticut. Maar de fotografen lagen ook daar in stelling. Ik hield de gordijnen gesloten tot ze na een paar weken op een vers schandaal werden afgestuurd.'

'Had u steun van iemand?'

'Aanvankelijk kreeg ik bemoedigende telefoontjes van mijn zwager Tom. Maar hij werd door mijn schoonzus in genade teruggenomen en liet me vervolgens vallen als een baksteen. De enige die ik had was Camilla, de vroegere huishoudster van mijn vader. Dweilde de kots op. Deed de was. Haalde boodschappen.'

'Als een moeder…'

'Uit respect voor mijn vader. Zij heeft me gered.'

'Hoe lang bleef u daar?'

'Een maand of vier. Ik durfde alleen na zonsondergang

de straat op. Ik wist hoe de wereld over mij dacht.'

'Schaamte?'

'Ja. En onwetendheid.'

'Onwetendheid?' herhaalde de obiaman. 'Dat is een curieuze term in dit verband.'

'Ik wist niet wat me bezighield. Ik was een mysterie voor mezelf.'

'Is dat nu anders?'

'Nee. Ik ben bang van niet.'

De obiaman zoog een vlam in de kop van zijn pijp. 'Dit klimaat is een ramp voor de pijproker,' zei hij, 'een vochtigheidsgraad van boven de negentig, altijd, en die beïnvloedt de tabakskwaliteit.' De tabak pakte en de grijze rook walmde rond zijn hoofd. Windstilte.

'Kon uw advocaat nog wat doen?'

'Het beetje geld dat ik had ging op aan zijn rekeningen en na twee maanden was ik niet meer in staat om hem verder voor me te laten werken. Robby bood aan om verder te gaan op een fifty-fifty basis want volgens hem zou zijn zaak tegen de chassieden smartegeld opleveren, maar ik gaf het op. Ik had dat kale gedicht van Dianne uit Zwitserland gekregen en ik bracht mijn dagen bewusteloos door. Ik had alles verloren. Niet uit ijdelheid, niet uit doortraptheid, maar omdat ik geil was.'

'Wat verwijt u zichzelf nou precies?'

'Ik had direct na de eerste keer met Dianne een einde aan m'n huwelijk moeten maken. Dan had ik geen stiekeme afspraken met haar in een hotelkamer gehad, dan waren er geen video-opnamen gemaakt, dan was ik nu met haar getrouwd en leefden we blij en gelukkig.'

'U woont nu hier.'

'Niet echt.'

De obiaman zei: 'U accepteert de werkelijkheid niet.'

'Ik weet niet wat de werkelijkheid is. Kunt u mij vertellen wat de werkelijkheid is?'

'Dat is de wereld waar het pijn doet wanneer je je stoot. U heeft zich gestoten maar u wilt geen pijn voelen. Ook al is die er.'

'Ik doe elke dag niks anders dan de pijn verdragen.'

'U drinkt de pijn weg.'

'Het is te erg. Ik wil verdoven.'

'Niets is te erg wanneer een mens wil overleven. Als u dat wilt moet u bereid zijn zelfs het ergste te verdragen.'

'Denkt u dat ik dat niet geprobeerd heb? Ik was de risee van mijn collega's. Ik leefde geïsoleerder dan een aidspatiënt. Ik kon mijn smoel in de spiegel niet verdragen. Ik kon de zon niet verdragen, de geur van het gemaaide gras niet – die lieve Camilla liet een kleinzoon het gras maaien –, het gegil van de kinderen van de buren niet, het vrolijke gedoe van vogels in de vroege ochtend niet, niks. Camilla zorgde ervoor dat mijn lichaam niet crepeerde. En de siddoer van mijn vader en mijn eigen Thora zorgden ervoor dat ik de kracht vond om iets nieuws te beginnen.'

'U dronk, maar u bleef dus wel bidden?'

'Ik heb een wonder beleefd. Ik heb iets meegemaakt dat rationeel niet te verklaren valt. Ik was tot dat moment geen gelovig mens. Ik was een agnost, ik kon niet over Hem denken. Tot Hij mij deel liet worden van Zijn wonder. Natuurlijk bad ik. Ook al was ik bezopen, ik zei de gebeden.'

'En u vond werk?'

'Het was duidelijk dat er in Amerika geen synagogebestuur te vinden was dat me zou aanstellen. Ik had daar geen enkele illusie over. Moest ik me gaan omscholen? Toen had ik een idee. Elke ochtend las ik – tenminste: voor zover ik daartoe in staat was – in de Thora. Op een dag las ik Leviticus 25:10. Daar staat het Jubeljaar beschreven.

Eén keer in de vijftig jaar zou het volk met zichzelf in het reine moeten komen. Alle onrechtvaardigheden, alle verschillen in bezit en rijkdom zouden dan verzacht moeten worden door allerlei sociale maatregelen. En ik dacht dat onze wereld zo'n Jubeljaar wel kon gebruiken. Natuurlijk niet zoals in de Thora beschreven maar aangepast aan onze tijd.

Ik bedacht een plan dat de Verenigde Naties zou kunnen instellen. Een mondiaal Jubeljaar waarin politieke gevangenen moesten worden vrijgelaten, nieuwe hulpprogramma's voor Afrika werden uitgevoerd, een sociaal bewustzijn kon worden gekweekt. Anders dan in Bijbelse tijden kunnen we nu de hele aarde toespreken, de totale mensheid! Ik dacht het plan verder uit en stelde een soort manifest op. CNN zou moeten meedoen, Boutros-Ghali, de leiders van de wereldreligies, de intellectuele en artistieke elites, en ik besefte dat m'n plan alleen kon slagen als ik een financier vond.'

'En?'

De obiaman had zijn benen weer gestrekt en zat met zijn armen over elkaar ontspannen achterover.

'Abe Leibowitz.'

'Dat is de man bij wie uw vader steun had gezocht voor die sigarettenschuld?' Hij keek om naar Sol.

'Ja.'

'De Rukker van Manhattan en een joodse mafiabaas verbeteren samen de wereld,' vatte de obiaman grinnikend samen.

Sol liet de scepsis in die opmerking kritiekloos passeren: 'Een mooi team, ja. Maar op dat moment greep ik alles aan om uit de goot te komen.'

'Geloofde u in het plan?'

'Het Jubeljaar is geen bedenksel van mij. Het is vele eeuwen geleden, duizenden jaren geleden, door wijze mannen op papier gezet. Of op perkament, geloof ik, daarop schreven ze toen. Ik geloofde heilig in het plan. Het was geen bedenksel waarmee ik alleen op persoonlijk gewin uit was, nee, als u dat bedoelt.'

'Waarom deed Leibowitz mee?'

'Ik stelde hem voor om de Leibowitz Foundation op te richten en met zijn geld iets moois te verrichten. Imageverbetering. Daar is in Amerika iedereen mee bezig. Iedereen wil heilig, zuiver, edel en integer *overkomen*. Schijn en werkelijkheid.'

'Kende u hem goed?'

'Nee. Ik had hem nooit ontmoet. Hij ontving me bij hem thuis in Connecticut en hij bleek een beminnelijke oude heer te zijn. Groot, benig hoofd, brede schouders, enorme handen, een bejaarde reus, hij is geloof ik tweeëntachtig. Hij zei: "Ik weet wat je is overkomen, en zoiets wens je niemand toe. Ik wou dat je eerder naar me toe was gekomen want dan hadden we er misschien iets aan kunnen doen."'

'Had u geen problemen met het feit dat hij een onderwereldfiguur is en u een man van God?'

'Ik weet dat hij een omstreden zakenman is. Maar ik weiger te geloven dat hij een drugshandelaar is of dat hij mensen uit de weg laat ruimen, hij is niet van dat kaliber. Hij is meer het type meedogenloze zakenman.'

'Meedogenloos met een klein hartje.'

'Een klein hartje op zakelijke grondslag. Hij stak honderdvijftigduizend dollar in de foundation op voorwaarde dat ik op de achtergrond bleef, onzichtbaar voor de pers. Natuurlijk ging ik daarmee akkoord. Ik kreeg een salaris en de stichting werd opgericht en ik trok een paar mensen aan om het plan te verfijnen en uit te voeren.'

'Wilden die mensen voor u werken?'

'Ik gebruikte een andere naam.'

'Maar ook dan…'

'U kent Amerika niet. Ze kregen betaald. Ze hadden werk. Ze konden de huur betalen.'

'Hoe noemde u zich?'

'Moos Wegloop. Wegloop is de meisjesnaam van m'n moeder. En m'n vader noemde zich na de oorlog Mordechai in plaats van Moos.'

'Waarom?'

'Moos ruikt naar Amsterdam, naar de verdwenen jodenbuurt en vooroorlogse Jiddische armoe. Mordechai ruikt sjieker. Een Hebreeuwse in plaats van een Jiddische naam. Althans, die naamsverandering heb ik achteraf zo begrepen. Ik heb hem er nooit naar gevraagd. Voordat ik daartoe in staat was is hij in de rivier hier verdronken.'

'Wat gebeurde er met de foundation?'

'Ik was stom. Verblind. Gerommeld met geld. Niks gestolen, niks illegaals, maar ik heb iets riskants uitgehaald en dat ik niet had moeten doen.'

'Wat?'

'Ik had een kantoor in New Haven gehuurd, een staf, we waren aan het werk en de eerste resultaten waren bemoedigend. We hadden een aantal coryfeeën benaderd en het Jubeljaar was iets dat met het juiste lobbywerk op de agenda van een senaatscommissie kon worden gezet. Maar na anderhalve maand zag ik dat we razendsnel onze begroting overschreden. We hadden binnen zes weken het budget van het eerste kwartaal uitgegeven. We stelden de plannen bij en ik vroeg Leibowitz of hij garant wilde staan als we halverwege het jaar de bodem zouden bereiken. Wat ik hierbij moet vertellen is het volgende: ik beschikte over geld waarvoor ik persoonlijk de administratie voerde. Leibowitz had mij het geld *cash* laten brengen, vijftienhonderd briefjes van honderd, en ik bewaarde dat bedrag in een bankkluis. Was het geld van dubieuze herkomst? Geen idee. Misschien zat er een luchtje aan, maar ik was van mening dat dat geen bezwaar was nu het voor een goed doel gebruikt ging worden. Het was geen witwassen, het was goedwassen. Maar Leibowitz wilde niet bijspringen. Hij zei dat hij even geen *cashflow* had en dat ik het moest doen met het geld dat hij gefourneerd had. Vervolgens heb ik met het geld gegokt.'

'Gegokt?'

'Paarden.'

'Waarom?'

'Ik ben zelfdestructief.'

'Geen mens is zelfdestructief. Maar de een is dommer dan de ander. Waarom nam u dat risico?'

'Omdat ik dacht dat ik geen risico nam. Anders had ik het niet gedaan.'

'Gokken op paarden is toch per definitie een linke zaak?'

'Ik had een tip gekregen. Ik was ervan overtuigd dat ik zou winnen. Zoveel zou winnen dat ik niet alleen het jaarbudget van de foundation zou binnenhalen maar er ook zelf wat aan kon overhouden.'

'Weinig realistisch.'

'Dat ben ik met u eens. Maar op dat moment oogde het anders.'

'Er zijn patronen in uw leven.'

'Ja.'

'U blijft dezelfde fouten maken.'

'Ja.'

Hoe kon Sol voor zichzelf vluchten? Wat de obiaman begreep, had Sol ook begrepen. Maar was het mogelijk om buiten je naïeve zelf te treden en je karaktertrekken aan te passen, op te poetsen, recht te trekken? Hij was Carlo di-Carlo tegengekomen, de neef van Jeff (de *loser* die in de bajes aan het mes was geregen). Ze hadden elkaar in de subway in de ogen gekeken en beiden waren verrast door de aanblik die de ander bood: Sol met gladgeschoren gezicht, subtiele pinkring en in een Italiaans doublebreasted, en Carlo in een Brits krijtstreeppak, met suède brogues. Ze bleven maar naar elkaar loeren, en pas toen Sol moest uitstappen, vroeg Carlo: 'Jij bent toch…?'

Carlo werkte als *consultant*. Zijn *business card* oogde sober en zakelijk en Sol was op zoek naar een extra sponsor. Ze bleven op het perron praten, spraken af dat ze elkaar zouden bellen en Sol verbaasde zich over de wendbaarheid van het bestaan. De gladde kruimeldief, ooit door Sols vader vervloekt en bedreigd, had zich opgewerkt tot respectabel zakenman. De toprabbijn was verworden tot geldjager.

Een week later belde Carlo. Hij bood Sol een lunch aan en opeens had Sol een vriend. Carlo liet geen misverstand bestaan over zijn verleden en gaf openlijk zijn misstappen toe, betuigde spijt over de jaren die hij verspild had, over het bedrog waarmee hij zijn espresso's bekostigd had. Maar hij had geluk gehad en een einde à la Jeff kunnen ontlopen. Hij herinnerde zich hoe hij ooit door Sols vader op zijn nummer was gezet. Verdiend.

Sol vertrouwde hem, geloofde dat hij over solide contacten beschikte en was hongerig op zoek naar geldstromen die zijn Jubeljaar op de agenda van de jaarvergadering van de un konden zetten. Ze ontmoetten elkaar vier, vijf keer, en Carlo verklaarde zich bereid om Sol aan een groep financiers voor te stellen: 'Grote importeurs. Italianen. Olijfolie, wijnen, kazen. De mensen die de deli's van de beste Italiaanse import voorzien.' En Carlo vertrouwde hem, als vriend, een geheim toe: hij had toegang tot een groep paardenbezitters die zo nu en dan een wedstrijd regelden wanneer ze iemand wilden helpen. 'Dat Jubeljaar van jou is een mooi plan. Als ik met ze praat dan valt er denk ik wel het een en ander te doen.'

Sol wist niet of hij Carlo's voorstel kon accepteren. Was het mogelijk om zoiets edels als het Jubeljaar te grondvesten op niets minder dan bedrog?

'Een van die paarden gaat winnen, ongeacht of jij geld inzet of niet. Ik wil dat Jubeljaar helpen en ik begrijp dat jij moeite hebt met de wijze van financieren die mijn vrienden voorstaan. Laten we 't zo doen: ik geef je een tip en in feite weet jij van niks.'

Ook nu weer was alles achteraf overzichtelijk en bracht een samenvatting van de gebeurtenissen slechts Sols onnozelheid, zijn volkomen gebrek aan mensenkennis, aan het licht, maar in Carlo's charmante aanwezigheid, meegesleept door zijn *joie de vivre* en doelgericht denken ('We kunnen Gianni Paolo inschakelen; zijn neef is de secretaris van de VN-ambassadeur'), liet Sol geleidelijk zijn verdediging zakken en werd hij een speelbal van zijn eigen kinderlijke dromen.

'Ik zette dertigduizend dollar in op Silver Lightning en binnen vijf minuten was ik alles kwijt. Ik ben gevlucht.'

'Naar Suriname?'

'Ik liet alles achter en heb de eerste vlucht naar Amsterdam genomen. Ik had honderdeenenzestig dollar op zak toen ik in Amsterdam op het Centraal Station stond. Een koffer met kleren was alles wat ik had. Terug in het land waar het allemaal begonnen was. Ik was bang dat Leibowitz iemand achter me aan zou sturen wanneer ik in Amerika bleef en ik hoopte dat ik in Nederland kon verdwijnen, onzichtbaar worden, onvindbaar, een man aan een machine in een fabriek, achter het stuur van een truck, op zijn knieën bij de aspergeoogst.'

'Hij is dus toch een gangster?'

'Ik weet 't niet. Ik ben niet echt consistent, hè? Waarom vluchtte ik? Misschien voor alles. En ik was vermoedelijk toch bang dat er een *hitman* op me was afgestuurd.'

'In Amsterdam, wat heeft u gedaan?'

'Ik nam de goedkoopste hotelkamer van de stad, een uitgebouwde kast in een hoerenpension in de rosse buurt, en merkte dat ik weer ging denken als vroeger, toen ik met Jeff diCarlo omging en in de schemer van de illegaliteit rondsloop, op zoek naar de *short cut*.'

'Wat is dat?'

'Dat is een simpel antwoord op de ingewikkelde vraag hoe je zo snel mogelijk veel geld kunt binnenhalen. Toen ik begreep dat ik op de wallen over louche zaken liep na te denken, starend naar de hoeren achter de ramen, afgunstig op de junks die probleemloos auto's openbraken en hun verslaving op de stad botvierden, toen heb ik aangeklopt bij de liberale joden van Amsterdam.'

'Daar ontvingen ze u met open armen?'

'Nee. Maar hun sjoel ligt in de omgeving van de Mordechai Mayerstraat. In Amerika werd mijn vader aangesteld bij een liberale gemeente. En met terugwerkende kracht werd hij een icoon van de liberale gemeenschap in Amsterdam.'

'En?'

'Ze gaven me een logeerkamer in hun kantoor.'

'Was dat vernederend?'

'Ze deden alle mogelijke moeite om net te doen of ze een verloren zoon met vreugde zagen terugkeren. Het viel wel mee. Niemand zei me iets recht in mijn gezicht maar ik voelde dat er achter mijn rug geroddeld werd. Wat had ik anders kunnen verwachten? Ik had geen keus.'

'U was opeens in Europa.'

'Terug in Amsterdam. Ik was sinds onze emigratie nooit meer terug geweest. Ik wilde dat niet. Kon niet. En ik probeerde natuurlijk om de Zwitserse verblijfplaats van Dianne te achterhalen.'

'Lukte dat?'

'Ze woont in Zürich. Halsoverkop getrouwd. Met een goj, een niet-jood. Uitgever van stripboeken en dergelijke. Niet iemand die je zo gauw aan haar zijde zou verwachten. Misschien stelt hij geen eisen, is hij betrouwbaar en duidelijk in zijn verlangens. Ze ontmoette hem en binnen een maand was het bekeken. In de kerk getrouwd, hoorde ik. Op een dag ben ik naar Zürich gegaan, de spoorwegen hadden een aanbieding. Ik heb een middag voor haar huis gewacht, een fiere witte villa die de Zwitserse winters moeiteloos doorstaat. Een oprijlaan met twee Jaguars op het grint. Uitzicht over het meer. Ze kwam niet naar buiten. Misschien hebben ze nog een huis, in Zuid-Frankrijk of Toscane, of waren ze op vakantie. De volgende dag ben ik teruggegaan.'

'Wat wilde u van haar?'

'Ik weet het niet. Ik was… woedend. Ik had medelijden met mezelf. Ik weet niet…'

'Hielp het, bij haar huis staan wachten?'

'Ja. Toen ik daar wegging, dacht ik: val dood, laffe trut. Angsthaas. Weinig rabbinale gedachten.'

De obiaman keek hem even aan: 'Ik vind het heel goed dat u naar Zürich bent gegaan. Ik geloof sterk in de therapeutische waarde van zulke acties, hoe onbezonnen ze soms ook zijn.'

Sol voelde zich beter. Vreemd hoe snel hij belang was

gaan hechten aan de mening van de obiaman.

'En terug in Amsterdam?'

'Ik werd voorgesteld aan Simon Pereira en Henkie Polak. De delegatie van joods Suriname, in Nederland op zoek naar een rabbijn.'

'Ze namen u in dienst.'

'Misschien is het beter om te zeggen: ze bevonden zich niet in de positie om me te weigeren. Er was niemand te vinden die hierheen wilde. Paramaribo is niet exotisch meer, niet meer avontuurlijk koloniaal zoals vroeger. Ik merkte dat Suriname een soort schandvlek op het blazoen van de Nederlandse moraal was. Vele eeuwen zwaait daar de Nederlandse beschaving de scepter en zodra ze onafhankelijk zijn, worden er staatsgrepen gepleegd en grijpen corruptie en nepotisme om zich heen. Ofwel: er moet altijd een groot verschil hebben bestaan tussen het beeld van het vrolijke eenvoudige Surinaamse volk en de werkelijkheid van het leven hier. Wat de onafhankelijkheid heeft gebracht is de verstoring van die illusie. Klopt dat?'

'Het zijn uw woorden, rabbijn. Ik luister alleen maar. Dus u bent gekomen omdat niemand anders wilde?'

'Ik denk niet dat Pereira en Polak op de hoogte waren van mijn problemen. De Nederlandse rabbijnen schoven me naar voren en ik besefte ook aan wie ik dit allemaal te danken had, deze wonderlijke redding: aan mijn vader. Als de Amsterdamse liberalen niet vlak bij de Mordechai Mayerstraat in gebed zouden gaan en de joden van Suriname niet zijn plotselinge dood hadden moeten verduren, dan had ik deze baan niet gekregen. Ik mocht als rabbijn blijven werken dank zij de nagedachtenis van mijn vader.'

'Hij is hier begraven?'

'Nee. Zijn lichaam is nooit gevonden. Ik heb in New Haven een gedenkplaat laten leggen.' Ze hadden zijn koffer teruggestuurd. Zonder siddoer.

'Bent u van plan te blijven?'

'De aanstelling zou met een proefjaar beginnen en kon met onbepaalde tijd worden verlengd. Maar ik ga weer weg. Ik had niet verwacht dat ik hier door gebrek aan belangstelling geen normale diensten kon houden. Als je Manhattan of Amsterdam gewend bent, is het culturele leven hier nogal eenvoudig. Maar het is natuurlijk beter om in Paramaribo te leven dan als sjacheraar op de Amsterdamse wallen rond te hangen. Aan het einde van mijn eerste jaar ga ik weg. Ze zullen een groot feest aanrichten wanneer ik vertrokken ben. Geen Sol Mayerplein in Paramaribo.'

'Waar is God in uw verhaal?'

'God straft me.'

'Waarvoor?'

'Voor mijn leugens, voor het verbreken van mijn huwelijkstrouw, voor mijn obsessie voor Dianne.'

'En vraagt u God om vergiffenis?'

'Nee. Want Hij heeft gelijk. Ik verdien Zijn straf.'

'En uw vader, verdient u zijn straf?'

'Hij is dood.'

'Niet echt, toch, voor u?'

'Ik praat wel eens met hem. Dat klopt.' Het was niet alleen praten. De manier waarop zijn vader hem met zijn restaurant aan zijn lot had overgelaten riep nog steeds woede bij hem op. Nog steeds had Sol het een en ander met Mordechai uit te vechten, maar de ruzie had nooit een einde gevonden.

'Waarom is uw vader eigenlijk uit Nederland vertrokken?'

Sol zweeg en staarde naar de onbarmhartige rug van de obiaman.

'Dat is geen prettig verhaal.'

'U hoeft 't niet nu te vertellen. De volgende keer kan ook.'

'Ja. Ik wil erover nadenken.'

'U heeft er nooit met iemand over gesproken?'

'Nee.' Aan Dianne had hij het verteld. Maar dat telde niet meer. Hij moest doen alsof ook zij dood was.

'Heeft u over zijn dood gedroomd? Nachtmerries?'

'Ja.'

'Waarom gaat u niet zelf een tochtje maken?'

'De rivier op?'

'Waarom niet?'

'Obiaman, tot hoe ver moet ik mijn vader volgen?'

'Ik kan u ook een drankje van gemalen ratteschedels en de urine van een obiaman voorschrijven, en ik verzeker u dat er mensen zijn die daardoor geholpen worden, maar u lijkt mij niet de man die op die manier geneest.'

'De rivier op?' herhaalde Sol.

'Leen een boot bij Stanley Treurniet. Hij heeft toen ook uw vader een boot meegegeven.'

'Stanley?'

'Kent u hem?'

'Ja. Maar hij heeft nooit iets over mijn vader gezegd.'

'Ga met hem praten. Hij is de laatste die uw vader in levenden lijve heeft gezien. Misschien troost dat.'

## 5

*En zo gebeurde het dat Sol Mayer, zoon van Mordechai, een bootreis maakte:*

Stanley Treurniet zat op de steiger bij zijn twee sloepen. Hij droeg een baseballpet en staarde met toegeknepen ogen over het water van de rivier. Op zijn schoot lag een krant met stukjes gedroogde vis en minutenlang vermaalde zijn tandeloze mond de stokvis tot hij de brij kon doorslikken. Zijn vingers en naar binnen gevallen lippen glommen van het vet. Sol had zich naast hem laten zakken.

De hemel was bedekt, de lucht vochtig, de wind afwezig, en Sols zweet bleef op zijn huid liggen. De rivier stonk naar rotting en vergankelijkheid.

Stanley zei: 'Je komt praten.'

'Ja.'

'Over toen, ja?'

'Over mijn vader.'

'Ik weet 't nog.'

'Waarom heb je me er niet eerder over verteld, Stanley?'

'Ik wist dat jij zou vragen.'

'We zijn naar Jodensavanne geweest, je hebt me prachtige plekken van je land laten zien, en tijdens al die uren die wij samen in de bar hebben doorgebracht heb je nooit over mijn vader verteld. Je wist toch dat de verdronken rabbijn mijn vader was?'

'Ja.' Stanley kauwde en staarde.

'Nu moet ik er zelf achter komen.'

'Waar achter?'

'Dat jij de laatste bent die mijn vader heeft gezien. Jij!'

'Ja. Ik.' Stanley knikte. 'Jij honger?'

'Nee.'

'Waarom heb je niks gezegd? Hoe was mijn vader toen?'

'Hij kwam hier op dinsdagochtend. Ik weet het nog. Ik was nog maar een paar maanden terug in Paramaribo. Hij wilde de rivier op.'

'Wilde hij naar Jodensavanne? Naar een andere plek?'

'Hij zei eerst alleen maar: ik wil de rivier op, naar de bron.'

'Welke bron?'

'De geboorteplek van de rivier.'

'Waar is die?'

'Dat weet niemand.'

'Waarom wilde hij erheen?'

'De Zionoco.'

'Zionoco?'

'De berg Zionoco. Maar die bestaat niet.'

'Ligt daar de bron van de rivier? De berg Zionoco?'

'Hij had een Indiaan gesproken. De Indiaan ziet een ander oerwoud dan wij. De Indiaan heeft honderden woorden voor boom. Elke boom heeft een andere naam. Wij zeggen alleen: daar staat een boom. En de Indiaan ziet ook bomen die wij niet zien. Bomen in zijn hoofd.'

'Waar staat die berg? In het zuiden, bij de grens?'

'De berg is hier.' Stanley tikte met een vinger op zijn schedel.

'Heb je hem dat uitgelegd?'

'Ja. De rabbijn wilde toch de rivier op. Hij is gegaan.'

'Had hij een boek bij zich? Herinner je je dat?'

'Hij had een boek bij zich, ja.'

Sol pakte de arm van de man. 'Een boek, een klein boek?' vroeg hij.

'Ja, een klein boek,' herhaalde Stanley.

'Met bruine kaft?'

'Ja.'

'Dankjewel,' fluisterde Sol.

Het wonder bestaat echt, dacht hij, het was niet het waanbeeld in een delirium, het was niet een fantasmagorie die hem toen had genezen. Hij was deel van een wonder geweest. Hij was rabbijn geworden nadat hij de diepste angst van zijn leven had doorstaan. Zijn verdronken vader had zich aan de dimensies van deze wereld ontworsteld en had zich in zijn werkkamer aan zijn zoon getoond. Sol was bevangen door radeloze paniek. Woede sloeg op de vlucht voor vrees. Voor de macht van Mordechai, de macht van Hasjem. Maar het drong nu tot hem door dat hij de terugkeer van zijn vader als een bewijs van liefde moest beschouwen. Moos had Hasjem gesmeekt om zijn siddoer aan zijn zoon te mogen schenken. Om Sol bij te staan met de heilige teksten.

Sol stond op en keek verrukt over het water dat langs de verwilderde oever naar de oceaan stroomde. Kon hij nu verder leven zonder zich in alcohol te willen verdrinken? Kon hij nu oprecht en respectvol in de synagoge staan en met Sandra leven? Het leek wel of iemand een rotsblok van zijn borstkas rolde en hij voor het eerst sinds zijn jeugd vrij kon ademhalen. Hij wilde Hasjem danken. Hem prijzen tot voorbij de laatste sterren. Of zijn er geen laatste sterren? Waar was Dianne? In bed met haar striptekenaar?

'Ik ben mee geweest,' zei Stanley.

'Hoe bedoel je?'

'Ik ben mee geweest met de rabbijn.'

Sol keek neer op de rode pet en hij liet zich opnieuw op de rottende planken zakken. Het water klotste onder hen tegen de palen. De twee boten van Stanley deinden op de bewegingen van de trage stroom.

'De rivier op?'

'Ja.'

'En dat zeg je nu pas?'

'Ja.'

'Waarom? Wat heb je te verbergen?'

'Het is mijn schuld.'

'Wat heb je dan gedaan?'

'Ik heb hem alleen laten varen.'

'Maar dat wilde hij toch zelf?'

'Ja. Hij wilde zelf.'

'Dan heb je jezelf niets te verwijten.'

'Toch. Hij is er niet meer omdat ik niet geweigerd heb. Ik had moeten zeggen: nee, rabbijn, je gaat niet, het is moeilijk. Maar hij is gegaan.'

'Vertel me, alsjeblieft.'

Stanley vouwde de krant dicht. 'Ik zei: rabbijn, de berg Zionoco bestaat niet, maar hij zei: de vraag is niet of de berg wel of niet bestaat, ik wil de rivier bekijken. Hij kon niet zelf varen en ik voer hem. Wij gingen de rivier op en telkens wilde hij verder. Tegen zonsondergang kwamen we bij de grote cascade. Het water daar is woest en slaat de rotsen. De rabbijn wilde verder maar ik zei: nee, rabbijn, de cascade is gevaarlijk, de boot gaat stuk, de stroming is sterk, de motor zwak. Ik zei: het is beter dat wij teruggaan, maar de rabbijn zei: we overnachten, dat is beter, en ik legde de dekens neer en we sliepen. Toen is hij 's nachts in de boot gestapt. Ik sliep en ik was niet op tijd toen hij de motor startte en wegvoer. Het was donker, geen *moen*, en hij verdween in de nacht. Ik riep en riep maar de rabbijn verdween in de kwade cascade. Ik heb daar geroepen tot het ochtend werd. Ik vond stukken van mijn boot. Ik ben teruggelopen langs de oevers. Na twee dagen vond ik de weg. Ik heb gezwegen. Ik durfde niet te zeggen: ja, Stanley heeft de rabbijn laten gaan, Stanley heeft niet opgelet en de geleerde man is verdronken. Ik heb gelogen. Ik heb gezegd: ik heb gezocht, al twee dagen zoek ik de rabbijn, hij is alleen gegaan en niet teruggekomen. De leugen is sterk. Maar de spijt is sterker. Dat is het.'

## 6

Ze vertrokken de volgende ochtend. Sol droeg het enige kostuum dat hij uit Amerika had meegenomen, een donker pak dat hij voor het laatst op Joels begrafenis had gedragen. Bij de cascade waar zijn vader was verdronken wilde hij kaddisj zeggen. Twaalf jaar na zijn dood zou hij hem begraven.

Beide oevers waren begroeid met struiken en bomen, die soms met kale wortels over het water hingen en onderdak boden aan allerlei soorten beesten. Hier en daar stonden stille huizen aan de waterkant, met geblindeerde ramen en gloeiende daken, alles was vervallen en verweerd in de tropische regens. Stanley noemde namen van de vogels die hij zag ('Kijk! Een *anaki*! En daar een *penikaroepiki*!'). Later wees hij op een waterslang ('*Warana*!') en verschillende soorten krokodillen ('*Blakakaiman*!'). Sol had zijn zwarte hoed opgezet en besefte dat hij een ongewone indruk maakte op de vissers en kinderen die Stanley's sloep bij de nederzettingen nakeken. Aan de controlehendel van de Mercury buitenboordmotor zat de halfnaakte oude neger met de rode baseballpet en op de passagiersbank in het midden van de sloep de in het zwart geklede, zwetende bakra, compleet met wit hemd en zwarte stropdas, onder een zwarte hoed die geschikt was voor de herfstwind van de Noordamerikaanse oostkust.

Een paar keer legden ze aan voor een sanitaire stop of om de vruchten te eten die Sandra had meegegeven. Halverwege de nacht had ze hem wakker gemaakt toen ze droomde dat hij zou verdrinken.

'Mijn vader is verdronken. Hij kon niet zwemmen. Ik wel.'

'Ik heb er een rotgevoel over Sol. Kun je het niet gaan afzeggen?'

'Ik wil de gebeden zeggen. Op die plek. Ik denk dat de obiaman gelijk heeft: als ik bij de cascade ben geweest kan ik misschien een paar demonen van me afschudden.'

'Maar mijn droom?'

'Bedrog.'

'Ik heb een naar voorgevoel, weet je. Dat ik je nooit meer zie.'

'Onzin. Ga lekker slapen.'

De uren verstreken terwijl de motor ronkte en de boot kalm over de rivier gleed. De aanblik van de oevers bood weinig afwisseling, de hemel bleef blauw, het water vlak. Het was misschien overdreven dat Sol in zijn rabbijnenpak naar de sterfplaats van zijn vader wilde reizen, maar hij vond dat hij zich moest kleden als bij een teraardebestelling. Een zwart pak van Marcus Neiman. Samen met Naomi gekocht. Hij was toen net benoemd bij de tempel en ze hadden er drie aangeschaft, degelijk gesneden pakken voor plechtige momenten. Eentje daarvan had hij bij zijn vlucht naar Amsterdam kunnen meenemen. Naomi had de kostuums betaald en hij had erop gestaan dat hij het geld van zijn eerste salaris zou teruggeven. Hij herinnerde zich nu dat hij dat nooit had gedaan. Gekleed in Naomi's pak voer hij dwars door de Surinaamse jungle naar de stroomversnelling waar zijn vader in een moment van bezetenheid uit een boot was geslagen en met zijn longen vol tropische visjes aan zijn einde was gekomen.

Het leek wel of dit bootreisje hem deed ontwaken uit de verwarrende roes die hem sinds zijn schandaal in een mistige wereld had doen rondwankelen. Vroeger had hij met dezelfde heldere blik vanuit zijn appartement de bomen van Central Park en de torens van de East Side bewonderd, en nu zat hij op een plank van een gammel bootje dat hem in een uithoek van de wereld over een rivier langs gehuchten van Javaanse vissers, bosnegers en, dieper in het oerwoud, Indianen voerde, mensen die hun schouders zouden ophalen over de literaire complexiteit van de talmoed, en hij had het gevoel dat hij weer vrij en onbelast om zich heen kon kijken. Te midden van de natuurlijke rijkdommen van het oerwoud was het onvoorstelbaar dat een figuur als Mozes zijn volk naar het land van melk en honing zou leiden. Overal vloeide hier melk, overal droop honing. Het geloof van de joden hing samen met honger en dorst, gebrek en lijden. Het oerwoud daarentegen was de hoorn des overvloeds.

Rond het middaguur nam de hitte op het water toe en zochten ze de schaduw van de oever op. Stanley strekte zich uit op een van de rieten matten die hij had meegenomen en sliep direct, maar Sol bleef wakker. Zijn colbert hing aan een tak en hij had de mouwen van zijn overhemd opgerold, zijn stropdas losgetrokken, zijn hoed afgezet, en hij staarde naar het water waarin het lichaam van zijn vader was vergaan. Hij herinnerde zich de doodsstrijd van zijn moeder en het onvermogen van zijn vader om hem van zijn woede te genezen, en nu restte van Sara Wegloop en Mozes Mayer niets dan de herinneringen in het hoofd van een zondige rabbijn, De Rukker van Manhattan die op een Surinaamse rivier een offer wilde brengen voor zijn vader, de Schenker van de Siddoer.

De stroming van de rivier veroorzaakte kleine rimpelingen, waaraan het zonlicht duizenden zilverachtige flikkeringen ontlokte, telkens op een ander punt van de trage, brede watermassa, die ook door de warmte bevangen leek te zijn en slechts sloom naar zee kroop. Vanuit het oerwoud klonken boven de ronkende krekels en het volle gezoem van miljoenen insekten onbekende vogelgeluiden, kreten van vreemde dieren, waarmee Stanley zo vertrouwd was dat hij met open mond ontspannen lag te snurken. Vliegen cirkelden rond de donkere trechter die zijn ingevallen lippen vormden.

'We hebben gevaren. De rabbijn heeft gezwegen,' had Stanley geantwoord toen Sol bij hun vertrek wilde weten of zijn vader onderweg nog iets had gezegd.

Stanley was ervan overtuigd dat de berg Zionoco alleen een verhaal was, wat voor hem betekende: bedrog, fantasie. Hij stond op geen enkele landkaart en alleen de Indianen van een stam die in de ontoegankelijke grensgebieden met Brazilië leefde kenden de naam. Soms kwam een lid van die stam naar de verre kust, een afvallige, vluchteling, overtreder van hun regels, en alleen als die hopeloos en dronken was, wat bij Indianen na enkele slokken rum of tequila het geval was ('Indianen kunnen niet drinken, zij hebben vrouwenbloed') vertelde hij over hun heilige berg Zionoco.

'De rabbijn heeft gezegd: "De Indianen vertellen dat zij een heilige berg hebben, de Zionoco." De rabbijn vroeg of hij de berg kon zien, maar ik zei: rabbijn, de berg bestaat niet, de berg is alleen een verhaal. Toen zijn wij naar de cascade gevaren.'

Het was duidelijk welke vier letters zijn vader gefascineerd hadden: *zion*. Vermoedelijk betekenden die in de taal van die stam zoiets onschuldigs als *groen* of *punt* en wilde de naam Zionoco niets anders aanduiden dan Groene Berg of Puntberg. Welke nachtmerrie had zijn vader doen besluiten om in het holst van de nacht in Stanley's boot te springen en zich op de rotsen van de *soela* te storten, zoals Stanley de stroomversnelling noemde? Welke angst was in die nacht zo groot geworden dat hij liever de kans liep om in een donkere rivier te verdrinken, door een onstuitbare waterkracht op de rotsen te worden gesmeten, dan de ochtend af te wachten en met Stanley terug te varen naar Paramaribo, met de stroom mee waardoor de tocht in een paar uur kon worden afgelegd? Of was het een hunkering geweest die hem naar de dood had gedreven, een schitterend verlangen naar die vier letters?

Op de berg Zion in Palestina had de tempel gestaan die de Romeinen in 70 na Christus hadden vernietigd. De berg (een zware aanduiding voor de bescheiden heuvel) droeg nu de Al Aqsa moskee, de koepel boven het tempelplein en de Klaagmuur, en werd de Tempelberg genoemd. Sommige orthodoxe joden geloofden dat de tempel moest worden herbouwd teneinde het tijdperk van de Masjiach in te luiden. Maar de meeste joden associeerden de naam Zion met het verlangen naar het paradijs, naar het Beloofde Land dat alleen in de verbeelding bestaat.

In de Talmoed werd veelvuldig aan de Masjiach gerefereerd. De Verlosser was deel van het grondplan waarmee Hasjem de wereld had geschapen: *Aan het begin van de schepping van de wereld werd Koning Masjiach geboren want zelfs voor het scheppen van de wereld ontstond hij in de geest van God.* Het *idee* van de verlosser gaf de joden eeuwenlang de kracht om vervolgingen te doorstaan, honger en armoede te bestrijden, verschrikkingen te relativeren, want aan het einde der tijden richtte de gestalte van de Masjiach zich op. Wie was hij? Kon zijn verschijnen worden geholpen? Was de datum van zijn komst uit te rekenen? De geschiedenis bood talloze voorbeelden van 'valse messiassen', en nog steeds joegen generaties chassieden in de vele joodse geschriften op de veronderstelde verborgen sleutel die de weg naar de ware Masjiach ontsloot.

Zonder Masjiach zou Hasjem de mensheid aan zichzelf ten onder laten gaan. De Masjiach zou een geboren mens zijn, afstammeling van koning David, en het catastrofale tijdperk waarin hij zou verschijnen, werd in de Talmoed als volgt beschreven: *In de generatie waarin de zoon van David zal verschijnen, zullen de jongeren de ouderen beledigen, zal de oudere opstaan voor de jongere, de dochter zal in opstand komen tegen haar moeder, de schoondochter tegen de schoonmoeder, het gezicht van de generatie zal lijken op dat van een hond en een zoon zal geen schaamte kennen tegenover zijn vader.* Sol herkende die tweeduizend jaar oude beschrijving. Hij was de schaamteloze zoon, de opstandige jongere, de beschimper met hondekop.

De Masjiach, de mens, diende de wereld naar God te brengen. Met Zijn genade zou een gewone sterveling de verlossing van pijn, onrecht en dood brengen. De ideeënconstructie die de oude joden hadden bedacht getuigde van de onuitputtelijke hoop dat de uitdijing van de kosmos werd gevoed door een stralende zingeving. En die zingeving werd kenbaar gemaakt via de handen van een aards mens. Eenieder kwam daarvoor in aanmerking. Elk mens kon het universum van de dood verlossen.

Sol sprong op en wilde Stanley wakker maken; hij had de knoop in zijn essay ontrafeld! Als hij terug in Torarica was, zou hij meteen achter de Underwood kruipen en die eenvoudige vondst uitwerken! Met tintelende vingers wachtte hij tot Stanley ontwaakte.

De rest van de dag voeren ze verder stroomopwaarts. De begroeiing van de oevers werd massiever en de hutten die 's ochtends de herinnering aan een menselijke wereld in leven hadden gehouden (blote kinderen die over de oevers meeholden en uitbundig zwaaiden, open vuren, vrouwen die geknield de was deden, mannen die een *kroejara* – korjaal – uit een boomstam kapten) werden steeds sporadischer tot zij geheel afwezig bleven.

De kreten van vogels en landdieren schoten paniekerig over het water wanneer hun sloep naderbij kwam. Drie keer passeerden er boten met zwijgende Indianen, een keer meende Sol in de verte het geluid van motorzagen te horen, verder was er niets dan het water en de tweetaktplofjes van de Mercury.

Geleidelijk versmalde de rivier zich, vertakte de brede watermassa die zij achter zich lieten in twee, drie kleinere stromen. Stanley scheen geen aarzelingen te kennen over de route naar de cascade en koos uit de vele armen met zekere hand de juiste stroom. Verdoofd door de hitte onder zijn donkere kleding en het continue ritme van de motor zag Sol het oerwoud aan zich voorbijtrekken.

De lange middag gleed weg. Beelden van Sols verleden verbleekten in het schelle licht en langzaam daalde de zon naar de toppen van het woud. Sol wist niet meer hoeveel zijtakken zij waren opgevaren, maar vanaf halverwege de middag verscheen na elke bocht, als een baken in lijn met de boeg en de vaarrichting, de glorieuze, onverbiddelijke zon, die de rivier in een lint van zilver omtoverde.

Het licht veranderde van intensiteit. De zon kreeg steeds meer scherpte en kleur en opeens schoten oranjerode strepen door de hemel en werd het groen van de oevers dieper en leken de bloemen zich te openen. Sol schrok op van Stanley's stem, alsof hij vergeten was dat iemand hem begeleidde, en de oude man noemde de namen van de bloemen.

'Daar, de *fajalobi*. En daar de *kowroeati-wiwiri*.'

Sol dacht: papa heeft deze pracht ook gezien.

Het wateroppervlak werd onrustiger en de rivier draaide scherp naar links. Aan de wijde oeverzijde sloeg het water tegen glanzende rotsen en het geluid van een verre storm trilde in de lucht. Toen zag Sol eindelijk, na een dag varen, de ruisende cascade, de *soela*.

Ze laadden de proviand uit, de matten en muskietennetten, de drie jerrycans met brandstof voor de terugreis, en Stanley maakte een vuur. Langs de oever, door struiken kruipend, over wortels en takken klimmend, liep Sol naar de rotspartij.

Fel spatte het water door de gladgesleten geulen. In de lucht hing een fijne nevel waaruit de bloementooi rondom de cascade onafgebroken kon drinken. Sol voelde hoe het vocht in zijn huid en in zijn kostuum drong en hij schreeuwde door het geweld van het water het Aramese gebed voor de doden dat hij hier voor zijn vader zeggen moest, het kaddisj: *Eens zal de gehele Naam in grandeur en heiligheid erkend worden in een wereld die Hij gevormd heeft naar Zijn wil, waarin dan alleen Zijn heerschappij gelden zal!*

Ze aten *tokafisi*, stokvis, en dronken water uit een fles. Sol opende een flacon met rum en Stanley nam ook een slok. 'Eén, voor de nacht.'

Onder een purperen hemel kwam het woud tot rust, alsof de middagdieren zich al hadden teruggetrokken en de avonddieren nog niet uit hun slaap waren ontwaakt. Een tiental minuten staakten de vogels en apen en reptielen hun jammerklachten en lokroepen, alleen de *soela* bleef vlakbij ruisen.

Sol vroeg: 'Is het mogelijk om door de soela te varen?'

Stanley bekeek hem met medelijden: 'Je hebt ogen, toch?'

'Hoe is het water aan de andere kant?'

'Daar is het kalm.'

'Dus als we de boot zouden dragen…?'

'Hoe wil je dragen? Waar is het pad? Waar zijn de dragers? Ik ben een oude man. Jij hebt geen werkhanden.'

Sol dacht: jij evenmin, je leven lang cocktails geschud en dronken Hollandse wijven genaaid in het Divi Divi hotel. Hij zei: 'We trekken de boot vanaf de oever met touwen door de cascade heen.'

'Je weet niet wat je zegt.'

'Toch wel. Ik zou wel verder willen gaan.'

'Waarom?'

'Om onze tocht voort te zetten.'

'Waarom?'

'Om… om te kijken waar het ophoudt.'

Stanley wees in de richting van de cascade: 'Daar houdt het op. Je moet niet verder. Je vader is daar gestorven. Moet ook de zoon daar sterven? Wat betekent de dood van de rabbijn wanneer de zoon niet meer om hem kan rouwen?'

Binnen enkele minuten viel de avond en ze trokken zich terug onder de netten die Stanley aan de takken had bevestigd. De muskieten stortten zich op het gaas en lieten zich in de vlammen van het kampvuur verbranden.

'Je vader,' vroeg Stanley, liggend onder zijn net, 'wat kwam hij doen hier?' Hij rolde een sigaret.

Sol zette de flacon aan zijn mond.

'De joden hadden onderling ruzie. Hebben ze al vanaf de zeventiende eeuw. Sinds ze Jodensavanne hebben gebouwd. Ze hadden mijn vader gevraagd om te bemiddelen.'

'Maar jullie komen uit Holland.'

'Ja.'

'Waarom daar weggegaan?'

'Waarom?' Opnieuw de flacon. Sol had zich voorgenomen om de rum met mate aan te spreken, maar de dorst was sterker dan de rede.

'Een schandaal,' zei hij, 'mijn vader moest ontslag nemen.' Net als ik, dacht hij.

'Jammer,' zei Stanley. 'Erg schandaal?'

Was het geoorloofd om het te vertellen? In de nabijheid van de plek waar Mordechai was gestorven? De obiaman zou het goedkeuren. Drieënveertig was hij en nog steeds een lullige puber. Kwaad op zijn pa.

'Joop Vischjager,' zei hij. 'Joop Vischjager was de secretaris van de joodse gemeente in Amsterdam. En zijn echtgenote…'

Hij had Stanley genoeg verteld.

Hij zei tegen Stanley:

'Hij moest toen ontslag nemen en vond in Amerika ander werk.'

In de nabijheid van de plek waar zijn vader was gestorven dronk hij zich laveloos.

Het koelde af. Toen Sol zijn colbert aantrok en wankelend op zijn benen stond, vond hij in de binnenzak de afscheidsbrief die Joel meer dan een jaar geleden aan zijn klasgenootje Emma had geschreven. Hij had de laatste wens van de jongen niet vervuld. Emma's ouders waren bang dat de inhoud van de brief hun dochter te hevig zou aangrijpen, en nu, meer dan een jaar later, hield Sol op een plek ergens in het Surinaamse oerwoud de envelop in zijn hand. Op de achterkant stond boven het lipje dat Joel met zijn speeksel had dichtgelikt het adres: *120 East 82nd, apt. 30A*. Niemand kon hem betrappen wanneer hij nu de brief zou lezen, maar net als Gods gezicht waren Joels letters te heilig voor zijn ogen.

Het was een krankzinnige gedachte die in hem ontstond, maar tegelijk had zij iets dwingends en onvermijdelijks: hij moest de brief in een spleet van een van de casacaderotsen steken. Zoals de joden in Jeruzalem hun brieven in de gaten en kieren van de Klaagmuur schoven, zo moest Sol de brief van Joel in de heilige stroomversnelling achterlaten. Hij wist niet wat Joel had geschreven. Het kind was gestorven voordat een vrouw hem haar liefde had kunnen schenken, voordat hij tussen de dijen van een vrouw een glimp van de eeuwigheid had kunnen ervaren, en desondanks zouden zijn woorden niets anders dan de grootste schoonheid uitstralen. Sol sloot zijn vuist om de brief en ervoer het stukje papier als iets sacraals dat door geen mensenoog mocht worden gezien. Hij pakte zijn siddoer, schoof Joels brief erin en sloeg het muskietennet opzij.

Hij bereikte de sloep en zag de stroomversnelling onder het licht van de maan. Als bij een fontein hing boven het water een fijne mist van waterdeeltjes die elk afzonderlijk de maan weerkaatsten en de hele cascade leken te verlichten. Sol duwde de sloep het water in. Toen de boot begon te drijven wilde Sol erin stappen, maar opeens schoot de boot bij hem weg en viel hij languit in het lauwe water. Hij sloeg met zijn hoofd tegen het boord en kon ternauwernood een touw grijpen. Hij trok de boot naar zich toe, liet zich drijfnat in de sloep vallen en bleef enkele tellen op de bodem liggen, te bezopen om zijn lijf naar de buitenboordmotor te slepen, te duizelig om de gedachten in zijn pijnlijke kop te ordenen.

Hij had even de indruk dat hij buiten bewustzijn was geweest toen hij zich in de wiegende boot oprichtte en zonder evenwichtsgevoel naar de bedieningspook van de Mercury wankelde. Hij wist dat hij zich tot zijn nek met rum had volgegoten, maar de overtuiging dat hij Joels brief naar de cascade moest brengen bleef in zijn dubbele bewustzijn even heilig als enkele minuten ervoor.

Hij trok aan de startkabel en zonder haperen sloeg de motor aan. Hij draaide het gas open. De sloep schoot vooruit en maakte een onverwacht scherpe bocht omdat Sol de pook niet goed vasthield. Hij hoorde iemand schreeuwen maar hij had daar geen aandacht voor.

De Mercury brulde harder dan hij de motor ooit had horen doen en hij zag de schitterende stroomversnelling snel dichterbij komen. De natuur had deze plek voor hem verlicht, voor de missie die zijn leven naar dit moment had geleid: de brief van Joel moest hier worden geofferd. Alles wat er het afgelopen jaar was voorgevallen had uiteindelijk dit doel gediend, zo wist hij nu met verpletterende helderheid: Joels woorden zouden zich hier voor eeuwig met het water van de oceanen vermengen!

Sol stuurde de sloep in de richting van een opening tussen twee rotspartijen en hij schoof onder het dak van de waterdeeltjes en het leek wel alsof iemand duizenden luchters ontstak. De hele stroomversnelling werd beschenen door een hemels plafond en Sol zag elk detail van de rotsen en elke waterdruppel en hij rook het water en in zijn oren dreunde de donder van de wilde rivier. Een heilige plek.

De boot sloeg tegen een van de rotsen en werd door een enorme hand opgetild en naar links gemept. Sol hoorde de bodem kraken en de boot viel zwaar terug op het water. Meteen werd Sol de andere kant uitgeslagen. De schroef verloor het contact met de rivier en draaide zonder weerstand gillend door tot de achterkant van de boot weer op het water klapte. Sol kreeg de pook niet onder controle en op het moment dat de bodem scheurde en het water zich op hem stortte werd hij uit de boot geslingerd. Instinctief trok hij zijn schouders op om zijn hoofd te beschermen en hij verloor de siddoer met Joels brief. Het water verblindde zijn ogen en hij voelde hoe hij uit de boot werd getild en met kracht tegen een rots viel. De pijn brandde door zijn lijf en dol van angst tolde hij rond en hij kon niet ademen en zijn longen leken te exploderen en hij maaide met zijn armen en probeerde in het geweld van de waterstromen naar de oppervlakte te bewegen. Maar waar was de oppervlakte? Waar was het oerwoud, de nacht, het leven? Sol was te zwak om deze natuurkracht te weerstaan, ook al probeerde hij zijn hoofd tegen de slagen van de rotsen te beschermen. Was het niet beter om op te geven en naar iets stils en sereens toe te zweven, iets dat hem steeds mooier toescheen? De stilte van het diepste zwart? De omarming door zijn vader?

Uitgeput verscheen hij aan de oppervlakte van de rivier. Zuurstof raasde door zijn keel. Het gebrul van de stroomversnelling nam af en het water kwam tot rust.

De stroom bracht hem naar de oever en kruipend liet hij zich tussen de stinkende wortels van een boom vallen. Zijn lichaam gilde. Zijn maag trok samen en hij kotste water en etensresten en hij huilde van pijn en zwakte.

'Didibri,' hoorde hij.

Sol draaide zich om en zag enkele meters van hem vandaan, achter de takken van een struik, de gestalte van Stanley.

'Didibri.'

Stuiptrekkend lag Sol op de grond, en hij stak een natte hand naar Stanley uit om steun bij hem te zoeken. Hij zag iets glinsteren in de vuist van de rummenger. Een dolk. En het drong tot hem door dat didibri het Surinaamse woord voor duivel was.

Sol schreeuwde en rolde opzij, maar het mes raakte nog net zijn arm.

'Nee! Stanley!' Iets heets vlamde door zijn arm.

Meteen richtte Stanley zich op en deed opnieuw een aanval.

'Didibri! Didibri!'

Sol trapte naar de benen van de oude neger, maar Stanley was lenig en ontweek de doorweekte Grensons van de rabbijn. Uitgeput probeerde Sol zich te beschermen. Bij de derde aanval kon hij Stanley's arm grijpen en opeens lag de man op hem en rook hij diens zweet en zag hij in het maanlicht de angst in zijn ogen.

Ze vochten om het mes en rolden over de vruchtbare bodem en haalden hun armen en benen open aan de wortels en takken, en toen het lichaam van Stanley verslapte kon Sol met zijn laatste adem fluisteren: 'Gelukkig… Stanley… je hoeft niet bang te zijn, rustig nou maar…'

Maar vervolgens zag hij het bebloede mes in zijn hand en wist hij dat hij een mens had gedood.

## 7

In de ochtendschemer ontwaakte hij en bij elke beweging schreeuwde zijn lijf. Hij had wonden, zijn kleren waren gescheurd, zijn handen opengereten. De herinnering aan de afgelopen nacht verscheen in zijn bewustzijn en radeloos richtte hij zich op. Had hij Stanley gedood? Was hij daarna het woud in gevlucht? Hij zocht de uitgang van dit labyrint. Ergens moest een pad zijn dat hem terugvoerde naar de cafés van Columbus Avenue, Madison, Soho, terug naar de bewondering en het respect van de hoofdstad van de aarde, terug naar het kinderzitje op de fiets van zijn vader. Dit kon niet dezelfde wereld van Naomi en Dianne zijn, de wereld van CNN, Microsoft, ruimteveren, Boris Jeltsin, Steven Spielberg, Les Misérables the Musical. Sol wist niet waarom hij in dit oerwoud was beland, uitgerekend hij, een zwakke ziel die hunkerde naar geloof en verlossing. Deze bizarre, groene, zinledige wereld was een vloek die hij had verdiend nu hij een medemens had gedood. Nadat hij het wonder van zijn vaders siddoer in de cascade had verspeeld.

Hij had honger en dorst, at onbekende vruchten, likte de dauw van een reusachtig blad. Hij probeerde aan de hand van de zon de richting te bepalen en dwaalde uren rond tot hij de rivier rook en uiteindelijk de oever vond.

Achter het taaie groen, waardoor hij zich een weg moest banen, vond hij de muskietennetten die Stanley de avond ervoor had opgehangen, de matten en jerrycans. Onder zijn net lagen zijn hoed en de lege flacon.

Hij moest Stanley begraven. De pezige gids die hem de restanten van Jodensavanne had getoond. Die zijn vader op zijn laatste reis had vergezeld. Kon hij in de ogen van Hasjem op mededogen rekenen omdat zijn daad uit zelfverdediging voortkwam?

Sol zocht de oevers af en vond de plek waar zij hadden gevochten. Behalve een aantal donkere plekken – bloed, dacht Sol, de zetel van het leven, bezocht door mieren en ander ongedierte – en de dolk waarmee hij het leven van Stanley had beëindigd, was er niets dat aan de steekpartij herinnerde. Toen hij naar het water keek wist hij wat er voorgevallen was: de kaaimannen hadden het bloed geroken en het lijk het water ingesleept.

Ze hadden een volle dag gevaren en het laatste deel van de tocht waren ze de zon gevolgd. Wat kon hij op eigen kracht ondernemen? Zonder Stanley was hij verloren. Misschien zou hij erin slagen om langs de dichtbegroeide oever een aantal kilometers naar het oosten te lopen, maar de vertakkingen boden onoverkomelijke problemen.

Hij moest kalm blijven. Bidden. Als hij het juiste voedsel kon vinden – hij wist nauwelijks de namen van de tropische vruchten die hij in Torarica geserveerd kreeg – en drinkwater kon blijven drinken, zou hij op een dag mensen ontmoeten. Er was geen gebied meer op aarde dat niet door mensen werd doorkruist. Indianen, onderzoekers, smokkelaars. En als hij met hun hulp, al of niet betaald, de bewoonde wereld bereikte, kon hij vertellen dat Stanley te water was geraakt en tussen de kaken van een kaaiman het leven had gelaten.

Hij zou de rest van zijn leven in de schaduw van die leugen slijten. Sol was een moordenaar. Hij herinnerde zich de spreuk in de Talmoed: *De poorten van gebed staan soms open en zijn soms gesloten, maar de poorten van berouw zijn altijd geopend. Zoals de zee altijd toegankelijk is, zo is de hand van de Heilige, gezegend is Hij, altijd geopend om de berouwvollen te ontvangen.*

De enige troost die Sol kende waren zulke woorden. Hij verlangde naar vingers die zijn gezicht konden strelen.

Zijn wonden genazen niet. Hij had zijn gescheurde kleren uitgetrokken en slechts gekleed in een donkerrood boxershort liep hij op de zwarte Grensons, elegante Engelse schoenen, door het oerwoud. Voor zover dat tussen het dikke bladerdak de grond kon bereiken, werd het zonlicht door zijn zwarte hoed uit zijn ogen geweerd. Hij droeg een tas met het muskietennet en enkele conserven die Stanley 'voor nood' had meegepakt. Zouden zich in het oerwoud roofdieren ophouden? Misschien was zijn ergste vijand zijn eigen verzwakte, ongeoefende lijf.

Sol liep te bidden. Hij zette geen stap zonder zijn gedachten angstvallig in het ritme van de gebeden te houden:

*'Maak ons waardig voor de dagen van Masjiach, en het leven en de wereld die komen gaan. Moge Hij die vrede geeft in zijn hemelse hoogten vrede maken voor ons en voor Israël. Ve-imroe ameen.'*

's Nachts sliep hij nauwelijks. Hij hing zijn net onder een tak en luisterde in de duisternis naar de kreten die tussen de stammen en takken weerkaatsten. Hij dwaalde rond in de rauwe, tomeloze natuur en hij beloofde Hasjem, de Naam, dat hij zijn leven in eenvoud en vroomheid zou slijten wanneer Hij hem terug naar de rottende stad aan de kust zou leiden. Zijn wonden begonnen te etteren, het oude litteken dat Jeff veroorzaakt had brak open, en de warmte ondermijnde de laatste reserves van zijn lichaam.

Hij masseerde zijn gezwollen voeten wanneer hij zich

aan een oever op de grond liet zakken en het gebed voor de reiziger sprak.

Hij was een enkele keer een rivier overgestoken wanneer de bedding ondiep genoeg was om de bodem te zien, en hij had het opgegeven om de zijtakken te tellen. Misschien liep hij in een cirkel, misschien liep hij dieper het oerwoud in, misschien was hij een grens gepasseerd en in een van de Guyana's beland.

Het groen woekerde en miljoenen wezens maakten jacht op elkaar. Reptielen vraten insekten, reptielen vraten reptielen, zoogdieren vraten reptielen en zoogdieren en wat groen en eetbaar was, en Sol, vol ontzag voor de kracht van de wezenloze, verzwelgende natuur, zag dat het niet goed was. Wat goed heette, was een idee in Sols kop. De dood van Stanley liet geen echo na in de wrede kosmos.

Na enkele dagen – vijf of zes of zeven? – raakte hij zo uitgeput dat hij slechts enkele uren in de milde ochtend kon lopen. Daarna verzamelde hij wat vruchten, zocht een plek onder een verkoelende struik en wachtte tot hij kracht genoeg had om de tocht voort te zetten. Hij werd bang dat hij koorts had. Soms klappertandde hij van de kou, ook al liep het zweet over zijn slapen. Voor het eerst liet hij de gedachte toe dat hij hier zou sterven. Niemand zou kaddisj voor hem zeggen. Hij had dit over zichzelf afgeroepen.

Op een ochtend, na een nacht vol koortsige hallucinaties, sloeg hij zijn ogen op en zag hij dat hij door Indianen werd omringd.

Het waren korte, roodbruine mensen met dik zwart haar, dat rondom de schedel op één lengte was afgeknipt, als een goedkope pruik. Ze waren naakt, op een schaamtegordel van bladeren na. Als wapen droegen ze blaaspijpen en primitieve handbogen van bijna dezelfde lengte als hun lichaam. De tien mannen bekeken hem wantrouwend. Ze hadden hun pijlen op hem gericht en zouden hem bij een onverwachte beweging doden. Op hun haarloze wangen stonden zwarte strepen, rituele tekens voor de jacht.

Langzaam kwam Sol overeind. Zijn spieren en gewrichten leken te zijn uitgedroogd. Hij toonde zijn lege handen. Misschien waren het Trio's of Wajana's, de Indianen die diep in het woud leefden.

'Mijn naam is Sol Mayer. Ik ben verdwaald. Spreekt u Nederlands?'

Zijn lippen zaten vol blaren. Zijn tong was opgezet. Op zijn wangen stond een vuile baard.

De mannen reageerden niet op zijn woorden. Een van hen kwam met een aantal razendsnelle, driftige schuifbewegingen dichterbij, waarbij hij zijn ogen wijd opensperde, sissende geluiden maakte en met zijn ellebogen klapwiekte, dreigend met zijn boog. De anderen volgden hem en maakten de kring kleiner.

'English? You speak English? Français, parlez-vous Français? Habla Español?'

Hij voelde iets in zijn rug prikken en hij besefte dat een van hen zijn pijl door zijn hart zou drijven wanneer hij zich zou verzetten.

Ruw trokken ze zijn armen op zijn rug en boeiden zijn polsen. Ze doorzochten de tas en bekeken uitvoerig het muskietengaas. Ze voerden hem mee. Sol had geen kracht, wankelde enkele stappen, en viel neer. Ze vlochten een draagbaar van takken.

Onderweg hielden ze twee keer stil om te eten en te drinken en ze deelden hun proviand met hem. De leider maakte zijn polsen los zodat hij de wortels en aardappelkoeken kon eten. Ze spraken een onbekende taal. Ze waren breed gebouwd en goed gevoed, met een glanzende huid die nauwelijks onregelmatigheden of littekens vertoonde. In een kalm tempo vonden ze hun weg door het woud, zonder haast, zonder zorgen, alsof ze op de terugweg waren van een bezoek aan de Bijenkorf en een leuke blanke hadden gekocht. Het oerwoud bleek door paden te worden doorkruist, het eigen Indiaanse wegennet, kleine, onopvallende doorgangen die Sols ogen niet hadden kunnen waarnemen. Op de wiegende brancard viel hij in slaap.

Later maakte de plotselinge aanwezigheid van kinderen hem erop attent dat ze een nederzetting naderden. Ze doken uit de struiken op en liepen met de stoet mee, naakte, blijmoedige wezens die dansend en huppelend de stoet begeleidden. Sol probeerde te glimlachen en via de kinderen duidelijk te maken dat hij geen vijandige bedoelingen had, maar de mannen joegen de kinderen weg en bewogen zich bij het naderen van de nederzetting opeens breder en vierkanter en mannelijker, als triomferende strijders die hun buit meevoerden.

De hutten van takken en bladeren stonden op een opengekapte plek in het woud, rond een aantal vuren die door vrouwen als kookplaats werden gebruikt. Dit waren geen nomaden maar mensen die hier permanent leefden. Waren het Akoeio's, de Indianen die nog maar enkele decennia geleden de eerste blanke hadden gezien? De Indianen stroomden bijeen en hij werd het middelpunt van tientallen roodbruine mensen, die zich geanimeerd pratend over hem heen bogen en keurend zijn lichaam bekeken, als kopers die bij een autodealer de carrosserie beklopten. Vervolgens droegen de strijders hem naar het centrum van de open plek.

Naast een oplaaiend vuur, dat door een groepje vrouwen werd aangewakkerd, wachtte iemand die groter was dan de rest van de stam, een gespierde man met enkele veren in het haar en gekleurde strepen op zijn gelaat.

De strijders sjorden aan Sols armen en schouders en dwongen hem voorover op de grond, zodat hij moest knielen. Maar joden knielen alleen voor Hasjem, niet voor een mens. Sol liet zich plat op de vochtige bodem vallen en hij voelde hoe de leider hem de hoed van het hoofd nam en zijn blote voet als een overwinnaar op zijn rug zette. De houding van de man werd met luid gelach ontvangen.

'English?' vroeg Sol, 'you speak English?'

Het werd stil en het volk schoof dichterbij om naar de ongewone klanken te luisteren. Sol rolde zich om zodat hij de man van onderaf kon bekijken. De leider droeg Sols hoed en zijn geamuseerde, infantiele blik vertelde dat hij Sol niet als een medemens beschouwde.

'English? Français? Español? Jullie moeten toch wel eens contact gehad hebben met de buitenwereld? Of zijn jullie de laatsten die nog nooit een blanke hebben gezien? Ja? English?'

De leider wees naar iets en Sol wendde zijn hoofd. Een groep mannen sleepte een pot van aardewerk aan, geelbruin van kleur met gestileerde tekeningen van totemdieren, groot genoeg voor een volledige geit. Of voor een volledig mens.

Nee, dacht Sol, ik heb de laatste kannibalen van de wereld ontdekt, het enige volk dat nog graag in een stukje sappig mensenvlees bijt, in mij, Sol Mayer, de voormalige Rukker van Manhattan, moordenaar van Stanley Treurniet!

Een kreet van ontzetting ontsnapte zijn keel en opnieuw steeg er gelach op. Deze mensen hadden geen geweten. Zij leefden in hun eigen groep en bewaarden hun menselijkheid voor clan- en familieleden. Zo was de wereld voordat Mozes de Thora had ontvangen. Gespeend van mededogen, inzicht, beschaving. Sol draaide zich in de modder om zodat hij de leider weer kon aankijken.

De man had een breed gezicht met zware kaken en was het Indiaanse antwoord op Arnold Schwarzenegger. Ze hadden geen filmindustrie in dit gehucht. Dit was echt. Arnold wees op Sol.

Sol kreunde. In het hart van het oerwoud zou hij door de primitiefste mensen van deze tijd als snack worden opgepeuzeld. Mensen die nog in het stenen tijdperk leefden en misschien net de kunst van het vuurmaken onder de knie hadden gekregen. Hij had geen karren gezien, geen wielen of metselwerk, en hij beschikte niet over de mogelijkheid om met dit volk te communiceren en hen ervan te overtuigen dat het bedrijven van kannibalisme al enige tijd geleden uit het handvest van de Verenigde Naties was geschrapt. Idi Amin, de voormalige heerser van Uganda, scheen er zich nog schuldig aan te hebben gemaakt, en soms werd er melding van gemaakt dat ook op andere plekken in Afrika mensen hun tanden in de bil of schouderpartij van een medemens zetten, maar dat waren zonder uitzondering aberraties van gedrogeerde soldaten die waanzinnig uit een gruwelijke slachtpartij waren gekomen. Maar Sol bevond zich nu in de handen van een rustig, goedlachs volk dat hoegenaamd niet de indruk wekte aan crack verslaafd te zijn. Ze wilden hem eten omdat ze hem lekker vonden. Sol had de lange weg van Manhattan naar Paramaribo afgelegd om uiteindelijk in de pan van een Indianenstam te belanden. Zo eenvoudig was het leven soms. De jaren van Talmoedstudie, van aandacht voor het goede en juiste, het mooie en oprechte, waren uitgemond in de moord op een onschuldige cocktail-mixer en een tussendoortje voor Indiaanse fijnproevers.

Zijn doodsangst gaf hem kracht en hij brulde en rolde door de modder, maar het enige dat hij opriep was min-achting en uitbundig plezier.

'*Sjema Jisraeel!*' riep Sol boven het geamuseerde gelach uit, '*Adonai Ellohenoe, Adonai Egad!*'

Hoor, o Israël, de Heer is onze God, de Heer is Een!

Het laatste gebed van de stervende.

Sol hoorde hoe het stil werd om hem heen, alsof iemand een hand had opgestoken om het volk tot bedaren te bren-gen opdat zij deze armzalige sterveling in stilte konden zien wegbranden, maar opeens voelde Sol een hand op zijn arm. Hij keek in het kleurrijke gezicht van Arnold, die hem met fonkelende, verraste ogen in zich opnam.

De man zei: 'Doe bist a jid? Farwos host doe dos niesjt frijer gezogt? Mier jidn esn zich doch niesjt ejner dem an-dern?'

Het was een bekende taal die de leider sprak. Jiddisch. Hij had gezegd: jij bent een jood? Waarom heb je dat niet meteen gezegd? Wij joden eten elkaar toch niet op?

Sol maakte mee dat ze het touw rond zijn polsen los-knoopten en hem steunden toen hij wilde gaan staan, maar de woorden van de Indiaan hadden zijn laatste restje weerstand gebroken en hij zakte door zijn knieën en raak-te bewusteloos.

## 8

Sol zag kleuren en werd gegrepen door geluk, paniek, rouw, tevredenheid. Hij was kind, grijsaard, vader, student, dief, rechter. Toen hij ontwaakte vertelden ze hem dat hij vier dagen hoge koortsen had gehad. Ze hadden gebeden en hem met de beste kruiden behandeld. De leider, een sterke man met gesticulerende handen en ironische mond, zei hem met tedere stem: 'Elke jood is zo kostbaar in deze wereld dat we alles wilden doen om je te redden.'

Niet alleen de leider sprak de oude taal van de vermoorde Oosteuropese joden, de meeste mannen kenden een handvol woorden, en daarmee konden ze een eenvoudig gesprek met Sol voeren. Een week na zijn aankomst in het dorp mocht hij van het bed van ruwe dekens opstaan en leidden ze hem voorzichtig langs de hutten, langs de vrouwen en kinderen. Ook Sol droeg nu bladeren om zijn geslacht te verbergen en de Indianen lieten niets na om hem duidelijk te maken dat zij hem als een van hen beschouwden. Zijn voetzolen waren het niet gewend om op de kiezels en stenen en takjes van de oerwoudgrond te stappen. Hij vroeg om zijn schoenen en zijn onderbroek en deed zijn best om de vriendelijkheid van de Indianen met respect te beantwoorden. Maar hij was nog te zwak voor een lange wandeling in de tropische hitte. Hij vroeg excuses voor zijn wens om even te gaan liggen.

Hij sliep weer twee dagen en toen hij ontwaakte waren alle wonden genezen en voelde hij zich helder en sterk, alsof hij nooit met Stanley de rivier was opgevaren, alsof hij nooit naar Paramaribo was afgereisd, alsof hij de schande van New York nooit had hoeven te verdragen.

Drie vrouwen verschenen met kommen water en ze wasten hem en gaven hem vruchten en soepen en baksels en toen hij zich met zijn onderbroek en schoenen had gekleed, verscheen de leider.

Hij liet zich naast Sol op de aangestampte vloer van de hut zakken en legde zorgvuldig zijn schaamlap tussen zijn dijen.

'Beste vriend,' zei hij in het Jiddisch, 'ik denk dat je wel een paar vragen hebt.'

'Ja,' antwoordde Sol.

'Waarom, hoe?' zei de leider met een glimlach.

'Precies.'

'Mijn naam is Usqua, maar de laatste jaren noem ik me Dovid, zoals de koning.'

Dovid was de Jiddische verbastering van David.

'Solomon,' zei Sol, en ze schudden elkaar plechtig de hand.

Als ik dit overleef, dacht Sol, wie gelooft me dan?

Dovid vertelde: 'Generaties en generaties leefden we zoals onze voorouders leefden, in en met de natuur. Ik wil niet zeggen als beesten, maar we hadden eigenlijk weinig nesjomme.' Dat was ziel, karakter. 'We vormen hier één grote misjpoge en we wisten dat ergens in het verleden onze stam op andere plekken heeft geleefd. De stamoudsten vertellen daar verhalen over, over onze strijd tegen andere stammen, over de manier waarop ze ons als slaven hebben behandeld. Zoals ik zeg, we hebben daar verhalen over, om ons verleden enigszins te bewaren, maar om nou te zeggen dat we een soort Thora hadden, nee.

Toen verscheen de Leraar. Twaalf Rosje Sjones geleden.'

Dat was de Nederlands-Jiddische verbastering van Rosj Hasjana. 'We vonden hem zoals we jou hebben gevonden. We deden net of we hem wilden opeten – ik hoop dat jij dat ook als een geintje beschouwt – en hij begon te praten. Niemand verstond hem, ik ook niet, maar hij was zo meeslepend in zijn onbegrijpelijkheid, zo overtuigend magisch, dat kan ik wel zeggen, *magisch*, dat we hem ons vertrouwen gaven.'

'Had hij een naam?' vroeg Sol, die bereid was alles te aanvaarden en geen wonder te groot meer vond.

'Rabbijn Mayer. Rabbijn Mordechai Mayer.'

Sol knikte. Hij had twaalf jaar met de onmogelijke dood van zijn vader gestreden, met zijn woede over de nonchalance waarmee hij door zijn vader bejegend was, met de nachtmerries en angsten van zijn schuldgevoel, en nu diende hij te accepteren dat zijn vaders onmogelijke dood toen niet had plaatsgevonden. Op een nog onmogelijker manier had Mordechai de cascade overleefd. Wanneer was hij gestorven? Hadden ze hem hier begraven?

'Hij leerde mij de taal van de heiligen, hij leerde mij lezen en hij leerde mij om het volk de wet te onderwijzen.'

'Zijn jullie besneden?'

'Kijk.' Dovid tilde zijn schaamlap op en Sol zag een besneden penis van volwassen afmeting.

'Jullie zijn nu een volk van de wet?'

'Mag ik je verbeteren, Solomon? Wij zijn *het* volk van de wet. Wij zijn de uitverkorenen. Wij zijn hier allemaal jood.'

Mijn krankzinnige vader heeft dit volk van krankzinnige kannibalen nog krankzinniger gemaakt, dacht Sol.

'Dus het was een geintje dat jullie mij wilden opeten?'

'Natuurlijk was het een geintje! Ik geef toe dat het niet echt fijnzinnig van ons was, maar we hebben elke dag extra gebeden, we hebben offers gebracht, we doen er echt alles aan om Kodisj Borger te behagen en van onze spijt te getuigen.'

Kodisj Borger was Nederlands-Jiddisch. *Hakadosj Baruch Hu.*

'De rabbijn, waar is hij begraven?'

'Begraven? Wie zegt dat hij gestorven is? Hij is de berg opgegaan! Vijf weken geleden! Maar hij is nog steeds niet terug! Daarom is dat ook gebeurd hier, met jou en de vleespot. De Leraar is al zo lang weg dat we echt een soort regressie meemaken. We maken ons zorgen over hem.'

'De berg?'

'De Zionoco. Als je midden in het dorp bij de vuren staat en over de pluimboom naar het westen kijkt, dan zie je de top. Rabbijn Mayer is de berg Zionoco opgegaan om de Stenen Tafelen te ontvangen.'

## 9

In het holst van de nacht verliet Sol het dorp en geen van de honden sloeg aan toen hij langs de hutten sloop en de takken met zijn schoenzolen brak.

Hij had dekens meegenomen, water en vruchten, en hij begon aan de tocht naar de Zionoco, wiens besneeuwde toppen in nevels waren gehuld. Zijn vader was nu vijfenzeventig jaar, een bejaarde man die de lage temperaturen op meer dan drieduizend meter hoogte nauwelijks kon verdragen. Misschien was hij niet teruggekeerd omdat hij gestorven was, of misschien hield hij zich ergens in de boessie schuil en werkte hij als gevorderd oplichter aan een kopie van de Stenen Tafelen. David Copperfield kon nog iets van Moos leren.

Sol kon op eigen kracht een Braziliaanse nederzetting bereiken – ze hadden hem uitgelegd hoe hij die voettocht van zeven etmalen diende te maken – maar hij had geen keuze. Hij wilde zijn vader zien. Hij wilde de personificatie van joodse wilskracht, joodse koppigheid en joodse mesjoggaas kunnen uitschelden voordat die echt zou sterven. Er was geen wonder geweest. Zijn eigen dronken kop had de illusie van zijn vaders verschijning opgeroepen. Maar de siddoer? Hoe was die in zijn bezit geraakt?

Drie dagen en drie nachten duurde Sols tocht. Vanuit de hitte en dichte vegetatie van het oerwoud liep hij naar de koude hoogten waar geen bloem kon groeien.

Beneden hem golfden de heuvels van de vruchtbare

tropen, een rijke groene deken doorsneden van waterlin-
ten die naar de horizon wezen. Voor hem wachtten de steile wanden van de Zionoco, kale rotsen waar de winden
heersten, ruwe vlakten waar alleen een stugge grassoort
overleefde in de beschutting van spleten in het gesteente.

Het was ondenkbaar dat zijn vader deze tocht had doorstaan. Sol was bang dat hij diens lichaam ergens zou aantreffen, geconserveerd in de koude maar getekend door de
ontberingen van de berg.

Sol liep drie dagen en drie nachten en toen hij de top bereikte en zijn voeten verdoofd waren door de stappen in de
diepe sneeuw, onttrokken de eeuwige nevels de wereld van
het oerwoud aan zijn blikken. Bij daglicht zag hij niets
meer dan de sneeuw die na een paar meter in de dichte
mist oploste. Bij nacht hielden de nevels de sterren verborgen. Wat was hier grond, wat was hier lucht?

Een etmaal dwaalde hij met verkleumde ledematen over
de top. Toen zag hij de toegang tot een grot, gemaakt van
ruwe planken (wie had die hierheen gesleept, had zijn vader hulp gehad?). Hij holde er met stramme benen heen
en zijn hart sprong op van vreugde en onrust en liefde en
woede.

'Papa!' riep hij door de planken die voor het gat waren
geplaatst.

'Papa! Hoor je me? Papa, schrik niet, ik ben het! Je zoon!
Papa, ik kom je halen! Hoor je me? PAPA!'

De wind joeg rond de berg en rukte aan de planken. Sol
had zijn hoed diep over zijn ogen getrokken en hield de
deken met beide handen vast. Hij had lappen rond zijn benen bevestigd en hij had zijn voeten en schoenen in dikke
bladeren gewikkeld. Hoe had zijn vader dit overleefd?
Mordechai moest op deze bergwanden zijn gestorven.

Sol luisterde en hoorde slechts de wind.

'Papa! Mordechai! Hoor je me? Moos! MOOS!'

En toen hoorde hij een stem, zwak en ijl, maar onmiskenbaar de stem van Moos Mayer, voormalig marktkoopman te Amsterdam, tegenwoordig handelaar in Stenen Tafelen.

'Haaa!' hoorde Sol. 'Haaa! Laat, maar net niet *te*! Masjiach, je hebt me lekker laten wachten, maar je weet, een echte jid geeft niet op!'

Sol nam de planken weg en stapte de duistere grot in. Het stonk er naar urine en uitwerpselen, naar ziekte en zwakte, en hij knielde naast een bed van stro. Daar lag een oude man met ingevallen wangen en zwakke handen, een schim van de reus door wie hij vroeger in triomf was opgetild, door wie hij aan de bomen langs de grachten was getoond, aan de gevels en aan de wolken: 'Mijn zoon! Mijn zoon Salomon!'

Sol greep de dunne vingers van zijn vaders handen.

'Papa! Papa! Ik zal je meenemen en ik zal ervoor zorgen dat je weer beter wordt. Papa, hoe is 't? Papa!'

Mordechai opende zijn ogen maar Sol merkte dat ze geen licht konden zien.

'Masjiach,' fluisterde Mordechai, 'Masjiach, speel nou geen spelletje met me. Doe je niet voor als een ander, zeker niet als mijn zoon, en laten we zaken doen. Daar wachten we al meer dan zevenenvijftighonderd jaar op, weet je.'

'Papa, ik ben de Masjiach niet! Ik ben Sol! Sallie, je zoon!'

'Ja, ja, die kennen we. Spreek ik Chinees? Ik weet wie je bent. Ik herken de Masjiach heus wel wanneer die komt.'

'Pap, je vergist je echt. Ik ben Sol, je kind.'

Mordechai schudde zijn hoofd. De kracht daarvoor liet hem naar adem happen. Hij slikte en zocht naar lucht om te praten.

Sol boog zich nog dichter naar zijn vader toe. Hoe kon hij kwaad zijn op deze man?

'Ook dat nog,' hoorde hij hem fluisteren, 'een Masjiach die een geinponem is.'

'Het is de waarheid!'

'Nee, Masjiach, ik weet dat je me test. Ik trap er niet in. Ik weet wie jij bent. Jij weet wie jij bent. Kodisj Borger weet wie jij bent. Doen we nou zaken of niet?'

Sol zag de tere huid van zijn vaders handen. Levervlekken, gescheurde nagels, wondjes.

'Ik ben er, Mordechai,' sprak Sol nadat hij zijn kreunende borst, zijn verkrampte keel, had bedwongen. 'Ik ben er om naar je te luisteren.'

'Gelukkig,' antwoordde zijn vader, en hij glimlachte met bleke lippen en zijn oogleden bedekten zijn blinde pupillen. Zelfs zijn schuine neus was vermagerd.

'Wat wil je weten, Mordechai?'

'Ik wil weten: de joden die vergast en verbrand zijn, Masjiach, wat gaat er met ze gebeuren nu de Dag des Oordeels is aangebroken?'

'De joden die vergast en verbrand zijn?' herhaalde Sol. Hij dacht aan de vader en moeder van de stervende man die hij nu met zijn sterke armen ondersteunde. Mordechai lag tegen zijn schouder, met zijn lippen tegen het oor van zijn zoon. Solomon Mayer, beter bekend als De Rukker van Manhattan, mocht oordelen over de doden. Door geulen naar het Beloofde Land? Met of zonder voorhuid? Of moest hij antwoorden: *jouw leven, jouw sores*?

Sol sprak: 'Stof zal geest worden, as zal vlees worden.'

'Ameen,' zei Mordechai. 'En het volk Israëls?'

Vooruit, dacht Sol, het lot van het hele volk Israëls hing af van zijn profetie: 'Het volk zal in vrede en voorspoed leven.'

'Ameen. En de andere volkeren?'

'Alle volkeren zullen in vrede en voorspoed leven.' Natuurlijk, daar wilde Sol niet misselijk mee zijn. Iedereen mocht meedoen.

'Ameen. En de rechtvaardigen?'

Dat was een makkie: 'De rechtvaardigen worden beloond.'

'Ameen. En de zondaars?

'De zondaars worden gestraft.' Hoorde hij daar niet zelf bij?

'Ameen. En de spijtoptanten?'

'De spijtoptanten wordt vergiffenis geschonken.' Nee, hij was een spijtoptant.

'Ameen.'

Uitgeput rustte zijn vader tegen Sols schouder. De huid van zijn gezicht was verschrompeld, verdroogd, verjaard, en zijn handen lagen krachteloos naast zijn vermagerde lichaam. Maar als hij zijn blinde ogen opende, zag Sol de stralende onschuld van zijn ziel.

'De Stenen Tafelen…' mompelde zijn vader. 'Ik heb 't ze beloofd. Ze zijn zo… jong en naïef. Zo wisselvallig nog. Ze hebben een bewijs nodig. Iets tastbaars.'

'Ik zal ze je meegeven.' Hoe? Met zijn blote handen een paar platen graniet uit de berg hakken?

'Ameen.'

Zijn vader bleef tegen zijn schouder liggen, te zwak om te bewegen en zijn oor te zoeken.

Sol zei: 'Mag ik jou iets vragen, Mordechai?'

'Masjiach, ben ik in een positie om dat te weigeren?'

'Waarom hier? Waarom ben je de berg opgegaan? Wat bezielde je?'

'Masjiach, ik dacht: Zionoco, Zion, ik dacht: we zijn nou al zo lang in de weer, vijfduizend en zevenhonderd en nog wat jaren, en ik dacht: ik ben nou hier terechtgekomen en Kodisj Borger alleen weet waarom ik hier verzeild ben geraakt, maar misschien heeft dat toch een doel: misschien hebben we ons al die tijd vergist en ligt hier het beloofde land en niet daar. Zion-oco. Daarom. En daarom ben ik de berg opgegaan en daarom ben jij nou gekomen. En Masjiach, heb ik me vergist?'

'Nee,' zei Sol. 'Ik heb nog een vraag. Je siddoer…'

Zijn vader lag met geopende mond tegen zijn schouder, zijn laatste krachten aansprekend.

'Ik wist dat je daarover zou beginnen.' De stem van zijn vader klonk nu zo luid als de stappen van een rups. 'Ik was mijn siddoer thuis in Amerika vergeten. Voor de eerste keer op reis zonder mijn siddoer. Thuis op tafel laten liggen. Stom. Ontdekte het in het vliegtuig. Gelukkig… gelukkig kon ik in Paramaribo een exemplaar lenen. Dat gebruik ik nog. En nog wat…'

Mordechai kreunde, nauwelijks hoorbaar pratend op de weinige lucht die hij met zijn zieke longen kon ademen: 'Ik weet dat dat eigenlijk niet hoort, iets persoonlijks vragen, maar m'n zoon…'

'Wat is er met je zoon?'

'Let een beetje op hem, wil je? Ik weet niet…'

'Wat niet, Mordechai, wat weet je niet?'

Zijn vader keek hem blind aan.

'Ik weet niet of ik het goed heb gedaan, vroeger. Ik was nogal bezig met… met de sjoel, met de gemeente, en Sallie ging de verkeerde weg op… omdat ik hem na de dood van mijn vrouw niet goed heb begeleid. Mijn fout, Masjiach, echt waar. Ik zeg je, als vriend: hij is geen zondaar. Hij is een lief kind en ik vraag aan je om een beetje voor hem te zorgen.'

'Ik zorg voor hem.'

Een bevrijde glimlach gleed over het gezicht dat zoveel gebeden had.

'Masjiach, nog één klein dingetje: hoe is 't met mijn vrouw, Sara Wegloop?'

Sol zag niets door de sluier van zijn tranen en toen hij weer naar zijn vader keek, lag Mordechai achterover in de armen van zijn zoon.

Voorzichtig legde Sol hem op het bed van stro. Hij sloot zijn mond en ogen en hij zei de gebeden.

Buiten probeerde hij een graf te graven, maar de grond was bevroren en liet niet toe dat Mordechai hier zou rusten.

Toen droeg Sol het lichaam van zijn vader de berg af. Hij liep drie dagen en drie nachten en hij droeg het lichaam van zijn vader in armen die geen vermoeidheid kenden en toen hij het dorp van de Indianen bereikte jammerden alle vrouwen en scheurden alle mannen uit rouw hun lappen. Zij wasten het lichaam van de rabbijn en legden hem in een eenvoudig kleed in een graf onder een Jacaranda-boom. Sol leidde het gebed en het volk antwoordde.

Zeven dagen zat Sol sjiwwe en op de ochtend van de achtste dag, na het beëindigen van de eerste rouwperiode, vroeg Dovid of hij Sol een vraag mocht stellen.

Sol knikte en Dovid liet zich naast hem zakken.

'Sol, ik wist aanvankelijk niet dat jij de zoon van de Grote Leraar bent. Maar nu we weten dat ook jij rabbijn bent en het een feit is dat wij, als gemeente, helaas een nieuwe leidsman nodig hebben… Sol, zou jij ons de kowed willen doen om onze nieuwe rabbijn te zijn?'

*En zo gebeurde het dat Sol Mayer, zoon van Mordechai, rabbijn werd van de Indianen.*

EINDE

# Woordenlijst

*blz.* 10 kasjroet – de joodse voedselwetgeving

*blz.* 29 choppe – huwelijk/bruiloft

*blz.* 51 jeshivabocher – talmoedstudent

*blz.* 66 bimah – podium in synagoge waar de Thora wordt voorgelezen

*blz.* 72 sidra – deel van Thora dat op sjabbat wordt voorgelezen

*blz.* 104 schlong – penis (Amerikaans-jiddisch)

*blz.* 107 jeshiva – academie ter bestudering van joodse geschriften

*blz.* 113 brooges – zegenspreuken (Nederlands-jiddisch)

*blz.* 114 parasja – deel van Thora

*blz.* 114 jatje – aanwijsstokje in de vorm van een vinger, gebruikt bij het lezen van de Thora-rol

*blz.* 117 sjiwwe – de zeven dagen van rouw volgend op de begrafenis, doorgebracht op een lage stoel of op een kussen op de grond

*blz.* 117 lewaaje – teraardebestelling

*blz.* 130 Wajikra – Leviticus

*blz.* 137 mamser – kind geboren uit een verboden seksuele relatie

*blz.* 137 Kodisj Borger – de Heilige Zijn Naam zij geprezen (Nederlands-jiddisch)

*blz.* 143 rav – aanspreektitel voor rabbijn

*blz.* 144 Masjiach – Messias

*blz.* 144 Gan Eden – tuin van Eden/paradijs

*blz.* 146 Gehinnom – hel/onderwereld